Federico:

La historia es maestra de vida.

Hay que conocerla para despues
verificar qué tanto y qué
tan bien se aprendio del
pasado.

Felicitaciones por tu grado!
Muchos exitos por venir.

Pacho y Maria Amanda.

Agosto 2.008

ÁLVARO TIRADO MEJÍA

Introducción a la historia económica de Colombia

EL ÁNCORA EDITORES

Primera edición: Universidad Nacional de Colombia
                  Bogotá, 1971
Vigésimo segunda edición: El Áncora Editores
                  Bogotá, 2001
ISBN 958-36-0052-0

Portada: diseño de Camila Cesarino Costa
© Derechos reservados: 1998. Álvaro Tirado Mejía
                  El Áncora Editores
                  Apartado 035832
                  Fax (57-1) 2839235
                  ancoraed@interred.net.co
                  Bogotá, Colombia
Preprensa digital: Servigraphic Ltda.
Separación de color: Elograf
Impreso por Panamericana Formas e Impresos S.A.
Impreso en Colombia
Printed in Colombia

CONTENIDO

1

LA CONQUISTA DE AMÉRICA
Y EL ORIGEN DEL CAPITALISMO

Con el surgimiento del capitalismo, los fenómenos económicos se hacen universales. La insularidad y la autarquía de los feudos medievales es superada por la aparición del mercado mundial. Con el capitalismo y a medida que éste se desarrolla, no se puede hablar de historia simplemente nacional, porque con su aparición los acontecimientos de significación en cada pueblo tienen sus causas en circunstancias internas —propias de la determinada sociedad— y en hechos externos producidos más allá de sus fronteras. Y si esto puede predicarse de las potencias colonialistas (que fueron influidas por las peculiaridades de las colonias que conquistaron), en mayor grado puede decirse de los países sometidos, que fueron modelados según necesidades de la metrópoli. Por esta razón, para tener un cabal conocimiento de nuestra historia, debemos conocer las circunstancias en que se encontraba Europa al momento del descubrimiento y conquista y no perder de vista en ningún instante el proceso histórico, las coyunturas que en el sistema capitalista hicieron posible el desarrollo de las contradicciones internas que impulsaron el avance de nuestra sociedad hasta el momento actual.

ORIGEN DEL CAPITALISMO

En los comienzos del siglo VIII, el comercio que se había desarrollado a través del Mediterráneo —*mare nostrum* de los romanos— fue condenado a desaparecer. La invasión de los sarracenos y sus conquistas en el Norte de Africa y España, así como la toma de posesión de las islas Baleares, de Córcega, Cerdeña y Sicilia, terminó con el comercio que por centurias había florecido sobre las aguas del Mediterráneo. Europa sufrió un receso económico y la sociedad se sumió en el estancamiento característico del Medioevo.[1]

Europa occidental volvió al estado agrícola; la tierra se convirtió en la única fuente de subsistencia y única condición de riqueza. Desapareció el comercio y con él las ciudades; el numerario de oro se extinguió y fue reemplazado en el imperio Carolingio por la moneda de plata. Surgió el latifundio y el poder público se desintegró en manos de sus agentes, los señores feudales. Para sancionar los nuevos hechos económicos, nacieron nuevas ideas religiosas y el préstamo con interés fue anatematizado por la Iglesia, como pecado de usura.

Mas hubo circunstancias en el transcurso de siglos que removieron esta situación. Una de ellas —importantísima— la constituyó el acontecimiento de las Cruzadas. Tras de los cruzados marchaban los mercaderes, que llegaron a constituir una nueva clase cada vez más desarrollada. Aparecieron las ferias de carácter permanente en Inglaterra, Francia, Bélgica, Alemania e Italia y, al mismo tiempo, se fue presentando un intenso intercambio de productos en el Mar del Norte y en el Mar Báltico. Brujas se convirtió en el centro del tráfico comercial del norte y en el sur, Venecia lo fue del que se efectuaba entre occidente y oriente; sólo faltaba un centro de unión para este comercio que vino a ser Champagne, con sus ferias de Logny, Provins, Bar-sur-Aube y Troyes.[2]

---

1. Véase Henri Pirenne. *Historia económica y social de la Edad Media* (México, Fondo de Cultura Económica, 1960). E *Historia de Europa* (México, Fondo de Cultura Económica, 1956).

2. Véase Leo Huberman. *Los bienes terrenales del hombre* (Buenos Aires, Ed. Iguazú, 1963).

Los comerciantes necesitaban dinero para ampliar sus transacciones y las clases nobles también lo requerían para comprar a los comerciantes los artículos de lujo que éstos traían de Oriente.

Con el crecimiento del comercio y la reaparición de la circulación monetaria, la tierra dejó de ser la fuente principal de la riqueza y la base del poder político. Los comerciantes —poseedores de la riqueza mercantil— chocaron desde un principio con las viejas estructuras feudales. Inicialmente, la clase de los mercaderes, asentada en los burgos, sólo trató de establecer un *statu quo* que le permitiera desarrollar sus actividades aprovechando hasta donde le fuera posible las formas sociales medievales. Sin embargo, desde el siglo XIV su lucha con la nobleza terrateniente se agudizó, y la fisonomía histórica de Europa se marcó profundamente con los rasgos del nuevo sistema de producción capitalista, en su fase mercantil. La burguesía disputó el poder político a la nobleza feudal, pero como aún no tenía fuerzas suficientes para aspirar a la dominación social, aprovechó el conflicto entre las monarquías y el fragmentarismo medieval. Terció en favor de las primeras, impulsando de este modo la creación de los estados nacionales y del absolutismo. El Estado nacional cumplía las condiciones necesarias para el desarrollo del capitalismo y aunque no fuera todavía un Estado burgués, su funcionamiento descansaba en último término en el capital, en el dinero.[3]

---

3. «La cuestión es, empero, la de cuándo aparece el capitalismo en sentido moderno, es decir, aquella potencia que produce la situación espiritual y psicológica a que hemos aludido. Los comienzos del capitalismo no se hallan, naturalmente, en el siglo VI. De capitalismo puede hablarse ya en la Edad Media, e incluso, en cierto sentido, en la Antigüedad Clásica. Si se entiende por economía capitalista simplemente la relajación de las vinculaciones corporativas, la destrucción de las corporaciones por la producción, y a la vez, empero, la renuncia a la seguridad que ofrecen las corporaciones, o lo que es lo mismo, si se entiende por economía capitalista una producción, explotación y ganancia por propia cuenta y riesgo, guiada por los ciertos síntomas de la idea de concurrencia y de lucro, entonces hay que incluir la alta Edad Media en la era capitalista. Si se tienen, en cambio, estas características por insuficientes y se cree, al contrario, que son rasgos esenciales del capitalismo la explotación en forma de empresa de la fuerza de trabajo ajena y la explotación y dominio del mercado de

Además, con la aparición del capitalismo cobró importancia un nuevo fenómeno: durante la Edad Media, el excedente económico percibido por los señores feudales tenía un límite. La clase ociosa no podía consumir más de lo que estaba en capacidad física de gastar. Por mucho que derrochara, el consumo estaba frenado por ese límite, lo cual a su vez constituía una barrera a la explotación. Un hombre no puede usar más de cierto número de vestidos y no puede comer sino hasta cierta cantidad. Pero con el capitalismo el excedente adquiere una nueva función; el dinero se convierte en capital, una de cuyas características es la necesidad de permanente reproducción.

De este momento en adelante, fue necesario para la burguesía naciente adquirir cada vez más dinero para producir y reproducir lo obtenido.

Los cambios sufridos por Europa en los albores del capitalismo, condicionaron la modificación concomitante de las formas de vida, de pensar y de actuar y lógicamente determinaron una transformación en la superestructura ideológica. Al perder la nobleza la base de su poderío señorial, representado en lo militar por la caballería y en lo económico por la supremacía de la tierra, aparecieron nuevos conceptos y otros tomaron una significación distinta a la que hasta el momento había tenido. El «honor caballeresco» fue superado y en su lugar el burgués impuso el suyo. A la ideología de *poder* de la nobleza que sólo invocaba su «legítimo derecho», el burgués opuso la *fuerza* como única razón, basado en un criterio realista. Para el burgués renacentista no tiene sentido la actitud de

---

trabajo por la posesión de los medios de producción, es decir, la transformación del trabajo, de un servicio, como lo es en tiempos de la esclavitud y de la servidumbre, en una mercancía que es en lo que se convierte con la liberación de los siervos de la gleba, entonces hay que situar los comienzos de la economía capitalista entre finales del siglo XIV y principios del XV. Sin embargo, todavía no puede hablarse de una verdadera acumulación de capital ni de grandes patrimonios en metálico, cuya existencia, según Werner Sombart, es un rasgo esencial del capitalismo. Esto se puede observar, por primera vez, en el siglo XVI, y antes también por otras razones, no puede hablarse de capitalismo en sentido estricto.» Arnold Hauser. *El manierismo* (Madrid, Ed. Guadarrama, 1965), p. 82.

Alfonso de Nápoles al negarse a combatir la Flota Genovesa por medios exclusivamente técnicos (por considerarlos reñidos con las normas caballerescas), pues para aquél sólo importa el resultado, el fin, abstracción hecha de los medios empleados. Como el Estado mismo se vuelve empresario capitalista, la política se tornó un cálculo y el político se hace calculador. La mentalidad política y las decisiones de esta índole son condicionadas por el factor económico y en su escogencia obran más la capacidad y la eficacia, que la sangre o la pertenencia a un estado social determinado. Ante las nuevas realidades, el mismo concepto de espacio cobra un énfasis nuevo. El capital en dinero se relaciona con la concepción del tiempo. Cuando en la Edad Media poseía el poder el dueño de la tierra, era la magnitud del concepto «espacio» la que primaba. Pero el dinero implica movilidad, cambio, y el capital tiene que reproducirse permanentemente, es decir, el tiempo se convierte en oro para la acumulación y la reproducción. Desde el siglo XIV en adelante, comienzan a resonar en Italia las campanadas de los relojes que dicen al burgués que no hay lugar para el ocio, que el tiempo es escaso y que no se puede perder. En la misma construcción de las obras, la época renacentista marca el énfasis en el tiempo. Durante la Edad Media se proyectaban obras —una catedral, una casa consistorial, etc.— para períodos de años y aun de siglos: no había prisa. En el renacimiento, el burgués que quiere resaltar su individualidad, las proyecta para terminarlas en vida, con el objeto de que las obras queden vinculadas a su nombre. El conocimiento empírico toma validez y las leyes naturales —dentro del proceso científico— adquieren valor. Ya no son simples elementos secundarios, subsidiarios del milagro, que suspende la causalidad, como irracionalmente se pretendía en la Edad Media. Con el advenimiento de la burguesía al poder se manifiestan las ideas democráticas en el arte a través del desnudo, el cual es democrático por cuanto en él aparecen los hombres igualados, sin vestimentas que los distingan y den apariencia diferente a seres de la misma condición.[4]

---

4. Véase Alfred von Martin, *Sociología del Renacimiento* (México, FCE, 1962).

En el siglo XV las necesidades del comercio y el bloqueo del Mediterráneo por los turcos, plantearon a Europa la necesidad de descubrir nuevas rutas hacia los mercados orientales. Durante este proceso de expansión —inconcebible en el sistema feudal— fue descubierta América. La conquista de este continente repercutió profundamente sobre las fuerzas sociales que gestaban una nueva Europa.

AMÉRICA, EFECTO Y CAUSA DEL CAPITALISMO

A partir del siglo XI la expansión del comercio aceleró en Europa occidental el desarrollo de una economía monetaria, pero el numerario era muy escaso y era preciso entonces hallar nuevas fuentes de producción de oro y plata. También era necesario buscar nuevas rutas —como se vio— con el objeto de que el comercio de las especias no se suspendiera.[5]

En su descubrimiento, Colón fue motivado fundamentalmente por el oro y por la necesidad de rutas más cortas en el tráfico con Oriente. Lo primero se capta fácilmente en su *Diario de navegación*. Es la obsesión del oro lo que lo guía: «Que el Señor me dirija en su misericordia para que yo descubra oro.»[6] «Cosa maravillosa es el oro, quien lo posee obtiene todo cuanto desea. Con el oro se abren las puertas del cielo a las almas.»[7] Lo segundo se comprueba si se tiene en cuenta que Colón murió sin saber que había descubierto un nuevo continente, y en la creencia de que había llegado

---

5. «Las especias (clavo de olor, pimienta, azafrán, etc.), lo mismo que el aroma y el azúcar, llegaron a ser de consumo general entre los europeos por diversas razones: la falta de pastos de invierno que obligaba a conservar la carne y otros alimentos un tiempo más prudencial y sazonarlos con fuertes condimentos, la ausencia de hábitos de higiene en las personas de todas las categorías sociales y de obras de salubridad en los centros urbanos que se paliaban mediante perfumes intensos, el refinamiento en el gusto que se despertó después del retroceso de la primera Edad Media y a raíz del contacto con Oriente, etc.» Rodolfo Puigross, *De la Conquista a la revolución* (Buenos Aires, Ed. Leviatán, 1957), p. 9.

6. Citado por Josué de Castro en «El oro y la América Latina», revista *Desarrollo*. Colombia (febrero de 1967), No. 5.

7. Citado por Puigróss, *op. cit.*, p. 14.

a uno de los reinos orientales de las especias. En este sentido puede decirse que el descubrimiento de América es efecto del capitalismo, pues la necesidad del oro y de nuevas rutas para el comercio creciente determinaron la expedición de Colón.

Ahora bien, América es una de las causas del capitalismo y en una medida muy importante. «En el siglo XVI, a consecuencia del descubrimiento en América de minas más ricas y más fáciles de explotar, aumentó el volumen de oro y plata que circulaba en Europa. El valor del oro y la plata bajó, por tanto, en relación con las demás mercancías. Los obreros seguían cobrando por su fuerza de trabajo la misma cantidad de plata acuñada. El precio en dinero de su trabajo seguía siendo el mismo, y sin embargo su salario había disminuido, pues a cambio de esta cantidad de plata, obtenían ahora una cantidad menor de otras mercancías. Fue ésta una de las circunstancias que fomentaron el incremento del capital y el auge de la burguesía en el siglo XVI.»[8, 9]

El aumento en los precios contribuyó al desequilibrio entre las clases en los albores del capitalismo en Europa. Aquéllos crecieron

---

8. Carlos Marx. *Trabajo asalariado y capital*. Obras Escogidas (Moscú, Editorial Progreso, 1955), p. 80, T. I.

9. «El pillaje de México y Perú, la circunnavegación de Africa, el establecimiento de contacto marítimo con la India, Indochina, China y Japón, transforman completamente la vida económica en Europa occidental. Se produce la revolución comercial, la creación de un mercado mundial de mercancías, la transformación más importante de la historia de la humanidad desde la revolución metalúrgica.»

«Los metales preciosos, cuyo precio de producción se había conservado estable durante un milenio, se vieron bruscamente envilecidos por importantes revoluciones técnicas (separación de la plata del cobre mediante el plomo; empleo de máquinas de drenaje; perforación de galerías de salida perfeccionadas; utilización del bocarte, etc.). Esto trae consigo una importante revolución en los precios; una misma cantidad de dinero sólo es ya equivalente de una cantidad inferior de mercancías. De los países donde primero se aplicaron estos métodos de explotación —Bohemia, Sajonia y Tirol en el siglo XV— la revolución de precios se extendió rápidamente a España en el siglo XVI. El pillaje del tesoro de Cuzco y la apertura de minas de plata en Potosí disminuían más radicalmente todavía los gastos de producción de metales preciosos mediante la utilización de mano de obra servil. Inmediatamente, el alza de precios se extendió por toda Europa, donde la nueva masa de metales preciosos se dispersó.» Ernest Mandel, *Tratado de economía marxista* (México, Ediciones Era, 1969, p. 98, T. I.

a un ritmo mayor que los salarios y la burguesía se benefició a expensas de las masas trabajadoras. De otra parte, la aristocracia que tenía rentas fijas de la tierra, con el aumento en el precio de las mercancías perdió capacidad adquisitiva y tuvo que ceder poco a poco ante la burguesía que cada vez adquiría mayor preeminencia económica y política.[10]

«En Francia e Inglaterra, la amplia disparidad entre precios y salarios nacida de la revolución de los precios privó a los trabajadores de una gran parte de las rentas de que hasta entonces habían disfrutado y encaminó esta riqueza hacia los participantes por otros conceptos en la distribución del producto social. Como se ha visto, tanto las rentas de la tierra como los salarios marcharon con retraso en relación con los precios y así, los propietarios territoriales no ganaron nada de lo perdido por el trabajo. Durante un período de casi doscientos años los capitales ingleses y franceses —y es de presumir que también los de otros países económicamente adelantados— debieron disfrutar rentas análogas a las que los traficantes americanos cosecharon de una divergencia similar entre precios y salarios de 1916 a 1919».[11]

---

10. Véase Earl Hamilton, *El florecimiento del capitalismo y otros ensayos de historia económica* (Madrid, Ed. Revista de Occidente, 1948).

11. Earl Hamilton, *op. cit.*, p. 19. El mismo autor nos trae el siguiente cuadro de aumento de precios y salarios en Inglaterra en el período comprendido entre 1501 y 1702, p. 15:

Período	Precios	Salarios	Período	Precios	Salarios
1501-1510	95	95	1603-1612	251	124.5
1511-1520	101	93	1613-1622	257	134
1521-1530	113	93	1623-1632	282	138.5
1531-1540	105	90	1633-1642	291	152.5
1541-1550	79	57	1643-1652	331	175
1551-1560	132	88	1653-1662	308	187
1561-1570	155	109	1663-1672	324	190
1571-1582	171	113	1673-1682	348	205.5
1583-1592	198	125	1683-1692	319	216
1593-1602	243	124	1693-1702	339	233

ESPAÑA Y LA CONQUISTA DE AMÉRICA

Las potencias colonialistas también experimentan el efecto de sus colonias en sus propias estructuras. España, sin pretenderlo, fue sacudida violentamente por el descubrimiento y conquista de América y la riqueza de allí extraída, en lugar de ser motor impulsor, se constituyó en freno para su desarrollo.

Con el oro americano también subieron los precios en España con un resultado totalmente adverso. Como la inflación se presentaba a medida que irrumpía el oro americano, es lógico que España, que era el país al que primero llegaba, fuera el primero en sufrir el encarecimiento de las mercancías. Esta circunstancia colocaba a los productores españoles en desventaja en el comercio internacional con los productos europeos, que todavía no sufrían el alza de precios, pues hasta ellos no había llegado la avalancha en torrente del oro americano. Este fue el primer efecto negativo que trajo a España el descubrimiento de América.[12]

------

12. Sobre la magnitud de los tesoros trasladados a Europa, expresa Henri See: «Los portugueses acumularon con bastante anticipación grandes cantidades de oro en la costa occidental de Africa, pero el acontecimiento decisivo en esta materia fue la conquista de Méjico (1519-1521) y de Perú (1532-1541). Los conquistadores saquearon sin escrúpulos los tesoros acumulados por los indios; sólo el tesoro de los incas dio millones a Pizarro y a sus compañeros. Después vinieron tributos que, al tomar la posesión del país, impusieron los españoles a los indígenas y por último las rentas periódicas de las minas. El descubrimiento de las minas del Potosí (1545) acrecentó notablemente la cantidad de metales preciosos; su producción anual era de 300.000 kilogramos (10.000 onzas troy). México, Nueva Granada, Perú y en menor escala Chile, derramaban sobre Europa metales preciosos. En un siglo la producción de éstos aumentó de un modo fantástico, particularmente la de plata que, de 1520 a 1620, casi se quintuplicó. Las cuatro quintas partes del oro y de la plata de entonces, procedían de la América Española.» *Orígenes del capitalismo moderno* (México, FCE, 1961), p. 42. Y Rodolfo Puigross dice: «Con los nuevos dominios ultramarinos la monarquía dispuso de formidables recursos financieros. Sus ingresos aumentaron treinta veces en los primeros seis años de reinado de Carlos V; el quinto que le correspondió por el rescate de Atahualpa ascendió a seiscientos millones de pesetas. Según datos de Bécquer y González, en el medio siglo comprendido entre 1509 y 1550 ingresaron a la Casa de la Contratación, oro, plata y piedras preciosas por valor de 1.557.308.475 maravedíes.» *Op. cit.*, p. 22.

La elevación de precios por encima de los salarios benefició a la burguesía europea con respecto al proletariado y por causa de este aumento, la nobleza con rentas fijas fue perdiendo preeminencia en favor de la burguesía naciente. En España, por el contrario, y para mal de su desarrollo capitalista, el fenómeno no fue el mismo. Estanislao Zuleta, basándose en Hamilton, nos describe el fenómeno en la siguiente forma: «Una de las principales razones por las cuales el tesoro americano produjo en España efectos contrarios que en Inglaterra, Francia y Holanda, fue la manera como llegó. Como no era obtenido por la venta de mercancías sino directamente explotado en las minas de América, no llegaba principalmente a manos de los empresarios y se regaba de manera bastante homogénea en los diversos sectores de la economía. Así, la carrera de precios y salarios dejó también aquí retrasados a los segundos, pero en una proporción mucho menor, a la que caracterizó, como vimos, a los países industrialmente avanzados. En Andalucía, los salarios de gente de tierra —que son los más interesantes para el problema considerado— siguen muy de cerca los precios entre 1503 y 1660, que es el período de mayor inflación. Si tomamos el primer año = 100 tenemos que en el último, tanto los precios como los salarios oscilan entre 400 y 500.»[13]

Otra circunstancia contribuyó a frenar el desarrollo capitalista de España: la derrota de la burguesía nacional en la batalla de Villalar, que sometió al poder centralizado de Carlos V a aquel sector que se había rebelado ante las concesiones hechas por el monarca a los príncipes y banqueros alemanes. Carlos V, para obtener la corona de emperador y para financiar las continuas guerras que mantuvo en Europa, se vio obligado a recurrir a los banqueros alemanes, quienes le exigieron como contraprestación una serie de prerrogativas.[14] Algún sector de la nobleza española y la burguesía

---

13. Estanislao Zuleta, «Conferencias de economía latinoamericana» (copia a máquina).

14. Al respecto, el historiador chileno Volodia Teitelboim, en su obra *El amanecer del capitalismo y la conquista de América* (Buenos Aires, Editorial Futuro, 1963), nos dice: «La realidad documental sostiene con énfasis, que Carlos

del país se levantaron en armas, pero fueron totalmente vencidos y sometidos en la batalla de Villalar en el año de 1521. Con ello perdió España otra oportunidad en la competencia con los demás países europeos para desarrollarse desde el punto de vista capitalista.

Felipe II decretó la expulsión de los moros y de los judíos que habitaban los reinos de España. Con su emigración perdió el país el sector más importante de la burguesía y sus actividades económicas se resintieron profundamente, pues eran los moros y los judíos los que controlaban los sectores vitales de la economía, como la agricultura y el comercio.[15]

Bueno es aclarar un concepto que se usa frecuentemente: el de feudalismo. En un sentido estricto hay que entender por tal, un sistema de producción que en Europa se presentó entre los siglos IX y XIV con características específicas, como la primacía de la propiedad inmueble, la desaparición casi absoluta del comercio y de la moneda, un sistema de clases y estamentos sumamente cerrados,

---

jamás hubiera sido emperador de Alemania de no mediar el dinero de los Fugger, que aportaron para ese cohecho sublime 543.585 ducados; de las casas Grelterrouth, Formary y Virvaldis, que prestaron 165.000, y de Welser, quienes entregaron 153.333, según consta en el Acta titulada 'Lo que ha costado la elección imperial a Carlos V', conservada en el archivo de Augsburgo, p. 139.» Estos adelantos daban a los banqueros fuerza suficiente como para escribir al monarca más poderoso de la tierra, en cuyos dominios no se ponía el sol, lo siguiente: «Hemos adelantado a los Agentes de Su Majestad una gran suma de dinero, que nosotros mismos hemos tenido que conseguir en gran parte de nuestros amigos. Es bien sabido que Su Majestad Imperial no hubiera podido ganar la Corona romana sin contar con mi ayuda, y esto lo puedo probar con el testimonio de los mismos Agentes de Su Majestad entregados en sus propias manos. En este asunto no he perseguido mi propio provecho. ¿No lo cree usted así? Si hubiese abandonado a la casa de Austria y me hubiese interesado en apoyar a Francia, hubiera obtenido más dinero y hacienda, tal como entonces se me ofreció. Vuestra Real Majestad sabe bien cuán grave desventaja hubiera resultado entonces para Su Majestad y la casa de Austria.» Carta de Fugger a Carlos V, citada por Teitelboim, *op. cit.*, p. 128.

15. Sobre todos los fenómenos anteriores, véase la excelente obra de Fernand Braudel, *El Mediterráneo y el mundo mediterráneo en la época de Felipe II*, 1ª ed. en castellano, Ts. I y II (México, Fondo de Cultura Económica, 1953).

con dominio de los propietarios de la tierra, los señores feudales, sobre los trabajadores directos, los siervos de la gleba, etc. Dentro de este modo de producción se desarrollaron las contradicciones que hicieron posible uno superior, el capitalismo.

Es evidente que al hablar de feudalismo en la España del siglo XVI en adelante, o que al hablar de feudalismo en América a partir de la conquista, no puede hacerse en sentido estricto, porque habían sucedido nuevos hechos históricos. Para esta época, el capitalismo había nacido y se desarrollaba velozmente en algunos países como Inglaterra, Francia, los Países Bajos, etc., y tanto España como América sufrían directa e indirectamente su influencia. Pero sí puede hablarse en sentido lato de instituciones feudales en estas últimas, puesto que muchas instituciones sociales y económicas que se conservaron o que surgieron tuvieron íntima relación con las características de una sociedad feudal. La encomienda, por ejemplo, con su prestación de servicios personales y con las obligaciones tributarias que imponía, tenía de organización feudal y de capitalista; aunque en otros aspectos que veremos más adelante, difería de la primera. Y es que por razón del afianzamiento del feudalismo en España —entendido éste dentro del marco del capitalismo mundial—, y por ciertas estructuras socioeconómicas que encontraron los españoles en América, se crearon acá instituciones que llevaban en su seno las características de los dos sistemas de producción en lucha.

Es precisamente en las condiciones históricas de la metrópoli, España, y en las peculiaridades internas de sus colonias donde surgen las diferencias entre la colonización hispana y la anglosajona y no en características raciales, climáticas o en el difuso «espíritu nacional.» Inglaterra era un país capitalista desarrollado y encontró en los territorios que colonizó organizaciones indígenas incipientes, con un bajo nivel de organización política, de vida nómade y con poca población. Fue más fácil para ella, con los hábitos capitalistas que traía, exterminarlas que someterlas, pues por su poco desarrollo social y por su vida nómade no eran las más indicadas para la explotación del trabajo sometido. España, por el contrario, donde por razones históricas y de estructuras económicas existían prejuicios con respecto al trabajo manual[16] y en donde el feudalismo, con su clase de señores parasitarios, no sucumbió ante el capitalismo, sino que más bien se afianzó,[17] encontró en los territorios de América sociedades indígenas avanzadas (aztecas, incas, chibchas) de compleja organización política, sedentarias, dedicadas a la agricultura y con numerosa población. Estas sociedades indígenas fueron sometidas y las tendencias feudales del

16. Durante varios siglos el español encontró en la península dos grupos sociales: moros y judíos, que le suplieron en las tareas económicas: el judío, en las labores bancarias, financieras y comerciales, y el moro, en las labores agrícolas y artesanales. El trabajo ejercido así por grupos considerados inferiores religiosa y políticamente, recibió los mismos estigmas que en aquellas sociedades donde lo ejercían esclavos: fue una ocupación de parias y no de señores. Ahora bien, la salida definitiva de moros y judíos habría sido la oportunidad para que España se rehiciese, pues todavía la estructura social tenía la suficiente elasticidad para variar de rumbo, para rectificar el concepto y la práctica económicos y ductilizar el espíritu de cruzado; pero en esta coyuntura la historia le deparó el nuevo mundo, le siguió exigiendo virtudes heroicas y puso a su disposición una nueva clase paria: las poblaciones indígenas americanas, clase que siguió creando riquezas para el pueblo señorial y dándole a la actividad económica un carácter innoble.» Jaime Jaramillo Uribe, *El pensamiento colombiano en el siglo XIX* (Bogotá, Ed. Temis, 1964), p. 12.

17. No es del caso entrar en este trabajo en la discusión erudita que tanto ha preocupado a tantos estudiosos del Medioevo: si en la España anterior al descubrimiento de América se presentó el feudalismo con las mismas notas características que en otros pueblos de Europa. Sin embargo, transcribimos algunos conceptos de Carlos Marx, sobre la génesis de la nación española: «Se dieron en la creación de la monarquía española, circunstancias particularmente favorables para la limitación del poder real. De un lado, durante los largos combates con los árabes, la península era reconquistada por pequeños trozos que se constituían en reinos separados. Se engendraban leyes y costumbres populares durante esos combates. Las conquistas sucesivas, efectuadas principalmente por los nobles, otorgaron a éstos un poder excesivo, mientras disminuyeron el poder real. De otro lado, las ciudades y poblaciones del interior alcanzaron una gran importancia debido a la necesidad en que las gentes se encontraban de residir en plazas fuertes, como medida de seguridad frente a las continuas incursiones de los moros; al mismo tiempo, la configuración peninsular del país y el constante intercambio con Provenza y con Italia dieron lugar a la creación en las costas, de ciudades comerciales y marítimas de primera categoría. En fecha tan remota como el siglo XIV, las ciudades constituían la parte más potente de las Cortes, las cuales estaban compuestas de los representantes de aquéllas, juntamente con las del clero y la nobleza. También merece ser subrayado el hecho de que la lenta

pueblo conquistador encontraron marco propio para desarrollarse en sus colonias americanas.[18]

Insisto: al hablar de feudalismo en América no puede ignorarse que con el surgimiento del capitalismo, las relaciones económicas se habían universalizado a través del comercio y que al lado de las instituciones de carácter feudal que florecieron en la América Española, hubo sectores de la producción que cumplieron una función necesaria en el mercado capitalista mundial; la Nueva Granada producía oro para el capitalismo europeo; las Antillas, azúcar con el mismo destino; Venezuela, cacao, y el Virreinato del Río de La Plata, cueros.

---

reconquista, que fue rescatando al país de la dominación árabe, mediante una lucha tenaz de cerca de ochocientos años, dio a la península, una vez totalmente emancipada, un carácter muy diferente del que predominaba en la Europa de aquel tiempo.» Carlos Marx, *La revolución española* (Moscú, Ediciones en lenguas extranjeras, s. f.), p. 7.

18. Véase sobre las diferencias entre la colonización inglesa y la española: Estanislao Zuleta, «España y sus colonias de América», *Gaceta Tercer Mundo*, suplemento. El ámbito de las ideas, Oct., Nov., 1967, Nos. 42-43.

2

INSTITUCIONES SOCIOECONÓMICAS
DE LA COLONIA

LA ENCOMIENDA

Como decíamos en el primer capítulo, las estructuras económicas de un país colonial tienen sus raíces tanto en peculiaridades propias del país dominado como en características específicas de la potencia dominante. Del hecho de que en España no se hubiera desarrollado el capitalismo, se derivaron consecuencias fundamentales para las regiones sometidas. En España persistían ciertas tendencias feudales y la metrópoli encontró en América, con sociedades indígenas desarrolladas en número y en civilización, el campo propicio para ellas. La encomienda es una prueba. Los españoles sometieron a los indígenas y les impusieron el trabajo y la tributación, lo que les permitió conservar sus hábitos de desprecio a las labores materiales y el ocio propio de quienes no trabajan porque otros lo hacen por ellos.

La encomienda consistía en «un núcleo de indígenas, por lo general un clan o una tribu, que era obligado como grupo primero y más tarde *per cápita* a pagar temporalmente a un español meritorio un tributo que fijaban los oficiales de la Corona, como cesión de la carga fiscal debida al rey y con obligación para el beneficiario,

entre otros deberes, de ocuparse de la catequización y adoctrina-
miento de los indios, quienes seguían dentro de la administración y
jurisdicción de la Corona.»[1]

Con relación a esta institución es preciso hacer algunas observaciones:

1. Tenía una finalidad primordialmente tributaria. En un comienzo dio facultad al encomendero para obtener el servicio personal de
los indios encomendados y aún después de que esta práctica fue
prohibida por la ley, la necesidad económica siguió primando sobre
el derecho y los indígenas, además de estar sujetos al tributo, lo
estuvieron a la carga del servicio personal.

2. La encomienda no daba ningún derecho sobre la tierra, pero
en la práctica el encomendero muchas veces se apoderó de ella y
aun hubo ocasiones en las que se alegó con éxito para obtenerla,
pero repito, su sentido era otro; el de la prestación de servicios en
un comienzos y de tributos después.

3. En esta institución, como en muchas otras de la Colonia, hubo
contradicción entre lo predicado por las leyes y lo practicado, im-
poniéndose la práctica sobre aquéllas en la mayoría de las veces.

4. La encomienda, sobre todo en la forma de servicios personales, era una institución económica fundamental, en épocas en las
que la tierra valía poco y en las que lo escaso era la mano de obra.

Condiciones en las cuales surgió la encomienda

Para que surgiera la encomienda fueron necesarias condiciones
externas e internas. En lo externo, hemos destacado la tendencia
feudalizante de España, lo que fue definitivo, pues de haberse tratado de una potencia capitalista desarrollada, España hubiese recu-

---

1. Guillermo Hernández Rodríguez, *De los chibchas a la Colonia y a la República (del clan a la encomienda y al latifundio en Colombia),* (Bogotá, Universidad Nacional de Colombia, 1949), p. 179.

rrido al régimen de salarios o a cualquiera otra forma capitalista de explotación de los indígenas, pero por causa de esta tendencia adoptó instituciones que garantizaran a los conquistadores el no interferir su prejuicio con respecto al trabajo material y que les permitieran vivir de sus rentas a costa de los sometidos.[2] Pero esta tendencia no se hubiera concretado, si no hubieran existido condiciones que permitieran el desarrollo de la institución. En primer término las sociedades indígenas sometidas por los españoles eran grandes en número; en segundo, tenían cierto grado de civilización y además, los indígenas estaban acostumbrados al trabajo agrícola y por lo regular habitaban tierras propicias para esta actividad. Con estas características era más cómodo para el gobierno español preservar las organizaciones indígenas y ponerlas a producir y a tributar, que exterminarlas, como lo hicieron los ingleses en el norte o los mismos españoles con otras tribus más belicosas y menos aptas para el trabajo sometido.

Duración de la encomienda

La encomienda tenía una duración limitada por una, dos y en casos especiales hasta por cinco vidas. Con excepciones contadas, en casos en que fueron concedidas a perpetuidad, en la Nueva Granada eran adjudicadas por dos vidas, al cabo de las cuales revertían a la Corona, o se volvían a repartir. En un comienzo, a la muerte del encomendero, se distribuían los indígenas entre sus sucesores o entre varias personas, pero a petición hecha por Gonzalo Jiménez de Quesada ante el rey, pues esta práctica causaba despoblación y quebrantaba los clanes, el monarca resolvió que las encomiendas serían indivisibles.

---

2. «La encomienda es una institución de origen castellano que pronto adquirió en las Indias caracteres peculiares que la hicieron diferenciarse plenamente de su precedente peninsular», en: J. M. Ots Capdequí, *El Estado español en las Indias* (Buenos Aires, Fondo de Cultura Económica, 1957), pp. 28-29.

Carácter tributario de la encomienda

Aparte de la práctica del servicio personal, en un comienzo autorizada legalmente y luego proseguida al margen de la ley, la finalidad principal de la encomienda era la tributación. En esto, la institución estaba acorde con la función que hasta el siglo XVIII cumplieron las colonias para España. A este país le interesaban el oro y la plata más que cualquier otra cosa. Por esta razón, para que los indígenas trabajaran sometidos y fueran permanentemente fuente de tributos, la Corona dictó una serie de medidas protectoras de los naturales, disfrazadas con ropaje religioso o humanista, pero en el fondo con la finalidad muy clara de preservar la raza indígena para el trabajo y la tributación. Al desarrollar esta política, la Corona entró en contradicción con los españoles venidos a América. A éstos les interesaba obtener el mayor provecho posible en poco tiempo, no importándoles que la raza indígena se extinguiera. La Corona, por el contrario, miraba a largo plazo, con la calma con que puede mirar un Estado, pero el encomendero quería enriquecerse en una vida y esquilmar hasta el máximo a los sometidos. Esta contradicción dio lugar a choques en toda América entre los representantes de la Corona y los encomenderos: Gonzalo de Oyón en la Nueva Granada, el tirano Aguirre en Venezuela, el alzamiento contra el virrey Núñez Vela en el Perú, etc.[3]

Mas en su desarrollo esta contradicción no paraba allí; mientras la Corona preservaba a los indígenas de una pronta extinción a mano de los encomenderos, no por humanismo sino por interés muy concreto, tenía que conceder un aliciente a los españoles que venían a América, so pena de ver despobladas de europeos a las colonias por causa de una excesiva política proteccionista de los naturales. Y es aquí, precisamente, en donde radica la finalidad de gran número de instituciones coloniales, que de una parte otorgaban a los españoles el derecho a explotar y de otra protegían a los naturales.

---

3. Véase Indalecio Liévano Aguirre, *Los grandes conflictos económicos y sociales de nuestra historia* (Bogotá, Ediciones Nueva Prensa, s. f.), especialmente T. I.

A los tributos que tenían que pagar los indígenas encomenderos se les daba el nombre genérico de *demora*, la cual comprendía el tributo para el encomendero, las pensiones particulares, el quinto para el rey, el estipendio para el cura doctrinero y el sueldo para los corregidores. La demora, cuyo pago se hacía dos veces al año, en el día de san Juan y en Navidad, pesaba sobre el grupo social y no sobre el individuo. En el cacique se personificaba la obligación y él distribuía las cargas en el interior del clan o de la tribu, con el agravante de que a medida que el número de indígenas iba disminuyendo, y como el tributo permanecía constante, la carga para cada persona iba en aumento con el correr del tiempo.

Los españoles encontraron que era más cómodo para la administración preservar el grupo social y aun dar ciertas funciones políticas al cacique, pues de esta manera conseguían en él un fiel servidor que conocía el grupo, su lengua y sus costumbres y evitaban nombrar funcionarios que por no tener esos conocimientos no eran tan efectivos. En desarrollo de esa política, Carlos V dispuso el 17 de diciembre de 1551, que los caciques tendrían jurisdicción criminal entre los indios de sus pueblos, reservando para la Audiencia los casos en que la pena fuera de muerte.

El encomendero pagaba en un principio su tributo en oro, pero a medida que éste fue escaseando lo pagó en mantas, maíz, etc. La tasación la hacía un oficial del rey, y de ella se sacaban sendas copias para el encomendero y para el oficial real. El encomendero no podía vivir en la encomienda ni hacer casa ni bohío en el territorio donde estuviera asentada; además, no podía dormir más de una noche en ella. El tributo que en un comienzo era percibido directamente por él fue recaudado luego por oficiales reales.

¿Era la encomienda una institución feudal?

Es lógico que si tomamos el término «feudal» en su sentido estricto la respuesta es negativa. El encomendero no tenía las atribuciones del señor feudal: no tenía jurisdicción, no podía acuñar moneda, no tenía derecho sobre la tierra de la encomienda, no podía

erigir morada ni habitar en ella, y hasta le estaba prohibido pasar
más de una noche en su territorio, como lo vimos. Pero sí podemos
ver en la institución una tendencia feudal con determinadas características; el monarca español, precisamente para controlar a sus
súbditos de las colonias, fue parco en otorgarles títulos y privilegios
de nobleza. Cortés fue una de las pocas excepciones.[4] En desarrollo de esa política de ilusionar al emigrante y al mismo tiempo fre-
narlo, los monarcas españoles se valieron de esta institución que,
si bien daba un título al vasallo y le proporcionaba posibilidad de
vivir sin trabajar, no tenía para la Corona los peligros de una nobleza con las características de clase guerrera levantisca. El encomendero obtenía así la servidumbre del indígena, y el monarca
español, al mismo tiempo que frenaba, halagaba el orgullo del español venido a América. Además, no puede olvidarse que si bien
en la descripción legal de la institución se encuentran recortadas
muchas prerrogativas feudales, en la práctica y por encima de las
leyes los encomenderos se las arrogaron, y el servicio personal y
otros atributos feudales se hicieron efectivos.

Importancia de la encomienda

La institución fue importante sobre todo en los siglos XVI y XVII;
en los siguientes entró en decadencia. Su importancia se manifiesta
si observamos que en un comienzo la tierra era fácilmente obteni-
ble y que la escasez de mano de obra era la que daba el valor a la
producción y que, precisamente, durante la etapa de la Conquista
y primeros siglos de la Colonia, el trabajo se hizo por medio de
indígenas reducidos a la encomienda y a la mita. Posteriormente los
asalariados y los esclavos cubrieron la producción.[5] Si miramos el

---

4. Véase Salvador de Madarriaga, *Hernán Cortés*, 4ª ed. (Buenos Aires, Editorial Suramericana, 1948).
5. «En la Nueva Granada el cacique debe ocuparse con los indios de su clan
o tribu, para prestar las siguientes clases de servicios personales a su encomendero: a) Hacer en sus propias tierras los cultivos que se les indiquen hasta reco-

asunto por el aspecto numérico no tendremos más que reconocer su importancia. «En 1580 según el licenciado Monzón había en el Nuevo Reino de Granada 300 repartimientos. Si el promedio antes indicado permaneció constante, tendríamos que en esa época el total de indios encomendados debió de ser de 350.000. Gonzalo Jiménez de Quesada confirma estas cifras de 300 repartimientos en sus indicaciones para el buen gobierno.»[6]

Lo propio hay que decir si tenemos en cuenta la gran cantidad de tributos succionados a los indígenas por medio de la encomienda. «Las encomiendas en territorio de Colombia rentaban 74.000 ducados. Las de la Nueva España 150.000, las del Cuzco 130.000, las de Yucatán 100.000 y las de La Paz 80.000.»[7]

Encomienda y literatura

Al observar nuestro mapa colonial encontramos regiones como la del actual departamento del Cauca y los departamentos de Cundinamarca y Boyacá, en las cuales la encomienda floreció especialmente. Allí, por esta causa, surgió una clase ociosa de terratenientes que parasitaban gracias al trabajo y a los impuestos de los encomendados. Estas gentes, que no tenían un contacto directo con la tierra a través del trabajo, tampoco tenían vinculación cultural con ella; sus pensamientos y sus ideas estaban en otra parte, a raíz de lo cual se derivaron consecuencias importantísimas para la literatura que se desarrolló en esas regiones. El género fue, durante la Colonia, el de los discursos religiosos y las novenas; y luego el de la gramática o la poesía y la novela con una temática lejana. Guillermo Valencia, cantando a las cigüeñas o a los came-

---

lectarlos y entregárselos al encomendero en el lugar de su residencia. b) Trasladarse a la tierra del encomendero para hacer allí los cultivos que se les indiquen. c) Estar en casa del encomendero a su disposición para prestarle servicios domésticos o agrarios.» Guillermo Hernández Rodríguez, *op. cit.,* p. 217.

6. *Ibid.*, p. 185.
7. *Ibid.*, p. 215.

llos —animales que conocería con el arribo de un circo extranjero a Popayán— es fiel exponente de lo anterior. La *María* de Jorge Isaacs, es otro ejemplo: su trama, aunque geográficamente puede enmarcarse dentro del Valle del Cauca, no tiene una ligazón con esa sociedad. Es una obra del romanticismo europeo, en la que el paisaje se ve externamente. Para el autor exponente de la clase terrateniente del lugar el paisaje no es más que un motivo, algo externo. Asimismo, la preocupación casi única por la gramática observada en el siglo pasado en Bogotá, confirma lo anterior. Caro y Cuervo, con su corazón en España, profundizan en el estudio del idioma. Del idioma de Castilla.

Lo contrario puede observarse al hacer el análisis de la literatura de una región que, como Antioquia, tuvo características económicas tan diferentes. Acá la encomienda no alcanzó la importancia que tuvo en los sitios anteriormente anotados y las pocas que hubo bien pronto se extinguieron. En Antioquia, el colono tuvo que labrar directamente la tierra o trabajar las minas con los esclavos. El comerciante o el empresario minero ve la naturaleza en forma desencadenada, puesto que actúa sobre ella y no la idealiza. Para el terrateniente, la renta de la tierra aparece en forma «natural» y de allí su distanciamiento con la realidad. La clase ociosa no proliferó en esta región y la literatura, lógicamente, fue influida por esta circunstancia. Gregorio Gutiérrez González canta al maíz, base de la alimentación del pueblo antioqueño; Epifanio Mejía a las hojas de la selva. Tomás Carrasquilla describe el mundo campesino real y cuando se trata del paisaje se refiere a él no como una cosa externa sino como algo que está involucrado en la práctica concreta del hombre trabajador. Efe Gómez describe las experiencias de las minas, etc.

LA MITA

«La mita es una institución colonial de origen indígena, e implicaba para un grupo de indios, clan o tribu, el deber de trabajar obligatoriamente en un lapso determinado, por turnos y mediante remuneración en dinero en ciertas labores económicas importantes, especialmente en la explotación de las minas.»[8] Al igual que otras instituciones coloniales, ésta ya existía con características especiales a la llegada de los españoles. Entre los incas se conoció y entre los chibchas también, pero se halla una diferencia esencial entre la mita precolombina y la colonial; en la primera no se paga ningún salario y en la segunda, ésta es precisamente una de las características principalísimas. También se diferencia la mita de otras instituciones como la esclavitud y el proletariado, aunque con cada una de ellas tiene rasgos comunes. A semejanza de la esclavitud, se trata de un trabajo obligatorio, forzado, no voluntario; pero a diferencia de ella, al mitayo se le reconoce la calidad de persona y la prestación forzosa no es de por vida, sino por un período de tiempo; aunque en la práctica su posición fuera más desventajosa, porque al explotar al esclavo, el amo tenía en cuenta no hacerlo hasta que sucumbiera porque perdía el capital invertido, en tanto que con el mitayo no sucedía esto, pues quien se beneficiaba con su trabajo no tenía nada que perder con la eventualidad de la muerte. A semejanza del proletariado moderno, el mitayo recibe un salario por su trabajo, pero se diferencia de éste en que su prestación es forzosa legalmente, y no como la del proletariado, que es libre ante la ley para trabajar o no, pero que ante la necesidad económica, y por no tener más propiedad que su fuerza de trabajo, tiene que laborar para no hacer uso de la libertad de morirse de hambre.

En la mita observamos también la finalidad tributaria que guiaba a la Corona española. Se concedía salario al mitayo para que éste pudiera satisfacer sus obligaciones fiscales. El mitayo trabajará en la mina «y se le crecerá el jornal a tal precio, que fuera de la proporción necesaria al sustento de cada día, saquen ganancia bastante para pagar los tributos a sus encomenderos, si ya no merecieron más por su trabajo, que en este caso se igualará con la paga.»[9]

---

8. *Ibid.*, p. 251.

9. Recopilación de Leyes de los Reinos de Indias, L. VI, Tít. XV, Ley XI, año 1609, T. II, p. 311.

Duración de la mita

«La duración de la mita para el servicio doméstico se fijó en quince días; la mita pastoril, en tres o cuatro meses y la mita minera en diez, dentro de cada año. Estuvieron exceptuados de entrar en los sorteos para el servicio de la mita, los indios cultivadores de sus propias tierras y los especializados en algún oficio: carpinteros, albañiles, sastres, herreros, zapateros, etc.»[10]

Clases de mita

Mita minera. Por medio de ella se extrajo una porción grandísima del oro y la plata americanos. El indígena era obligado a marchar lejos de su tierra y allí, en un clima hostil moría, huía, o al finalizar la mita prefería quedarse como asalariado, todo lo cual conspiraba contra la conservación de los núcleos sociales indígenas, el clan y la tribu. En las minas, cumpliendo con esta obligación, sucumbieron millones de indígenas.

Mita agraria (o concierto agrícola). Por medio de ella, la cuarta parte de los indígenas útiles de los repartimientos, eran distribuidos en las haciendas para que desempeñaran las labores del campo por un salario.

Mita industrial u obraje. Los obrajes eran especies de fábricas en las cuales se producían principalmente paños y tejidos. En un comienzo los indígenas fueron obligados a esta prestación, pero luego, para evitar la competencia que los obrajes pudieran hacer a las manufacturas importadas de España, fue atacada legalmente esta forma de prestación de servicios. Tal medida fue una muestra clara de cómo España disfrazaba sus intereses concretos de explotación con un ropaje paternalista y religioso. Muchísimo más cruel fue la mita minera, mas como convenía a los intereses de España no fue suprimida; pero en el caso de la mita industrial, cuando todavía

---

10. J. M. Ots Capdequí, *op. cit.*, p. 35.

no se habían establecido las bases del trabajo asalariado en América, y cuando los indígenas tenían que ser compelidos legalmente a trabajar por medio de instituciones como la mita, suprimir la mano de obra en los obrajes era eliminar la competencia para el comercio de España. En la real cédula que prohibió la mita industrial, se ve muy claro cómo ese interés se disfrazaba de humanitarismo: «Habiendo sido informados de que en los obrajes de paños de la Nueva España han resultado algunos inconvenientes, por el mal tratamiento y agravios que reciben los indios, y que se ha introducido comerciarlos en el Perú, enflaqueciendo el trato y comercio con estos reynos, donde en su fábrica y labor se pone la atención que conviene: ordenamos a los virreyes de la Nueva España, que en todo lo posible procuren relevar a los indios de este trabajo pues aunque siempre le han de tener voluntarios, y por sus jornales bien pagados, y con toda libertad, importará menos que cese la fábrica de los paños, que el menor agravio que puedan recibir; y por conveniencia del comercio de estos Reynos de Castilla, no se debe permitir su aumento, ni continuarlo con el Perú.»[11]

Antonio García enumera las siguientes trabas con las cuales se pretendía obstaculizar el crecimiento de los obrajes: «El proteccionismo estatal para indígenas, tendiente a señalar la jornada de trabajo, a estipular salario en dinero, a señalar congrua suficiente en especie y moneda, a impedir que 'las indias se encierren en corrales a hilar y tejer la ropa que hubieren de dar de tributo', a limitar la existencia de obrajes a determinados territorios (en Nueva España se fijó el área obrajera a la ciudad y arrabales de México, Puebla y Michoacán), a abolir el sistema de anticipos, a establecer una edad mínima para el trabajo obrajero (18 años) o a prohibir la fundación de nuevos (R. cédula de noviembre 24 de 1601 prohibe el empleo de indios) en 'los obrajes de paño de españoles, ni en los ingenios de azúcar, lino, lana, seda o algodón, aunque los españoles tengan los dichos obrajes e ingenios en compañía de los indios', aunque la R. cédula de mayo 26 de 1609 abre la puerta falsa al sentar

---

11. Recopilación de Leyes de los Reinos de Indias, Ley IV, Tít. XXVI, Libro IV.

que 'a menos que se considere que tal prohibición tuviere grandes inconvenientes, respecto del perjuicio que los naturales recibirían quitándose de golpe el servicio de los indios —para este ministerio—, con que parece que faltarían los paños que hoy son de tanta utilidad a la República.' En los obrajes de la Nueva España el Estado procuró sustituir los obrajes indios con negros. La R. Cédula de octubre 12 de 1670 prohibe la fundación de obrajes en la provincia del Perú y 'aplicar indios' sin especial licencia del soberano.»[12]

En la Nueva Granada existió también la mita para la boga en el río Magdalena; sin embargo, los indígenas bien pronto fueron sustituidos en esta labor por esclavos traídos de Africa.

La mita, institución desintegradora del clan y de la comunidad indígena

De todas las instituciones coloniales, fue ésta la que más duro golpeó a las sociedades indígenas. Por medio de ella el indígena era desarraigado de su medio, muchos morían, otros huían del sitio de trabajo sin regresar a su lugar de origen, y otros muchos preferían continuar como asalariados, a la terminación de la mita. En suma, muy pocos regresaban y de ellos gran número volvían enfermos e incapacitados. Como el tributo de la encomienda era constante sobre el grupo, al disminuir por causa de la mita el número de sus componentes, el indígena se veía obligado a trabajar por un salario fuera del resguardo para poder cumplir con sus obligaciones tributarias.

En la desintegración de la comunidad indígena, por causa de la mita, está precisamente el germen del proletariado moderno de América, tanto urbano como rural. El indígena, o bien porque se quedara como asalariado en la mina, en el campo o en la ciudad, a la terminación de la mita, o bien porque tuviera que empezar a emplearse por un jornal para satisfacer las cargas tributarias, fue constituyendo una masa proletaria sin ligazón con la tierra, que se alquila por un salario y que no tiene más propiedad que su fuerza de trabajo.

---

12. Antonio García. *Bases de una economía contemporánea* (Bogotá, 1948), p. 87.

Asimismo, de la práctica de muchos terratenientes de dar tierra a los indígenas a la terminación de la mita, para que la trabajasen por un tanto de la cosecha que obtuviesen, fue naciendo la institución de los aparceros y terrasgueros, tan generalizada en nuestros días.

Importancia y finalidad de la mita

La Corona tuvo con la mita una intención tributaria: que el indígena obtuviera un salario para cubrir sus tributos y una finalidad aún más importante al imponerla: suministrar mano de obra a las diversas actividades económicas que en ese momento se desarrollaban en el nuevo continente. En una época en la que la mano de obra era cara y escasa porque los indígenas no querían trabajar «libremente», debe tenerse en cuenta que los españoles no deseaban hacerlo porque tenían a los indígenas para que lo hicieran por ellos; la institución de la mita, con el trabajo obligado de los aborígenes, vino a suplir esa necesidad de mano de obra. El indígena no estaba motivado para laborar en beneficio del español, y era preciso entonces que la obligación fuera impuesta legalmente. Con esta imposición, la masa indígena fue forzada a llevar sobre sí, con los esclavos africanos, el peso del trabajo en la sociedad colonial.

LOS RESGUARDOS

Los resguardos eran porciones de terreno adjudicadas colectivamente a los indígenas de un determinado clan o tribu. Si bien la propiedad sobre la tierra era colectiva, no necesariamente lo era su forma de explotación.

En muchos casos las tierras de resguardo eran laboradas en parcelas individuales o familiares en una especie de usufructo del beneficiario, sobre una porción de la comunidad. Asimismo, ciertos lotes del resguardo eran laborados por toda la comunidad para cubrir con lo obtenido las obligaciones que pesaban sobre el grupo, como el pago de gastos de cabildo o sostenimiento del cura doctrinero, etc.

Las tierras de resguardo comprendían lo necesario para el mantenimiento de sus habitantes en ese momento y un excedente para cubrir las necesidades del crecimiento futuro de su población. A partir del siglo XVII, sobre todo, se autorizó a los indígenas para que alquilasen las tierras sobrantes de su resguardo, con el objeto de destinar el dinero así obtenido al pago de las obligaciones tributarias. En caso de que esta suma fuera superior a lo debido por los indígenas, no se les reintegraba lo restante, pues la Corona alegaba que la autorización del alquiler había sido dada únicamente para asegurar a la Real Hacienda el cobro del tributo.[13]

Los indígenas adquirían los resguardos de diferentes formas. Por medio del repartimiento y la donación, a título gratuito. La compra era otro medio de adquirirlos, pagando un precio por ellos. Otra manera era la composición, que consistía en una venta a menor precio, a los indígenas que tenían posesión sobre la tierra, cuando sus títulos no estaban totalmente en regla.

La propiedad radicaba en cabeza del cacique, como representante de todo el conglomerado, pues el derecho era colectivo de todo el grupo. Debe tenerse en cuenta que al hacer por diferentes medios las adjudicaciones a los indígenas, la Corona no estaba ejerciendo un acto de liberalidad, sino que simplemente les estaba reconociendo su derecho sobre tierras que a ellos les pertenecían.

Finalidades del resguardo

1. Ya anotábamos que entre los intereses de la Corona y de los conquistadores en América se presentó una contradicción, y que la Corona tuvo que recurrir a la doble táctica de permitir la explotación de los aborígenes, como aliciente para los conquistadores, y de preservar a aquéllos para que no se extinguieran, con el objeto de continuar en esa forma su explotación. Con instituciones como la

---

13. Abel Cruz Santos. «Economía y hacienda pública», en: *Historia Extensa de Colombia*, de la Academia Colombiana de Historia (Bogotá, Ed. Lerner, 1965), V. XV. T. I, p. 150.

mita y la encomienda se lograba lo primero, con el resguardo se pretendía lo segundo. Una de sus finalidades fue crear especies de ínsulas en donde los indígenas pudieran sobrevivir, evitando así la despoblación y la extinción.

2. También cumplía esta institución una finalidad tributaria para la Corona. Con la supervivencia de los indígenas se garantizaba la percepción del tributo, y con los productos del resguardo, mayor abundancia del mismo.

3. Con la preservación de los resguardos y con la organización que se les dio, conservando la autoridad de los caciques, España logró una mejor y más fácil administración de los indígenas.

Factores que conspiraban
contra la institución de los resguardos

El resguardo no tuvo una existencia apacible. Fue combatido permanentemente, y varias circunstancias contribuyeron a ello: era una institución comunal en medio de un sistema de propiedad privada individual. Además, el régimen de salarios de las haciendas vecinas lo fue minando poco a poco. En un principio al indígena no le fue necesario alquilarse como asalariado, pues en el resguardo obtenía lo necesario para su subsistencia y para el pago de los tributos. Pero a medida que éstos se fueron haciendo más elevados por su mayor número y por la despoblación del resguardo —lo cual obraba desfavorablemente al recaer sobre el grupo—, el indígena se vio precisado a alquilarse en las haciendas para cubrir con el salario obtenido las cargas tributarias. Además, el régimen monetario fue invadiendo estos centros de economía natural y las ventas de tierras de resguardo efectuadas por la Corona a partir del siglo XVIII, así como el robo descarado de las mismas consumado por los terratenientes vecinos, al reducir el resguardo a su mínima expresión territorial obligaron a sus habitantes a emigrar a los centros urbanos o a las haciendas para alquilarse como asalariados o para laborar la tierra por el sistema de aparcería.

3

LA ESCLAVITUD

En América se revivió el régimen de esclavitud que había tenido su apogeo en la Antigüedad (Oriente, Grecia, Roma), y el cual, si bien no había desaparecido durante la Edad Media, sí había perdido importancia económica en ese período. Desde sus primeras experiencias colonialistas en las islas Canarias, Azores y Maderas, España y Portugal se habían valido de mano de obra esclava.

Ya hemos anotado cómo la Corona española adoptó una política proteccionista de los indígenas, pues su pronta extinción la hubiera privado de una fuente inmensa de recursos tributarios y de la mano de obra necesaria para la minería y la agricultura en los territorios conquistados. En desarrollo de esa política fueron introducidos en América los primeros esclavos africanos.

El cambio en la concepción y valoración del indígena tuvo sus raíces materiales muy concretas. Con la dominación colonialista en las Antillas y la intensísima tasa de explotación, la población autóctona estaba desapareciendo. El Estado español quería racionalizar la explotación y en consecuencia no podía permitir la extinción de mano de obra, por lo cual, aparte de ciertas medidas de orden legal como la prohibición de esclavizar a los indígenas, tomó otras en el sentido de autorizar la introducción de esclavos negros a América.

Un caso particular ilustra el cambio de concepción: el padre Las Casas, antiguo encomendero, tuvo piedad de los indígenas y con el objeto de liberarlos y aliviar sus sufrimientos propuso la introducción de esclavos africanos que los sustituyeran. En el proceso para llegar a esta situación la concepción ética y religiosa se fue modificando. Durante el período de la Conquista, caracterizado por la depredación, la incorporación de nuevos territorios y la esclavización legalizada de indígenas, la valoración de éstos como personas inferiores, seres irracionales que incluso carecían de alma, enmarcaba perfectamente dentro de los intereses de los dominadores, pues no sólo hallaban éstos justificación ética para la conquista sino también para la forma de explotación a través del esclavismo que en estas condiciones se podía ejercer en cualquier forma y con cualquier intensidad, sin problema moral, en la medida en que se partía del supuesto de que el sometido era inferior, e incluso un ser irracional. Pero luego, cuando la Corona tomó interés en que la raza indígena no se extinguiera y prohibió su esclavización (Cédula del 2 de agosto de 1530), varió la concepción religiosa acerca del indígena y se le reconoció la categoría de ser racional dotado de alma inteligente e inmortal, lo que vino a implicar que era pecado explotar a un indígena hasta causarle la muerte.

La racionalidad de los indígenas fue debatida ampliamente en sínodos y concilios, tal como lo demuestran los tres de Lima y los de Arequipa, Chuquisaca, La Paz y Asunción. A petición del padre Las Casas, el papa Paulo III expidió una bula en la que decretaba que los indios eran verdaderos hombres.[1] Toda la polémica entre Las Casas y fray Ginés de Sepúlveda, adelantada en las cortes españolas con base en los textos sagrados, escondía más allá de la argumentación metafísica los intereses de un Estado y de unas clases dominantes.

Sobre el por qué de la esclavitud en América surge una respuesta: era una necesidad económica que el caso de las Antillas ilustra

---

1. Rodolfo Puigross. *De la Colonia a la revolución* (Buenos Aires, Ediciones Leviatán, 1957), p. 37.

perfectamente.[2] A la llegada de los europeos a la isla La Española, ésta era habitada por unos 100.000 indígenas. En 1508 sólo contaba con 60.000, en 1554 con 30.000 y en 1557 sólo quedaban 500. Los indígenas eran obligados a producir lo necesario para toda la población blanca y además el excedente sobre el que se apoyó la conquista y colonización de gran parte del continente americano. Ante tal esfuerzo los indígenas sucumbieron prontamente y fue necesario reemplazarlos en el trabajo por mano de obra esclava.

Algunos han creído que lo que determina la ubicación de la raza negra en ciertas regiones de América es el hecho de que ella es más resistente al clima caliente y por esta razón vino a situarse en estas zonas. Sin embargo, los fenómenos sociales no pueden explicarse simplemente por factores naturales como el clima y es necesario buscar la respuesta en una causa socioeconómica. Los esclavos africanos fueron llevados a donde la raza indígena se había extinguido o no se había desarrollado, y donde en consecuencia no podía cumplir una función para el trabajo sometido. En Colombia las costas Pacífica y Atlántica así como las hoyas de los ríos Cauca y Magdalena, tanto como el Chocó, son muestras de esta situación. Como a la llegada de los españoles no existían en estas regiones tribus numerosas y desarrolladas y los indígenas que las poblaban eran sumamente belicosos y fueron exterminados, fue necesario para los españoles asentar la economía sobre la esclavitud. En otras regiones como la meseta andina, donde los descendientes de los chibchas proporcionaban suficiente mano de obra, la esclavitud no tuvo tanta importancia. Y cabe acá rebatir la idea bastante extendida de que la función económica exclusiva de los esclavos fue la minería. A ella fueron dedicados cuando no había mano de obra

---

2. Al referirnos a la esclavitud lo hacemos teniendo en cuenta a los esclavos africanos y no a los indígenas americanos cuya esclavitud fue autorizada por Carlos V y posteriormente prohibida y quienes muchas veces, al margen de la ley, padecieron un estado similar al de la esclavitud. A América, principalmente al virreinato del Río de la Plata, fueron introducidos esclavos asiáticos y de Oceanía, pero su número no fue significativo al lado de 3.000.000 de africanos esclavizados traídos a América.

indígena; en caso contrario era ésta la que desempeñaba la labor, como en las minas de sal de Zipaquirá o como en el caso de las minas de plata del Potosí y Huancavelica en el Perú.

El comercio de esclavos se convirtió en una de las empresas más codiciadas por las potencias mercantilistas no solamente por el volumen del tráfico sino también porque detrás de él se desarrollaban diferentes formas de penetración comercial. Su importancia puede medirse con el siguiente dato: en 1598 la Casa de Contratación de Sevilla, en un informe al rey, se refería a la exportación de esclavos a América como a la mercancía más importante que se llevaba a las Indias. En 1594, por ejemplo, el 47.9% de los barcos que llegaron a Hispanoamérica eran negreros.[3] El comercio de esclavos tenía dos etapas: una hecha por grandes compañías cuya función era traer hasta América a miles de negros y venderlos en Cartagena, Veracruz, Portobelo, La Habana, etc. De allí otros comerciantes de alcances más modestos se encargaban de distribuir por el continente las «piezas» compradas en número hasta de 100. El trato recibido por el esclavo en esta etapa era más benigno, pues el comerciante en pequeño era más sensible a las pérdidas que las grandes compañías que embarcaban a los africanos por toneladas.

El tráfico de esclavos fue más intenso en la Nueva Granada que en cualquier otra parte de las Indias. Las factorías de Cartagena y Panamá se distinguieron por su actividad entre las ocho reservadas para las colonias españolas en América. Tan pronto como los negros eran desembarcados, se procedía a la diligencia de «palmeo», consistente en hacer la medición del esclavo (la operación derivaba su nombre de una unidad de moneda española: el palmo), y al chequeo médico, tan escrupuloso que no solamente se le examinaba sobre la posibilidad de pestes o defectos físicos sino que hasta se le revisaba la boca para observar si le faltaban dientes o los tenía dañados. En esta diligencia, a la que acudían además del

---

3. Rolando Mellafe. *La esclavitud en Hispanoamérica* (Buenos Aires, Eudeba, 1964), p. 60.

médico examinador, un representante de la compañía y el gobernador, después de hecho el examen, se procedía a la catalogación de
la «pieza» para asignarle su valor. Luego venía la operación de
«marquilla real», en la que el esclavo era marcado sobre el pecho
derecho con un sello real fabricado en metal precioso. Luego era
marcado de nuevo por el amo con su sello personal, en el pecho y
en ocasiones en el rostro. Todo esto se hacía con marca al rojo vivo
y tenía como fundamento, además de intimidar sicológicamente al
esclavo, demostrar que la mercancía no era de contrabando pues
había pagado derechos de aduana en favor del rey, y que el esclavo
tenía amo.[4]

ACTIVIDADES ECONÓMICAS DE LOS ESCLAVOS

Como dice Jaime Jaramillo Uribe: «La economía granadina en
el siglo XVIII reposaba sobre seis actividades: minería, agricultura,
ganadería, artesanía, comercio y trabajo doméstico. Ahora bien, de
éstas las de mayor importancia por su volumen y representación en
la riqueza privada, estaban basadas en el trabajo de la población
esclava. Minas de oro y plata, haciendas de ganado, trapiches productores de miel, panela y azúcar, se movían a base de mano de
obra esclava.»[5]

Durante el período colonial, especialmente a partir del siglo XVII,
la esclavitud fue la base de la producción minera. La utilización de
técnicas primitivas y la carencia de equipos hicieron que la mano
de obra esclava fuera elemento decisivo dentro de los factores de
producción. En Antioquia durante el siglo XVI, ricas minas como
la de Buriticá fueron trabajadas con base en la mano de obra indígena, pero una vez que ésta disminuyó o se extinguió en ciertos
sitios, los esclavos vinieron a ocupar las labores de minería al lado

---

4. Véase Aquiles Escalante. *El negro en Colombia* (Bogotá, Universidad Nacional, 1964), p. 69.

5. Jaime Jaramillo Uribe. *Ensayos sobre historia social colombiana* (Bogotá,
Universidad Nacional, 1968), p. 20.

de trabajadores independientes.[6] «Se contaban en Antioquia cien reales de minas en 1797, distribuidos así: 20 en jurisdicción de Antioquia, que comprendía a Santa Rosa, San Pedro y Anzá; 14 en la de Medellín; 26 en Rionegro, que comprendía a San Vicente, Concepción, Santo Domingo y Arma; 16 en la de Zaragoza; 17 en la de Cáceres y 7 en la de Remedios, que comprendía a Yolombó. En cada real de minas trabajaban una o más cuadrillas de esclavos.»[7]

En el siglo XVIII en Antioquia la mayor parte de la producción de oro la hacían mineros independientes y no esclavos, pero la producción del Chocó y en general de la región del Pacífico, que tenía su epicentro económico en Popayán, se hacía casi exclusivamente con mano de obra esclava. Esta región fue la principal productora de oro hasta el fin del siglo XVIII. «Según un censo de minas y esclavos hecho en el año de 1759, había en el Chocó 63 minas y otros tantos propietarios que poseían 4.216 esclavos. En el año de 1788 había 18.496 esclavos en el Chocó, Antioquia y Popayán, de acuerdo con la relación de mando del arzobispo virrey, Caballero y Góngora, de los cuales las dos terceras partes, es decir, cerca de 12.000, se dedicaban al trabajo minero.»[8]

Con relación a la agricultura deben destacarse dos formas de producción: la gran plantación y la pequeña unidad agrícola. En ambas fue importante la mano de obra esclava. Parece que en lo

---

6. «Las minas de Buriticá, Zaragoza y Remedios fueron trabajadas por cuadrillas de negros, principalmente durante los días de bonanza de fines del siglo XVI, y así continuaron hasta 1650. La decadencia de la población indígena que había cultivado los alimentos necesarios a las cuadrillas, debe haber sido un factor en la disminución del número de negros esclavos... Aun en Zaragoza había más negros libres que esclavos negros, a fines del siglo XVIII. Un informe de 1767 indica que en aquel tiempo había 4.296 negros esclavos en Antioquia (comparados con 3.504 en el Chocó y 9.913 en Popayán) pero esta cifra fue más que duplicada 30 años más tarde...» James J. Parsons, *La colonización antioqueña en el occidente de Colombia,* 4ª ed. (Bogotá, Banco de la República, El Áncora Editores, 1997), pp. 83-85.

7. Vicente Restrepo. *Estudio sobre las minas de oro y plata de Colombia* (Bogotá, Banco de la República, 1952), p. 49.

8. Jaime Jaramillo Uribe, *op. cit.*, p. 27.

que actualmente es Colombia no se desarrolló la gran plantación esclavista del tipo conocido en las Antillas y Venezuela, en donde se producía en grande escala para el mercado mundial. Empero, en algunas regiones de la costa Atlántica y en el Valle del Cauca el laboreo de las haciendas de alguna extensión se hacía con base en la mano de obra esclava y los trapiches de panela, miel y azúcar en algunas regiones del oriente colombiano con ella se beneficiaban. «Los trapiches de caña, hatos de ganado y haciendas de labranza de la costa Atlántica, eran trabajados casi en su totalidad por esclavos... En general puede esgrimirse que la ganadería, la agricultura —especialmente la caña— y la producción de azúcar y miel se hacía con mano de obra esclava.»[9]

Por razones de prejuicios de los españoles hacia cierto tipo de trabajo material, algunas actividades artesanales tales como carpintería, sastrería, peluquería, zapatería, etc., fueron encomendadas a los esclavos y libertos descendientes de éstos.

A raíz de la prohibición de la mita para la boga en el río Magdalena (1598), los esclavos sustituyeron a los indígenas en esa actividad de transporte. Asimismo, se desempeñaron como bogas en el río Cauca y otros, y como cargueros, puesto que en muchos casos las leyes prohibían a los indígenas salir de sus comarcas de origen.

El trabajo doméstico fue otra actividad desempeñada por los esclavos y en tan grande medida que en muchas ocasiones los eclesiásticos clamaron ante el rey para que restringiera el número de esclavos dedicados a labores domésticas, pues como su única función era mostrar el boato de sus amos, vivían desocupados, «con grave perjuicio para sus almas», por los llamados malos pensamientos que el ocio origina.

Como bien se ve, los esclavos llenaron todas las actividades productivas de la Colonia, y en ocasiones fueron compelidos a ejercer otras no productivas, pero sí lucrativas para sus amos, como la prostitución en beneficio económico de éstos. El obispo Narváez, de Cartagena, decía en comunicación al rey: «Muchas casas de Car-

---

9. Jaime Jaramillo Uribe, *op. cit.*, p. 24.

tagena tienen demasiados esclavos para el servicio doméstico. Algunas poseen 14, 16 y 17, cuando sería suficiente con cuatro de ambos sexos. Los amos envían a sus esclavas a trabajar fuera de la casa, a condición de que semanalmente les entreguen el jornal. Algunos amos permiten a las mujeres vivir en casas de cualquier género o amancebadas, con tal que entreguen a sus amos el jornal. Y no falta alguno tan desalmado que dándole la esclava un tanto cada mes, le permita vivir a su libre suerte siendo un tropiezo para la juventud, lo que nunca hubiera creído, si no fuera que como testigo lo pudiera constatar.»[10]

Importancia de la esclavitud

La institución fue importantísima para la vida económica de la Colonia, especialmente a partir de finales del siglo XVIII. Sobre ella pesaba en mucha parte la producción de las diferentes actividades. Además, en una época en la que la mano de obra era escasa por el reducido número de indígenas, o por la renuencia de éstos a prestar servicios a los españoles; y desde el momento en que todavía no se había desarrollado la proletarización rural, la esclavitud era una institución esencial para el proceso productivo. No es de extrañar entonces que en el avalúo de minas y haciendas, los esclavos tuvieran un valor superior al de las propiedades y sus mejoras.[11] Además, el comercio de esclavos fue una fuente de acumulación de capital para los comerciantes dedicados a la trata negrera, en especial los de Cartagena, que era el principal centro americano de este comercio.

Por el aspecto numérico los esclavos eran también un sector importante de la población colonial. Francisco Silvestre calculaba

---

10. Jaime Jaramillo Uribe, *op. cit.*, p. 45.
11. «En el avalúo de bienes de la Compañía de Jesús en Antioquia, hecho con motivo de la expulsión de la comunidad en 1776, La Miel, una de las mejores poseídas por la Compañía en la región, fue apreciada en 2.000, la casa en 150 y 48 esclavos en la suma de 6.222 pesos oro.» Jaime Jaramillo Uribe, *op. cit.*, p. 21.

en el año de 1779 que sobre una población total de 800.000 habitantes había 53.788 esclavos, y en ciudades como Cali y Cartagena, la población esclava y negra libre llegaba a igualar y superar a otros sectores raciales.

CIMARRONISMO Y PALENQUES

A pesar de lo afirmado por ciertos propietarios de esclavos y por algunos historiadores apologéticos de la dominación española, la situación del esclavo fue dura no solamente por el hecho intrínseco que apareja su posición sino también por los malos tratos, el agobio de trabajo y en ciertos casos las conductas patológicas de los amos. Posiblemente algunos esclavos del servicio doméstico estuvieron un poco mejor que los de las minas y haciendas, e incluso es posible que hasta hubieran llegado a inspirar en ciertos amos el cariño que tiene el dominador por quien le sirve, pero que unos estuvieron menos mal que otros no puede llevar a la conclusión de que en general estuvieran bien, y los documentos que existen por centenares muestran claramente que la situación de los esclavos era terrible.

«Según puede establecerse por algunos documentos, el estado sanitario de los esclavos, especialmente de los viejos, era deplorable. Posiblemente debido a los trabajos que debían hacer, eran frecuentes en ellos las enfermedades de la piel (llagas, apostemamientos), lo mismo que la falta de piernas y dedos. Eran además frecuentes las lepras y los casos de locura y enfermedades nerviosas. En un reconocimiento médico de 32 esclavos de la Real Hacienda de Cartagena, hecho por el doctor Juan Borreal el 9 de junio de 1573, la mitad de ellos está completamente inutilizada para cualquier labor y la otra es apenas parcialmente utilizable. La mayor parte presenta reumas y apostemamientos; otros tienen quebraduras intestinales y los hay con cegueras, cojeras y mancos de pies y manos.»[12]

---

12. Jaime Jaramillo Uribe, *op. cit.*, p. 48.

Como institución, y sobre todo en períodos de dificultad para reponer la mano de obra, la esclavitud creaba un límite a la explotación desde el momento en que el amo la llevaba sólo hasta cierto punto porque sabía que si la imponía más allá, el esclavo moría y se perdía la inversión. Por esta razón, en ciertas condiciones, los esclavos pudieron estar mejor que los mitayos. Pero de otra parte, el esclavista trataba de llegar siempre hasta el límite con el objeto de sacar el mayor beneficio al capital que había invertido, por lo cual el trabajo del esclavo apropiado por el amo era máximo, no dejando para aquél sino lo necesario para la mínima subsistencia, cuando no se hacía lo que acostumbraban los plantadores de las Antillas, que no daban alimentación a los esclavos sino que éstos debían conseguírsela trabajando la tierra los días festivos que se les daban para el descanso. Aparte de lo anterior la relación amo-esclavo y la protección que la sociedad y las leyes le brindaron al primero eran muy adecuadas para que éstos descargaran en los esclavos ciertas conductas patológicas. En Jaime Jaramillo Uribe, a quien citamos repetidamente y en extenso por ser un historiador serio basado en investigación directa sobre archivos, encontramos múltiples ejemplos que ilustran esta situación. «En el año de 1602 venía en apelación a Santa Fe el proceso contra Pedro Aguirre, de Zaragoza, Antioquia, por malos tratos a sus esclavos y por haber dado muerte a la esclava Francisca, y 'por haber cortado las orejas y narices a otra esclava suya llamada María' y otros delitos denunciados por Blas de Guerra. En 1632 se seguía juicio criminal al encomendero de La Palma, Adrián de Cifuentes, por 'haber dado muerte a palos a un esclavo y haber azotado en exceso una china negra, a quien una mestiza o india amancebada con Cifuentes había quemado los pies con una barra.' También se acusaba a Cifuentes de tener 'cepo' y 'prisiones' para los indios de su obraje y para sus negros esclavos. En el proceso, largo y oscuro como todos los de la época, Cifuentes presenta testimonios en contra de las afirmaciones de sus esclavos, entre ellos el del cura doctrinero don Luis Herrera, quien según afirma Cifuentes, le aconsejó 'apretar para que no se desmoralizaran sus indios y esclavos.'»[13] «En el año 1801 se siguió un resonante proceso contra el teniente gobernador de Nóvita, Ignacio de Mosquera y Figueroa, 'por malos tratos a esclavos y tolerancia de los malos tratos dados por su manceba, la mulata María Losada a una esclava de Mosquera'. Según se desprende de la investigación judicial la mulata azotó a Francisca, le hizo cortaduras en la cara y los senos y 'le introdujo pimientos en los órganos vergonzosos.' Los testigos declaran todos, que Mosquera llevaba relaciones con la mulata desde hace varios años, que tiene con ella varios hijos y que 'la Losada manda las cuadrillas y maltrata los esclavos'. Mosquera y Figueroa, por su lado, acusó en el proceso a los testigos, inclusive al cura de Nóvita, de vivir amancebados con las negras esclavas.»[14]

Ante formas tan extremas de explotación y refinados métodos de tortura, los esclavos protestaron y se sublevaron permanentemente. Ya en Africa muchos se suicidaban cuando eran aprehendidos, para evitar la esclavitud, y en el viaje los barcos negreros tenían que colgar redes a su alrededor para evitar que los cautivos se lanzaran al mar. Los casos de infanticidios y suicidios fueron frecuentes entre los esclavos y así lo demuestran los numerosos procesos adelantados por hechos de esta índole en los que los inculpados dan como explicación la de que lo hacían para librarse o liberar a sus hijos de la situación de esclavitud.

Otros reaccionaban individualmente contra sus amos y las autoridades y en muchos casos procedieron a herir o a dar muerte a sus explotadores. «En causa criminal seguida contra un esclavo de Francisco Sánchez de Oliva, de Santa Fe, dice Antonio González, su nuevo propietario, que hubo de venderlo por ser 'negro soberbio y temiendo que lo matase y al dicho su amo que hoy es le dijo palabras de injuria y habiendo el dicho su nuevo amo hablado con el alguacil para que lo prendiese y díchole el dicho alguacil por qué hablaba mal de su amo, le respondió, qué amo ni qué basura y yéndole a prender dicho alguacil le dio tres puñaladas...' Agrega el declarante que el negro intentó matar a Francisco García, español,

---

13. Jaime Jaramillo Uribe, *op. cit.,* p. 44.
14. Jaime Jaramillo Uribe, *op. cit.,* p. 52.

cajero de Joseph de Pisa y que entró a la casa de doña Isabel Salcedo, persiguiendo una negra y amenazó con matar a dicha señora Isabel.»[15] Pero más importantes que estas manifestaciones individuales de protesta fueron las rebeliones generalizadas de esclavos que se presentaron en América durante la Colonia. En 1522 en La Española se levantaron los esclavos de un ingenio de propiedad de Diego Colón. En Panamá, durante el siglo XVI, del millar de negros que llegaban anualmente, 300 o más se escapaban a la selva[16] y en el ataque que el pirata Francis Drake hizo a la ciudad de Panamá contó con el suficiente apoyo de esclavos que andaban huidos. Los levantamientos de esclavos adquirieron muchas veces las características de una guerra civil y la agudización de la lucha entre 1750 y 1790 da la impresión de que hubo un acuerdo entre los esclavos de la Nueva Granada para una rebelión general, como lo demuestran los alzamientos coetáneos de la costa Atlántica, Panamá, Chocó, Antioquia, Valle del Cauca, Cundinamarca y los Llanos Orientales.[17]

«Esclavos cimarrones» eran los que habían huido de sus amos. «Palenque» fue el término que se acuñó para designar los asentamientos de esclavos huidos, con organización propia, métodos de defensa y eventualmente medios de ataque contra las autoridades españolas. En ellos los esclavos cimarrones encontraban segura protección. El más famoso de los palenques de la Nueva Granada fue el de San Basilio, en la gobernación de Cartagena, surgido en 1600 como consecuencia de la rebelión de treinta negros comandados por el esclavo Francisco Bioho, ex monarca de un Estado africano. Después de vencer a los amos convirtieron el palenque en base de actividades militares sobre Cartagena, Tolú, Mompox y Tenerife, atacando sobre todo las haciendas. Las expediciones que el gobierno español envió para someterlos fueron impotentes. A la postre las autoridades tuvieron que llegar a un acuerdo con los insurrectos, concediéndoles algunas prerrogativas y la libertad. Al jefe del palenque, el negro Benkos, le fue permitido vestir a la

---

15. Jaime Jaramillo Uribe, *op. cit.,* p. 56.
16. Aquiles Escalante, *op. cit.*, p. 112.
17. Jaime Jaramillo Uribe, *op. cit.,* p. 59.

española, con espada y daga dorada pero no se le autorizó para que siguiera usando el título de «rey de Arcabuco.»[18]

En la misma provincia de Cartagena hubo rebeliones de esclavos en 1619 y 1696. En el actual departamento del Atlántico, los cimarrones organizaron palenques en Piojó. En 1529 algunos negros alzados salieron de la «Ramada» e incendieron a Santa Marta. En esta misma provincia se habían formado para 1703 varios palenques, como los de Santa Cruz de Mesinga y Sierra Nevada. En la gobernación de Popayán fue célebre el palenque de Castillo, situado al occidente del valle del Patía.[19] El valle del Cauca fue escenario de un amplio movimiento de palenques. En Cali en 1772 se descubrió un plan de instrucción dirigido por el mulato Pablo, y en 1785 en la ciudad de Cartago hubo un amplio movimiento de esclavos con el propósito de formar palenques en Cerrito y las cabeceras del río Otún.[20] En Antioquia en 1598 se desarrolló una gran rebelión de negros en Zaragoza, a la cual siguieron otras. En Marinilla, Rionegro y Girardota se presentó un levantamiento de esclavos en 1706, y los esclavos huidos de Cáceres formaron un palenque que vino a formar la población de Uré.[21]

La lucha contra los cimarrones fue difícil para los soldados que tenían que luchar en el monte contra verdaderas guerrillas. Por eso las autoridades tuvieron que legislar en 1578 contra las personas que escondían a los soldados que estaban en guerra con los cimarrones. Asimismo, las penas que se establecieron contra los esclavos huidos eran durísimas. «Item, si el tal negro o negra, que anduviere huido ausente de sus amos no se volviere, y redujere el servicio de sus amos, dentro de un mes después que se ausente, caiga e incurra, de que al negro le sea cortado el miembro genital, é supinos, lo cual cortado lo ponga en la picota de esta ciudad, para que de ello tomen ejemplo los negros y negras, la cual justicia se haga públicamente en el rollo, donde todos lo vean, lo cual ejecute

---

18. Aquiles Escalante, *op. cit.*, p. 115.
19. Aquiles Escalante, *op. cit.*, pp. 115 y ss.
20. Jaime Jaramillo Uribe, *op. cit.*, p. 68.
21. James J. Parsons, *op. cit.*, p. 83.

por todo rigor, atento a lo mucho que conviene...» «Item, si los tales negros, anduvieren un año ausentes del servicio de su amo, caigan e incurran en pena de muerte natural, la cual pena se ejecute en los tales negros cimarrones.»[22] Penas tan severas hacen suponer que muchos esclavos preferían huir por más de un año.

DECADENCIA DE LA INSTITUCIÓN EN COLOMBIA

La esclavitud sobrevivió mientras fue rentable, cuando dejó de serlo desapareció. Con el surgimiento del proletariado no tuvo razón de ser; el amo tiene que hacer una inversión en su esclavo, debe alimentarlo y vestirlo, y si lo obtiene por nacimiento debe criarlo sin que en los primeros años pueda recibir en compensación trabajo de él; si el esclavo envejece tiene que mantenerlo aunque sus servicios no le compensen los gastos. El caso del proletario es distinto; a él se le paga solamente un salario para que coma, se vista y críe a sus hijos; cuando está viejo no se le emplea y el capitalista no tiene que hacer ninguna inversión en él, aparte de que se le coloca cuando ya está en plena capacidad productiva. De la misma manera que el propietario de una bestia cuida de ella no por humanitarismo caballar sino para que no sucumba y se mantenga la inversión, así el amo debe cuidar de su esclavo para que no muera.

El desarrollo del peonaje y en general del trabajo asalariado unido al alto precio de los esclavos, fueron las causas que desde el siglo XVIII comenzaron a conspirar contra la esclavitud. A ellas se unió el cimarronismo generalizado en el siglo XVIII, que hacía que los amos perdieran la inversión. La carencia de mano de obra hizo que muchos propietarios agrícolas fomentaran la huida de esclavos, amparándolos para tomarlos como asalariados u ofreciéndoles a los huidos comprarlos y mantenerlos en mejores condiciones que los antiguos amos. En 1794 en la provincia de Cartagena, debido a la autorización para introducir aguardiente español, la producción

---

22. Aquiles Escalante, *op. cit.,* p. 113.

interna de este artículo disminuyó de ciento cincuenta mil pesos anuales a cerca de cincuenta mil, lo que golpeó duramente la producción esclavista de miel en los trapiches, determinando la disminución de la ganancia de los propietarios por saturación de la demanda y por la competencia de los productores medianos que trabajan con sus brazos o con jornaleros mal pagados.[23] El ataque a los resguardos desde finales del siglo XVIII, con su secuela de liberación de mano de obra indígena, proporcionó peones suficientes que al presionar por la consecución de trabajo crearon condiciones propicias para que los empleadores mantuvieran salarios bajos, totalmente competitivos con la esclavitud. La guerra de la independencia contribuyó también a quebrar las estructuras esclavistas, no sólo por la libertad que ofrecían los bandos contendientes a los esclavos alistados en sus filas, sino también porque la desorganización, producto de la guerra, creaba condiciones sumamente propicias para las huidas.[24]

En el siglo XIX el interés de comerciantes y artesanos en ampliar el mercado motivó una acción política de estas clases ten-

---

23. Jaime Jaramillo Uribe, *op. cit.,* p. 73.

24. Pedro Fermín de Vargas señalaba con cálculos cómo la minería esclavista ya no era rentable para esa época. «El modo con que se cultivan en el día (las minas) es por medio de negros esclavos, cada uno de los cuales vale en el Chocó, Barbacoas y Antioquia muy cerca de 500 pesos. Pocos mineros se hallan en estado de comprar 50 ó 100 negros por cuya razón se ven poquísimos en unos territorios tan extendidos. Por cálculos bien aproximados se ha computado que entre minas ricas, medianas y pobres, unas con otras sacará el negro más diestro la sexta parte de una onza de oro, o dos pesos cinco reales, excepto del real al día. En el año dividen los trabajos por mitad, empleando la una en la extracción y caza de las arenas auríferas y la otra en su lavada. Quitando 90 de los 365 días al año, por razón de las fiestas, quedan útiles 285, de los cuales sólo se emplean la mitad en lavar las arenas menudísimas, que producen por cada negro 374 pesos 1/2 real.

«Como los víveres son extremadamente caros en las tierras de minas, supondremos que por razón de ellos, vestuarios, enfermedades, gaste diariamente un negro 4 reales, quedando a favor de su amo 191 pesos 4 y medio reales, anualmente. Quitemos por razón de herramienta, gasto de bateas y otras menudencias de poca consideración, 8 pesos todos los años al respecto de cada negro, y quedan 183 pesos 4 y medio reales, o poco más de 90 pesos oro. Rebajados de este

diente a la liquidación de la esclavitud y demás instituciones coloniales que frenaban el desarrollo de las fuerzas productivas e iban
en contra de sus intereses.

A las causas internas que confluyeron desde finales del siglo
XVIII y que presionaron su abolición, se sumaron los intereses de
las potencias colonialistas, especialmente Inglaterra. Con la prolon-
gación de la caza de esclavos durante siglos, los esclavistas tuvieron que adentrarse cada vez más en el continente africano. A medida
que esto sucedía los europeos iban descubriendo en Africa riquezas minerales e iban creando plantaciones que demandaban mano
de obra, la cual en caso de ser exportada como esclava a América,
hacía falta en el entable colonial. Procedieron entonces los antiguos exportadores de esclavos a encubrir sus intereses con un ropaje
filantrópico y democrático y a esclavizar y explotar a los nativos
africanos en su propio continente oponiéndose a su exportación hacia
América.[25] Por otra parte, los intereses de los productores ingleses
en sus colonias de las Antillas pugnaban en el mercado con la competencia de otros países que utilizaban mano de obra esclava. En
nombre de la libertad y de la igualdad procedieron entonces a liquidar la competencia, privando de la mano de obra esclava a sus
rivales en la producción. «El gobierno británico, escudado en sóli-
das razones morales e impulsado por los intereses antillanos que
veían en la persistencia de la esclavitud en el Brasil, el principal
factor de depresión del mercado de azúcar, usó inútilmente todos

---

producto los derechos de quinto, fundición, amonedación, etc., apenas quedan en
favor del minero 80 pesos oro, o 160 de plata.

«De manera que suponiendo que un minero mantenga su mina corriente con
50 negros, gana todos los años 8.000 pesos, pero son muy pocas las minas de
estas conveniencias. Lo contrario sucede casi en todas ellas, y así vemos diariamente mineros arruinados e insolventes, que no tienen otra cosa que el deseo de
volver a las minas, pues el que una vez tomó semejante profesión, contrae una
especie de manía que sólo se borra con la muerte.» *Pensamientos políticos* (Bogotá, Universidad Nacional, 1968), p. 59.

25. En desarrollo de esta política, Inglaterra inició en 1835 tramitación diplo-
mática con el objeto de suprimir la trata de esclavos. En aquel año tuvo conver-
saciones al respecto con México, Venezuela, Colombia, Argentina, Perú, Uruguay
y Chile. Véase Rolando Mellafe, *op. cit.,* p. 100.

los medios a su alcance para terminar con el tráfico trasatlántico de esclavos... Es sabido, por ejemplo, que gran parte de los africanos aprehendidos en los navíos que traficaban para el Brasil, eran reexportados para las Antillas como trabajadores 'libres.'»[26]

Antioquia fue la región de la Nueva Granada en la que primero se hizo antieconómica la esclavitud, por eso allí —y no por el innato amor de la «raza antioqueña» a la libertad— se dieron los primeros pasos antiesclavistas. En Antioquia se emplearon desde el comienzo esclavos para el laboreo de las minas, pero en tres siglos se dieron condiciones para que la institución se hiciera antieconómica. El exterminio de los indígenas por extrema tasa de explotación en las minas durante el siglo XVI hizo que a diferencia de lo que aconteció en Popayán no se diera una agricultura con base en mano de obra indígena cuyo objeto fuera producir un excedente para la manutención de los esclavos dedicados a la minería (en la minería esclavista del Chocó y en general del Pacífico, que tenía su epicentro económico en Popayán, los terratenientes esclavistas explotaban además la mano de obra indígena en sus vastas propiedades de la cordillera y de allí se llevaban productos agrícolas y bestias para la región minera). Además, en Antioquia la producción de oro se daba principalmente por mineros independientes. En vísperas de la Independencia el historiador José Manuel Restrepo calculaba que la producción de oro en dicha región se hacía sólo en un 15% con esclavos[27] y en 1851 las cinco sextas partes de los trabajadores de la minería del oro eran mazamorreros libres[28], los cuales mineros, teniendo la posibilidad de probar fortuna en esta actividad, no estaban muy dispuestos a dedicarse a las faenas agrícolas como asalariados. Por eso en Antioquia, además de las otras causas nombradas, la escasez de productos agrícolas que motivó el encarecimiento de los víveres y de la manutención de los esclavos, determinó primero que en otras regiones lo antieconómico de la

---

26. Celso Furtado. *La formación económica del Brasil*, México, Fondo de Cultura Económica, 1962, pp. 103, 130.
27. Jaime Jaramillo Uribe, *op. cit.*, p. 245.
28. Vicente Restrepo, *op. cit.*, p. 51.

esclavitud e hizo que por lo tanto fuera allí en donde primero surgieran los movimientos liberadores por parte de los amos. «Todas estas circunstancias han debido contribuir a la erosión gradual de la minería esclavista. En efecto, el tránsito de la grande a la pequeña cuadrilla de esclavos ha debido producirse cuando los nuevos yacimientos fueron menos ricos que los viejos y dejaron de rendir cuantiosas economías de escala. Posteriormente, al no haber muchas diferencias entre la productividad física del esclavo y la del minero autónomo, y al quedar ambas absorbidas por el alto costo de las subsistencias, desaparecería el incentivo de adquisición de nuevos esclavos y surgiría el incentivo de reasignar buena parte de los existentes a las labores de agricultura y de servicio doméstico... No podía pues interpretarse la posterior iniciativa del gobierno de Antioquia ante el Congreso de Cúcuta (1821) en favor de la política progresiva de la libertad de partos, como un simple acto humanitario e idealista. La suerte de la economía esclavista había quedado sellada para una sociedad con un estrato regulador como el de los mineros autónomos y con una excesiva especialización de sus recursos naturales y humanos en la explotación del oro.»[29, 30]

En la controversia que se adelantó desde fines del siglo XVIII sobre la abolición de la esclavitud, los bandos contendientes esgrimieron argumentos que expresaban los escondidos intereses materiales de quienes los aducían. Los ideólogos de los comerciantes o

---

29. Alvaro López Toro. *Migración y cambio social en Antioquia durante el siglo XIX* (Bogotá, Centro de Estudios sobre el Desarrollo Económico, 1968), p. 21.

30. En Antioquia se ha exaltado la figura de una señora llamada Javiera Londoño dizque porque fue de las primeras personas que en América concibió la filantrópica y progresista idea de abolir la esclavitud y porque con sus propios esclavos dio el ejemplo. Empero, un estudio minucioso del caso, sin idealizaciones, nos lleva a la conclusión de que los motivos que la condujeron a liberar a sus esclavos por testamento, no fueron propiamente las ideas del iluminismo sino una cierta iluminación patológica que rayaba en la locura. Así quedó demostrado en el juicio que el cura de Marinilla promovió para impugnar el testamento de doña Javiera (1767) con base en demencia de la otorgante. Después de muchas vicisitudes el proceso llegó hasta la Audiencia de Santa Fe y concluyó en la anulación del testamento. Véase Ernesto Tobón, *Crónicas de Rionegro* (Medellín, Imprenta Departamental, 1964), p. 104.

de las clases y potencias que estaban interesados en la abolición, hablaban de igualdad y de libertad, y en ocasiones aducían la mentira piadosa de que el cristianismo pugnaba con la esclavitud. Los propietarios de esclavos acudían también a los textos sagrados y con base en las ideas ilustradas del liberalismo recordaban que la libertad era un postulado esencial pero que por encima de este derecho estaba el de propiedad para los amos. Las clases dominantes siempre han pretendido universalizar su situación y hacer coincidir su interés particular con el interés general. Invocaban la libertad pero sólo dentro del ámbito de sus intereses. A los republicanos esclavistas se puede acomodar perfectamente aquella conocida anécdota de un norteamericano que a mediados del siglo XIX salió de su patria, «cuna de la libertad», hacia Inglaterra y que al ser procesado en este país por haber azotado a su esclavo, exclamó: «Pero, ¿qué país es éste donde uno ni siquiera es libre para azotar a su propio esclavo?»

En el año de 1821, en el Congreso de Cúcuta se dictó la ley de libertad de partos, que atacaba a medias la institución de la esclavitud puesto que no liberaba a los que ya lo eran e imponía a los hijos de esclavos, nacidos bajo el imperio de la disposición, la obligación de servir gratuitamente a sus amos hasta la edad de 18 años, es decir, que los primeros nacidos bajo tal ley sólo obtendrían la libertad real en 1839.[31]

En el año de 1851, dentro de las reformas anticoloniales que se hicieron, la esclavitud fue abolida por medio de la Ley 21 de mayo

---

31. El diputado Domingo Briceño, refiriéndose a los discursos pronunciados en el Congreso de Cúcuta en contra de la esclavitud, manifestó que «advertía en ellos un calor que ya tocaba en entusiasmo, para aliviar una parte oprimida y degradada de la humanidad al mismo tiempo que se olvidaban de los derechos y justicia que asistía a otra parte de la misma humanidad que aunque no degradada, era desgraciada y compasible, y son los propietarios de esclavos en la época presente.» Citado por Abel Cruz Santos, «Economía y hacienda política», en: *Historia Extensa de Colombia* (Bogotá, Editorial Lerner, 1965), p. 259. El observador caraqueño decía: «La esclavitud es absolutamente necesaria para la preservación de nuestro pueblo.» David Bushnell, *El régimen de Santander en la Gran Colombia*, 1966, p. 196.

de 1851. En este momento había en la Nueva Granada 16.468 esclavos, distribuidos así:

Provincias	Esclavos de ambos sexos	Provincias	Esclavos de ambos sexos
Antioquia	546	Panamá	320
Azuero	82	Pasto	86
Barbacoas	2.520	Popayán	2.160
Bogotá	216	Riohacha	283
Buenaventura	1.132	Santa Marta	304
Cartagena	1.377	Socorro	111
Casanare	0	Soto	174
Cauca	2.949	Tundama	5
Córdoba	342	Tunja	6
Chiriquí	33	Túquerres	56
Chocó	1.725	Valledupar	270
Mariquita	108	Vélez	106
Medellín	870	Veraguas	60
Mompox	168	Territorio del	
Neiva	237	Caquetá	0
Ocaña	150		
Pamplona	20		16.468[32]

32. José Manuel Restrepo, *Historia de la Nueva Granada*, T. II (Bogotá, Editorial El Catolicismo, 1962), p. 210.

4

LA TIERRA EN LA COLONIA

Por el dominio de la tierra se han presentado y se presentarán los más graves conflictos sociales en América. Nuestra historia ha estado enmarcada en el cuadro de la desposesión territorial de las masas en beneficio de unos pocos. El conflicto comenzó desde que los invasores europeos empezaron a disponer del territorio de los indígenas y no terminará hasta que la tierra no sea apropiada por los que realmente la trabajan.

Incluso entre los mismos europeos los conflictos por las tierras de que habían desposeído a los indígenas fueron causa de incesantes disputas. Tan sólo habían transcurrido cinco años desde el descubrimiento de América y ya el problema de la tierra hacía tambalear al gobierno de Colón. «Probablemente cometió un error al no repartir inmediatamente tierras a los colonos; al comienzo el cultivo se hacía, según parece, en comunidad. En todo caso, la autoridad específica para asignar tierras, a condición de que fueran ocupadas durante cuatro años consecutivos, se le concedió en 1497, antes de su tercer viaje, y es significativo que cuando, dos años más tarde, se entregaron parcelas al rebelde Roldán y a sus secuaces, se apaciguó la oposición más seria al gobierno de Colón.»[1]

---

1. Clarence H. Haring, *El imperio hispánico en América* (Buenos Aires, Solar, Hachette, 1966), p. 21.

Como elemento fundamental para comprender el problema de la tierra durante la Colonia y el surgimiento de la propiedad en América, debe tenerse en cuenta que el monarca español reivindicó para sí el dominio de los territorios descubiertos y toda propiedad territorial de él denunciada. «Los descubridores tomaron posesión de las tierras y aun de los mares descubiertos, no como señores, en el sentido político medieval de esta palabra, sino como representantes de la Corona, como mandatarios de los reyes de España.»[2] La tierra, mientras no se adjudicara por el monarca a indígenas o conquistadores, era una regalía, de allí el nombre de tierras realengas a las que pertenecían al rey, como patrimonio de la Corona, en su calidad de jefe del Estado.[3] La fase de conquista se llevó adelante principalmente por medio de *Capitulaciones,* que eran contratos celebrados entre la Corona y el conquistador. Por medio de ellas el beneficiario adquiría ciertas prerrogativas y contraía ciertas obligaciones entre las cuales estaban las de descubrir, conquistar y poblar. Los adelantados o beneficiarios de las capitulaciones tuvieron facultad de repartir tierras entre los españoles y de allí que el «repartimiento» fue el primer título de propiedad sobre la tierra.

Como la tierra era una regalía, al ser repartida a través de una capitulación, o adjudicada directamente, como aconteció una vez que pasó el período de las capitulaciones, siempre el dominio de un particular sobre ella derivaba originariamente de la gracia o merced real.

Mas la tierra no se adjudicaba en forma simple, de manera que el propietario se bastara con el solo título sin ninguna obligación.

---

2. J. M. Ots Capdequí. *El régimen de la tierra en la América española durante el período colonial* (Ciudad Trujillo, Ed. Montalvo, 1946), p. 14.

3. En Castilla durante la alta Edad Media, y primera época de la Conquista, hubo confusión entre lo que era patrimonio del rey como persona y lo que le pertenecía como jefe de Estado, mas con la recepción del derecho romano justiniáceo en los siglos XII y XIII, el concepto de realengo se estableció como lo que pertenece al rey, no ya como señor, sino como jefe de Estado. En este sentido fue aplicado el concepto de «realengo» y de «regalía» en la legislación de las Indias. Véase J. M. Ots Capdequí, *op. cit.*, p. 20.

La voluntad del monarca fue expresa y la legislación reiterada en el sentido de que el beneficiado debía cultivar la tierra y habitarla. Así, Fernando V en 1513 ordenó:

«A los nuevos pobladores se repartirán solares y tierras, cuyo dominio adquirirán a los cuatro años de morada y labor.»[4] Y en 1537 don Carlos ordenó que:

«Todos los vecinos y moradores a quienes se hiciere repartimientos de tierras, deberán a los tres meses tomar posesión de ellas, plantarlas de sauces y árboles de modo que pueda aprovecharse la leña, bajo pena de perder las dichas tierras para darlas a otros moradores.»[5]

Estas disposiciones enmarcaban claramente dentro de la finalidad de la Conquista, puesto que era de interés para el Estado español que sus dominios se ensancharan y poblaran efectivamente, que los territorios coloniales se integraran realmente a la explotación económica, pues en esta forma sus ingresos tributarios aumentarían y al crecer la riqueza colonial aumentaría también su riqueza y poderío. Es ésta la verdadera forma de interpretar la finalidad de las disposiciones precitadas y no de una manera antihistórica, a la luz de conceptos modernos de pretendida función social de la propiedad, como tratan de hacerlo algunos. De paso es bueno anotar, como lo hacen aquellos autores interesados en loar al conquistador, que la juridicidad de los títulos de propiedad sobre la tierra, emanados del monarca español, se basaba en la desposesión hecha a millones de indígenas y que el pretendido paternalismo del monarca y su liberalidad con tierras de resguardo para con los indígenas, tenía como antecedente forzoso su desposesión.

Tan esenciales como el repartimiento eran, pues, las obligaciones de morada y labor, de suerte que el «repartimiento no fue en sí título originario de una situación de dominio»; el repartimiento creaba una expectativa de dominio, que podía convertirse en un dominio, o no, mediante ocupación efectiva y cultivo.[6]

---

4. Ley 1ª, Tít. 12, L. 4 de la *Recopilación de leyes de Indias*.
5. Ley 11, Tít. 12, L. 4 de la *Recopilación de leyes de Indias*.
6. J. M. Capdequí, *op. cit.,* p. 52.

Como la tierra era abundante, en un comienzo las adjudicaciones abarcaron grandes extensiones. Por lo común se repartían varias «peonías» o «caballerías.» Una caballería abarcaba cinco peonías y equivalía a «quinientas fanegadas de labor para pan de trigo o cebada; cincuenta de maíz; diez hierbas de tierra para huertas, cuarenta para plantas de otros árboles de secadal; tierra de pastos para cincuenta puercas de vientre, cien vacas, treinta yeguas, quinientas ovejas y cien cabras», con el agravante de que por desconocimiento del terreno los linderos quedaban inciertos, amparados de lo cual los propietarios abarcaban más tierra de la que les pertenecía, con resultados como los que se vieron en el siglo XVI en la Nueva Granada, en donde «una merced de quinientas hectáreas, por ejemplo, se hubiera convertido, en el curso de poco tiempo, en un latifundio improductivo de 20.000 hectáreas; y que una merced de 10.000 hectáreas, otorgada a alguno de los nobles del reino, hubiera dado origen de la noche a la mañana, a un imperio territorial de 200.000 hectáreas, cuando no de más. De esta manera se había cumplido la ocupación práctica de todas las tierras del reino que, por su localización y calidad, tenían algún valor económico.»[7]

En estas circunstancias, para fines del siglo XVI ya unas pocas personas habían acaparado las tierras mejores, más cercanas a los poblados y con vías de comunicación, dando lugar a un agudo problema de tierras padecido no solamente por los indígenas, sino también por los nuevos inmigrantes europeos. El rey Felipe II dictó el 1º de noviembre de 1591 la famosa cédula del Pardo, la cual, además de su sentido fiscal, tenía el propósito de paliar en algo el problema de las tierras para que éstas llegaran a manos de nuevos inmigrantes y de hacer cumplir los requisitos de morada y labor no acatados por muchos. Es esta ordenación la base de la primera redistribución de tierras que se hizo en nuestro país después de la conquista, e impidió nuevas mediaciones y la utilización económica de algunos de los predios adjudicados.

---

7. Indalecio Liévano Aguirre, *Los grandes conflictos sociales y económicos de nuestra historia* (Bogotá, Nueva Prensa), T. I, p. 194.

Es interesante anotar dos elementos que datan de la época en lo relacionado con la propiedad de la tierra. El primero, que se dio paso al sistema de «composición» para adquirirla. Sucedía que muchos propietarios de hecho habían extendido los límites de las antiguas concesiones, o que otras personas o entidades no tenían muy claros los títulos de adquisición. El monarca, entonces, permitió convalidar dichas situaciones siempre y cuando se le pagara una determinada suma de dinero. La medida revelaba un claro criterio fiscal, muy propio de la tendencia inaugurada con Felipe II, de vender empleos y legalizar títulos dudosos con tal de recaudar dinero para salvar el déficit fiscal en que se vio envuelto el Estado español. Asimismo implicó la medida que se fuese aflojando en el requisito de morada y labor, puesto que quedaba en última instancia la posibilidad de conservar o readquirir títulos sobre la propiedad, siempre y cuando se pagara una suma para alcanzar la composición. El otro elemento que debe considerarse, es que con estas medidas el Estado reafirmaba el criterio de que la adjudicación que hacía no era absoluta y que en cualquier momento estaba en posibilidad de invalidarla o recortarla, si no se cumplían ciertos requisitos. Como una manifestación de lo anterior surgía el procedimiento de revisión de títulos, que implicaba que era el particular quien debía demostrar su propiedad, doctrina que fue olvidada con posterioridad y cuyo olvido dio pábulo para que muchos terratenientes hicieran uso ilegítimo de terrenos que no les pertenecían, en contra de colonos trabajadores. Como hemos visto, dos maneras había para que los españoles o sus descendientes adquirieran tierras en América: la merced o adjudicación por parte del monarca, o la composición sobre terrenos de titulación dudosa. A éstas hay que agregar una tercera que se generalizó especialmente en los siglos XVII y XVIII: la venta o remate.

Por venta o remate, quien tuviera dinero y quisiera adquirir tierras podía acudir ante las autoridades, las cuales enajenaban los terrenos baldíos o realengos al mejor postor en remate a «vela y pregón.»[8]

---

8. El remate a «vela y pregón» se hacía por medio de diligencia en la que «venían luego los pregones que se hacían durante 30 días, día por día. La palabra vela quería decir que al hacer el pregón, se encendía una vela y mientras duraba

La práctica de ventas de tierras fue una expresión más aguda del criterio fiscal de la Corona e implicó el abandono de la obligación de «morada y labor» para el propietario. Fue posible, entonces, para algunas personas adineradas adquirir grandísimas extensiones de tierra, para agregarlas a las que ya habían acaparado por merced o por composición. El resultado fue que para el siglo XVIII una reducida oligarquía terrateniente que no daba destinación económica a la tierra, la ocupaba a costa de los indígenas y de los sectores de la población en espera de una valorización, o alquilándola para vivir cómodamente de las rentas.

Ya en 1776, el virrey Guirior denunciaba una práctica que aún no se ha extinguido en nuestro país: «Convendría que no se vendiesen las tierras realengas en lo sucesivo, pues las largas extensiones de las compradas, aumentadas y sostenidas, *son poder contra los desvalidos*, a quienes faltan medios para los recursos administrativos y judiciales... *Así, suele verse que si los desvalidos, creyendo un terreno realengo, se introducen en él, sembrando plátanos, yucas, cañas, cacaos y otras especies propias del país, sale luego un poderoso, exigiéndoles una contribución anual excesiva o los arroja sin que puedan restituirlo*, por falta de posibilidad para el recurso, o para solicitar que aquél justifique su legítimo derecho...»[9] (el subrayado es nuestro).

La nueva orientación de la propiedad con base en la detentación económica quedó plasmada en la real cédula de 1754 y sobre todo, para la Nueva Granada, en la cédula de San Ildefonso, expedida por Carlos II en agosto de 1780. De paso es bueno anotar que la nueva orientación agraria, benéfica para los terratenientes y contraria a los intereses de las masas de indígenas y desposeídos en general, provocó al poco tiempo el levantamiento de los comuneros, que fue en lo esencial un alzamiento campesino.

---

encendida se esperaba que se hicieran nuevas posturas por otros posibles rematantes. Terminada esta diligencia, se procedía a la formalización del remate y se adjudicaba al denunciante en el caso de no haber otro que hubiera formulado postura mayor.» J. M. Ots Capdequí, *op. cit.*, p. 577.

9. Citado por Indalecio Liévano Aguirre, *op. cit.*, p. 212, T. 2.

LOS RESGUARDOS

Nos hemos referido a dos tipos de propiedad sobre la tierra: la del dominio del Estado o realenga y la que obtuvieron los conquistadores por diferentes formas. Resta señalar un tercer tipo, la propiedad comunal que se manifestó a través de ejidos y resguardos. A estos últimos nos vamos a circunscribir por ahora.

No sobra insistir en que las concesiones hechas por el monarca a los indígenas por medio de resguardos no eran más que la adjudicación limitada de tierras que les pertenecían. Pero aun estas concesiones tenían sus restricciones, puesto que no se trataba de una verdadera propiedad sobre la tierra sino de una cesión limitada, pues los resguardos nunca dejaron de ser una regalía de la Corona, lo que impedía su enajenación y hacía posible toda clase de reajustes en cuanto a límites o ubicación, cuando las autoridades españolas lo querían.

Los resguardos fueron establecidos especialmente entre 1595 y 1642.[10] En un comienzo más o menos bastaron para albergar a la población indígena, pero con el tiempo fueron quedando cerca a los centros poblados y con vías de comunicación, circunstancia que tentó la codicia no sólo de los terratenientes sino también de una serie de españoles pobres, de sus descendientes sin tierra y de los mestizos que no la poseían, pues mientras los indígenas tenían que salir del resguardo para trabajar con el objeto de adquirir dinero para pagar los tributos, muchos colonos blancos invadían sus tierras. La presión provenía de «una nueva y numerosa clase de finqueros de menor cuantía, identificados por el virrey Guirior como miembros de una 'clase media'. Esta nueva clase social bien pudo ser en parte blanca y en parte mestiza; o casi toda compuesta por elementos mestizos; de todos modos había crecido rápidamente, no

---

10. Véase Orlando Fals Borda. *El hombre y la tierra en Boyacá* (Bogotá, Ediciones Documentos Colombianos, 1957), p. 72. Germán Colmenares, «Antecedentes sociales de la historia de la tierra en Colombia; los resguardos en la provincia de Tunja y su extinción», Revista *Universidad Nacional*, Universidad Nacional de Colombia, No. 4, Sept.-Dic. 1969.

sólo por la mezcla racial sino por la llegada de nuevos colonos españoles de inclinación agrícola. Este grupo de gente, hambrienta de tierra, se encontró constreñido por los propietarios de aquel entonces, es decir, por los herederos de los señores que habían recibido mercedes, cien o doscientos años antes, por la Iglesia latifundista y por los mismos indios. Los mestizos y los recién llegados chapetones podían vivir en propiedades españolas como arrendatarios y les estaba vedado residir en los resguardos por no ser indios puros. Pero como muchas veces sucede, se le halló escape a la ley, y como lo muestra el caso de Soatá, muchos individuos que no eran indios entraron a vivir en los pueblos indígenas y a arrendar la tierra de los resguardos. Obsérvese, no obstante, que la carga de los tributos compelió a los indios en muchos casos a recurrir a estos arriendos para poder pagarlos.»[11]

Por su parte los latifundistas veían con malos ojos los resguardos, pues con su supresión no sólo tenían la oportunidad de apoderarse de la tierra, sino lo que era más importante, forzaban la ocasión para que los indígenas necesariamente tuvieran que vender su fuerza de trabajo en las haciendas con salarios reducidos. Inventaron entonces la conseja aún mantenida en nuestros días de que el indio es perezoso y de que había que obligarlo a trabajar. Ya el virrey Mendinueta anotaba en 1802: «Son generales las quejas contra la ociosidad; todos se lamentaban de la falta de aplicación al trabajo; *pero yo no he oído ofrecer un aumento de salarios y tengo entendido que se paga en la actualidad el mismo que ahora cincuenta años* o más, no obstante que ha subido el valor de todo lo necesario para la vida, y que por lo mismo son mayores las utilidades que produce la agricultura y otras haciendas.»[12] (El subrayado es nuestro).

Todo conspiraba contra el mínimo derecho de los indígenas a tener sus tierras. Los latifundistas voraces por las tierras de resguardo y por mano de obra barata, los mestizos y colonos pobres con

---

11. Orlando Falls Borda, *op. cit.*, p. 84.
12. Citado por Indalecio Liévano Aguirre, *op. cit.*, T. 3, p. 91.

ansia de tierra para cultivar e imposibilitados para obtenerla por el acaparamiento del latifundio laico y clerical, y un Estado con criterio fiscalista pronto a obtener las mayores entradas por cualquier medio.

En estas circunstancias se inició la segunda desposesión masiva de la mayoría de nuestra población —las masas indígenas—, proceso que culminó a mediados del siglo XIX. Desde el punto de vista legal el asunto se facilitó, pues como hemos anotado el Estado español no transfirió el dominio de las tierras de resguardo a los indígenas sino que éstas permanecieron como regalías de la Corona. En el siglo XVIII, a la vez que se remataban grandes extensiones de baldíos por unos pocos particulares, se inició un ataque sistemático contra los resguardos, que pasaron a manos de un pequeño grupo de terratenientes aumentando la concentración territorial y sin solucionar el problema de tierras para los mestizos y blancos que clamaban por ellas.[13] Unas veces se redujeron los resguardos a menor extensión y la sobra se dio en venta, y otras, la más común de las veces se optó por reunir en un solo sitio, alejado de los poblados y sin vías de comunicación, a los habitantes de varios resguardos para dar en venta las tierras desocupadas y que los indígenas habían ocupado por siglos. En otras ocasiones se procedió simplemente a desalojar a los indígenas prometiéndoles tierras que nunca fueron concedidas. Así por ejemplo en Boyacá fueron vendidos total y parcialmente los siguientes resguardos en el siglo XVIII: en 1755 y 1756 Soatá (junio 21 de 1755), Toca (enero 18 de 1756), Moniquirá (abril 12), San José de Pare, Saboyá, Tinjacá (abril 30), Tensa, Somondoco y Ramiriquí (junio 11) y en 1777 y 1778 los resguardos enteros de Sávita, Busbanzá, Chiscas, Boa-

---

13. En el pueblo de Ramiriquí, por ejemplo, «el 15 de junio se pregonaron las tierras y el 6 de noviembre se remataron por José de Vargas en 600 pesos, a pesar de que se habían evaluado en 800. Ni este primer remate ni otros que se llevaron a cabo veinte años más tarde tuvieron mucha suerte. Por un lado, en ocasiones, ni siquiera los vecinos, en cuyo beneficio se había ideado la expropiación, pudieron competir con los criollos de Tunja o con los vecinos más ricos para adquirirlos, y por otro, la Real Hacienda no obtuvo en mucho tiempo otra ventaja que la de las dilaciones interminables de la administración.» Germán Colmenares, *op. cit.*, p. 152.

vita, Guacamayas, Cerinza, Beteita, Tutasá, Sogamoso, Tosco, Virachá y Tibasosa; y en parte los de Guateque, Pesca, Tota, Soracó y Monguí.[14] Es interesante anotar cómo esta desposesión ocurría unos pocos años antes de los acontecimientos de la revolución de los comuneros.

LAS MISIONES JESUITAS

Durante el período colonial la Iglesia fue la institución que más riqueza acumuló en bienes inmuebles tanto urbanos como rurales. Así, un diplomático francés que vivió entre nosotros en la tercera y cuarta décadas del siglo XIX observaba que «estos monasterios están ricamente dotados; cuando yo me hallaba en Bogotá me aseguraron que las dos terceras partes aproximadamente de las casas de la ciudad eran de su propiedad.»[15]

En general las comunidades religiosas que se asentaron en América acumularon grandes riquezas, invertidas especialmente en tierras, pero acá solamente nos vamos a referir a las de los jesuitas, cuyas misiones y haciendas fueron las más famosas y prósperas. Sus posesiones las podemos agrupar en tres secciones: las misiones, las haciendas y los colegios.[16]

En la Nueva Granada las misiones jesuitas estuvieron ubicadas en los Llanos Orientales, región que estaba habitada por indígenas en un estado de organización social primitivo —cazadores y recolectores—. Vino primero el período de exploración que llevó a los misioneros por las regiones de Casanare, Meta y Orinoco, hasta su desembocadura, para continuar con la fase de reunión de los indí-

---

14. Orlando Fals Borda, *op. cit.*, pp. 85, 86, 87 y 88.

15. Augusto Le Moyne, *Viaje y estancia en la Nueva Granada* (Bogotá, Ediciones Guadalupe, 1969), p. 115.

16. Utilizamos el término genérico de «misión» como sinónimo de «reducción» o «doctrina», dejando de lado el significado de reducción para los indígenas no convertidos al catolicismo, o de doctrina para el pueblo convertido y erigido en parroquia.

genas en pueblos. Lo fundamental en esa época para todo el territorio colonial era la obtención de mano de obra, pues la tierra era abundante y comparativamente no tenía mucho valor.[17]

En esas circunstancias los jesuitas fueron verdaderos innovadores en cuanto a métodos para lograr el trabajo de los indígenas y, a diferencia de los encomenderos y en general de los colonizadores, no acudieron directamente a la fuerza para lograr el servicio. El método empleado fue el de iniciar a los indígenas en las prácticas agrícolas a través del cultivo en común, destinando parte de lo obtenido para las necesidades de la colectividad. Más adelante dividieron la tierra trabajada en dos secciones: «El campo de Dios», laborado en común, y «El campo del hombre», que estaba dividido en parcelas, con trabajo individual y no negociable. Los instrumentos de trabajo eran por lo regular de propiedad colectiva.

Fue grande la habilidad de los jesuitas para obtener mano de obra indígena en los territorios de misión: en esto fueron más sutiles y superiores a las demás órdenes religiosas y a los demás españoles. La sutileza fue su característica en los territorios en que actuaron. Para Brasil, por ejemplo, utilizaron los medios descritos por Celso Furtado: «En la primera mitad del siglo XVIII la región paraense se transformó en un centro exportador de productos forestales: cacao, vainilla, canela, clavo, resinas aromáticas.

---

17. Lo anterior es válido tanto para los territorios misionales como para las haciendas. Son por eso justas las observaciones de Germán Colmenares cuando anota: «La tierra, cuya propiedad no se desconocía en principio, sólo adquirió un valor monetario cuando pudo sustentar una ganadería extensiva o una economía de plantación, es decir, desde el momento en que incorporó un cierto tipo de bienes de trabajo. Bienes de capital, muebles por excelencia, esclavos y ganado, o la estructuración misma institucional que hacía posibles ciertas formas de organización del trabajo indígena.» Esta circunstancia es corroborada más adelante por el mismo autor con el avalúo de una hacienda de los jesuitas. «Frente a otras inversiones el valor de la tierra se minimizaba cada vez más. Una hacienda como El Trapiche, en Pamplona, una verdadera plantación, con 127 esclavos y más de 40.000 árboles de cacao (en 1767) poseía tierras cuyo valor relativo, respecto del valor total de la hacienda, era apenas del 2%», Germán Colmenares, *Las haciendas de los jesuitas en el Nuevo Reino de Granada* (Bogotá, Universidad Nacional de Colombia, 1969), p. 79.

Por otra parte, la cosecha de esos productos dependía de una utilización intensiva de la mano de obra indígena, la cual, trabajando dispersa en la floresta, difícilmente podría someterse a las formas usuales de la utilización del trabajo esclavo. Fueron los jesuitas quienes encontraron una solución adecuada a este problema. Manteniendo a los indios en sus propias estructuras comunales, ellos trataban de obtener la cooperación voluntaria de los mismos. Dado el reducido valor de los objetos que los indios recibían en trueque, se volvía rentable el organizar la explotación forestal extensiva, ligando pequeñas comunidades diseminadas en la inmensa zona. Esta penetración en superficie presentaba la ventaja de que podía extenderse indefinidamente. No se dependía de ningún sistema coercitivo. Una vez que se suscitaba el interés del silvícola, la penetración se realizaba sutilmente, pues creada la necesidad de una nueva mercadería, se establecía al propio tiempo un vínculo de dependencia del cual ya no podrían desligarse los indígenas. Así se explica que con medios tan limitados los jesuitas hayan podido penetrar profundamente en la cuenca amazónica. En esa forma, la misma pobreza del estado de Marañón, al obligar a los colonos a luchar tan tenazmente por la mano de obra indígena y la correspondiente reacción de los jesuitas —al principio simple defensa del indígena; después búsqueda de mayores formas más racionales de convivencia; y, finalmente, explotación servil de esa mano de obra— constituyeron un factor decisivo de la enorme expansión territorial que se efectúa en la primera mitad del siglo XVIII.»[18]

Las posesiones jesuitas llegaron a ser riquísimas no solamente en tierras, sino también en ganados, agricultura y otros bienes. Por ejemplo, «cuando se hizo el inventario de la hacienda de Caribare, que pertenecía a las misiones de la Compañía en los Llanos de Casanare, el funcionario se contentó con acotar en cuanto a las tierras... 'tierras de uno y otro lado del río Casanare'. En cuanto al ganado, se contaron 10.600 reses de vacuno, sin poderse saber a punto fijo el

---

18. Celso Furtado. *Formación económica del Brasil* (México, 1962), Fondo de Cultura Económica), p. 75.

número de ganados que no habían venido a los corrales, aunque se considera ser bastante. Para suplir esta falta se adelantaron investigaciones entre los prácticos del lugar y éstos calcularon una cifra redonda: tres mil cabezas.»[19]

Las misiones jesuitas en los Llanos Orientales se iniciaron en la tercera década del siglo XVII y cuando la compañía fue expulsada de los dominios americanos en 1761, había logrado constituir un gran dominio económico en el que se producían en gran escala bienes agropecuarios y manufacturados con técnica y eficiencia en general superiores a las del resto del país. Las misiones del Meta producían alimentos, pero especialmente ganados que se vendían en los mercados de Tunja y Santafé. Las del Orinoco producían frutos tropicales, cacao, canela, vainilla y aceites que se destinaban a la exportación, y las misiones de Casanare producían textiles, lo que contribuyó a que la región fuera de las más prósperas en el renglón de la manufactura durante el siglo XVIII y que poblaciones como Morocote se hicieran famosas por los lienzos que distribuían en los mercados de la Nueva Granada.

Las haciendas

De gran importancia fueron también las haciendas de los jesuitas, por su valor económico y por las técnicas de organización de éste como de sus otros negocios. A diferencia de las misiones, las haciendas estaban ubicadas dentro del marco de la economía colonial y sus utilidades se destinaban en parte a mantener los colegios de la orden. Comparativamente, las de la Nueva Granada eran menos valiosas que las del Perú o México, puesto que las de mayor valor acá nunca excedieron de un precio de 100.000 pesos cuando en el Perú las había evaluadas en 200.000 pesos, y en México algunas tenían un valor entre 500.000 y 700.000 pesos. Con todo, la

---

19. Germán Colmenares, *Las haciendas de los jesuitas en el Nuevo Reino de Granada, siglo XVIII, op. cit.*, p. 69.

fortuna invertida en haciendas por los jesuitas era incomparablemente superior a cualquier fortuna privada.[20]

La actividad de las haciendas fue especialmente ganadera pero, aunque en menor escala, se explotaron también en ellas plátanos, caña, cacao, etc. Las haciendas de los jesuitas estaban desparramadas por todo el territorio de la Nueva Granada y comprendían grandes extensiones de tierras con grandes cantidades de ganado. Germán Colmenares nos proporciona el siguiente cuadro de las haciendas de los jesuitas en el Nuevo Reino de Granada y Audiencia de Quito, según inventarios hechos durante 1767 y 1770:

NÚMERO DE GANADOS EN LAS HACIENDAS
DE LA COMPAÑÍA EN EL NUEVO REINO DE GRANADA
Y AUDIENCIA DE QUITO

Hacienda	Ganado vacuno	Ganado lanar	Mulas	Ganado caballar	Asnos	Cerdos	Cabras
Firavitoba	499	8.310	-	261	4	-	-
Paipa	372	404	54	7	-	-	-
Lengupá	1.391	172	162	480	22	-	-
Tuta	1.233	10.800	-	244	-	-	-
Chamisera	697	1.920	16	111	57	-	-
Doyma	14.299	14	181	4.900	100	-	-
Villavieja	10.251	82	151	2.477	-	-	220
Espinal	10	-	131	4	-	-	-
Tibabuyes	3.332	233	45	1.149	-	-	-
La Calera	183		14	7	-	-	-
Apiay	1.963	-	22	360	2	-	-
Caribabare	10.606	-	26	1.384	1	-	-
Cravo	5.496	-	11	369	-	-	-
Patute	921	-	-	42	-	-	-
San Javier	24	-	22	180	8	-	-
Hatogrande	215	-	-	85	1	-	-
Caymito	-	-	4	51	1	-	-
Bochaga	180	-	-	6	-	20	-
S. Javier de la Vega	164	-	5	2	-	-	14

Continúa

20. *Ibid*, pp. 108, 109, 110 y 111.

Continuación

Hacienda	Ganado vacuno	Ganado lanar	Mulas	Ganado caballar	Asnos	Cerdos	Cabras
El Salado	470	-	9	75	-	-	133
El Trapiche	-	-	2	52	-	-	152
Abajuco	390	-	4	39	1	32	-
Pabón	73	-	-	-	-	-	-
Guintar	226	-	7	17	-	-	-
Zimarronas	364	147	11	150	1	-	-
Cano	626	-	38	215	1	-	-
Bambumuy	593	-	10	151	1	-	-
Merlo	292	-	1	36	-	-	-
Sánchez	202	-	1	6	-	-	-
Funes	813	80	19	222	-	-	6
Capulí	281	-	24	203	-	-	-
Hubunuco	86	564	3	72	-	-	-
Pandiaco	154	-	-	2	-	-	-
Chillanquer	2.130	-	-	-	-	-	-
Barragán	267	-	-	243	-	-	-
Zabaletas	245	-	-	37	-	-	-
Sepulturas	220	-	15	36	-	-	-
Totales	**59.458**	**22.726**	**988**	**13.618**	**200**	**52**	**525**

Fuente: Germán Colmenares, *Las haciendas de los jesuitas en el Nuevo Reino de Granada. Siglo XVIII* (Bogotá, Universidad Nacional de Colombia, 1969), pp. 108-109.

Según Felipe Pérez, «al tiempo de su primera expulsión los jesuitas eran dueños de ciento tres predios y regentaban trece colegios.»[21]

En el análisis de las actividades económicas de la Compañía, a más de la magnitud debe tenerse en cuenta el sistema de interrelación entre las diferentes unidades económicas, con miras al mercado. Con el objeto de vender sus productos en los principales centros de consumo, relacionaron entre sí sus haciendas, de manera que los ganados pudieran ser llevados desde sitios lejanos, por jornadas que tocaban en tierra de su propiedad. El privilegio de

---

21. Felipe Pérez, *Geografía general física y política de los Estados Unidos de Colombia* (Bogotá, Imprenta de Echeverría Hnos., 1883), p. 61.

abasto de carne a Santafé, obtenido durante el virreinato de Sebastián de Eslava, pudieron cumplirlo por el medio descrito, trasladando ganado en buen estado desde Casanare o Neiva hasta la capital. En mulas de su propiedad realizaban el transporte de los productos agrícolas destinados al mercado y en los centros poblados se facilitaba la venta, pues en los edificios de los colegios, los jesuitas destinaban varios locales para tiendas, los cuales arrendaban a comerciantes a quienes directamente confiaban, para la venta, el producto de sus haciendas.

Tanto las misiones como las haciendas estaban sujetas a un estricto control económico, que se llevaba a cabo por medio de libros de contabilidad minuciosamente llevados, balances periódicos y visitas de los superiores a los administradores. Todos los bienes debían estar inventariados en libros y cada cambio de administración implicaba un nuevo inventario. Todo papel, carta o recibo en que constaran títulos, obligaciones o derechos debía ser guardado.

Los jesuitas llegaron a constituirse en una verdadera potencia económica dentro de la estructura colonial, pues su actividad esencialmente agropecuaria, a la que agregaron la minería y el comercio monopolista en el territorio de sus misiones, contribuyó a que se constituyeran en depositarios de gran parte de la riqueza líquida de los particulares. A su vez esta solvencia económica, generada en la explotación de las misiones y haciendas y aumentada por el caudal privado dado en depósito, permitía un mayor ritmo de inversión y por tanto de crecimiento de sus actividades y la posibilidad, con que no contaron muchos en la Colonia, de redimir gravámenes sobre las tierras.

Por lo regular, al abordar el tema de las misiones jesuitas, los historiadores se han dividido en dos bandos con perspectiva errada: de una parte los que miran la actuación jesuita con visión apologética, idealizando su sistema y exagerando sus logros. Algunos han aprovechado el análisis de la organización de las reducciones para criticar la sociedad capitalista, pero con un enfoque retardatario puesto que de esa crítica no surge la necesidad de superación hacia una nueva sociedad sino la añoranza de un edén perdido y la perspectiva —por otra parte imposible— de un regreso al pasado. Tal es el caso entre nosotros de Indalecio Liévano Aguirre,[22] acertado historiador y enjuiciador de nuestra vida republicana y gran idealizador del pasado colonial y de la opresión hispana. Otros comentadores van más allá y para realzar la labor misional y su paternalismo, con criterio anticientífico y antihistórico tratan de expresar una supuesta inferioridad de los indígenas. Es el caso de Oreste Popescu —nuevo Bobineau aparecido en estas tierras—, quien valora a los indígenas reducidos con categorías de supuesto «disgusto por el trabajo», «incapacidad congénita», «sistema de cálculo menos profundo por hallarse en función de la capacidad intelectual del indio», etc.[23]

De otro lado está el simple enfoque liberal anticlerical, incapaz de una apreciación serena cuando en la vida social se interpone una sotana o un *clergy man*.

Es indudable que las actividades económicas de los jesuitas en haciendas y misiones estuvieron marcadas por la eficiencia. Es más, comparativamente eran las más eficientes de la Colonia. La sutileza para captar mano de obra indígena en las misiones les dio gran resultado y la racionalidad interna que introdujeron en el manejo de sus bienes, síntoma ya de explotación capitalista ordenada, les produjo pingües resultados. Los libros de contabilidad, los inventarios y las visitas fueron introducidos por primera vez en América para el manejo de bienes no públicos. Es decir, era el desarrollo de las actividades agropecuarias con un criterio de empresa a la manera capitalista. La interrelación de sus haciendas y misiones con miras al mercado era una manifestación más de lo anterior. Por ser una institución y no una persona natural, la Compañía podía planear a largo plazo y así logró hacer una inversión adecuada del excedente producido, no dedicándolo al consumo inmediato, sino creando un proceso autogenerado de reinversión.

Pero los logros económicos alcanzados por la Compañía no pueden darnos una visión idealizada. Hubo eficiencia, racionalidad in-

---

22. Indalecio Liévano Aguirre, *op. cit.*, caps. XI, XII, XIII, V. 2.
23. Oreste, Popescu, *Sistema económico en las misiones jesuitas; experimento de desarrollo indoamericano* (Barcelona, Ed. Ariel, 1967), pp. 86, 87, 92.

terna y productividad. La fábrica capitalista es también un modelo de eficiencia, de racionalidad interna y de productividad, pero a costa de la explotación. Y es acá en donde debe centrarse el punto de análisis de la actividad económica de los jesuitas en la Colonia. El relativo desarrollo era a costa de la explotación. Esclavos, indígenas encomendados o mitayos, contribuían a crear un excedente en las haciendas. Y en las misiones, millares de indígenas agrupados contribuían a crear un excedente que no era gastado inmediatamente y que por pertenecer a una institución y no a un individuo daba para algunos la apariencia de ser una propiedad colectiva. «Nosotros no pretendemos oponernos a los aprovechamientos que por vía legítima podéis sacar de los indios», decían los jesuitas a los encomenderos de los Llanos; y tampoco se oponían al aprovechamiento que ellos mismos hacían de los indígenas «por vía legítima», como lo simboliza el cultivo del «campo de Dios», en beneficio último de la Compañía, que era uno de sus representantes en la tierra.

5

EL COMERCIO EN LA COLONIA

El comercio desarrollado por España con sus colonias tuvo como base el monopolio, que se manifestó de múltiples maneras: con relación a los puertos, a las rutas, al comercio con otras potencias, o el intercolonial, a los buques de transporte, a la nacionalidad de los comerciantes, etc.

En un comienzo fue Cádiz el puerto peninsular destinado al comercio de las colonias; luego, en 1503, se amplió este privilegio a Sevilla, y en 1509 se extendió a Bayona, Coruña, Avilés, Laredo, Bilbao, San Sebastián y Málaga, además de los anteriores nombrados; pero a partir de 1579 se volvió a concentrar el comercio en Sevilla, ciudad en la que funcionó la Casa de Contratación, el máximo organismo económico que regía esta actividad en las colonias.

El viaje de navíos individuales estaba prohibido; tenía que hacerse por medio del sistema de flotas con su correspondiente custodia militar. «Entre los años 1564 a 1566 quedó establecido que anualmente partieran de Sevilla dos flotas distintas: una para Nueva España y otra para Tierra Firme. La primera había de salir en primavera con rumbo al golfo de México, llevando naves no sólo para el puerto de Veracruz, sino para el de Honduras y los de las Antillas. La segunda salía en agosto, con rumbo al istmo de Panamá, Santa Marta y otros puertos de la costa norte de la América del sur.»[1] El comercio entre las colonias fue reglamentado en forma prohibitiva, cuando no suprimido, y se proscribió la ruta del estrecho de Magallanes para el que se efectuara entre Europa y América del Sur. En Colombia, con el objeto de atacar el contrabando, en ciertas épocas fue prohibida bajo pena de muerte la navegación por el río Atrato.

El comercio debía hacerse en barcos españoles y a través de los comerciantes de la misma nacionalidad. Sin embargo, con relación a esta prohibición, tanto como a las otras, la realidad económica se impuso y los comerciantes extranjeros vinieron a actuar a través de españoles que para el efecto prestaban su nombre, y llegaron incluso a controlar el tráfico de España con sus colonias. Al respecto nos dice el historiador Henri See, glosando una memoria francesa de 1691, relativa al comercio de Cádiz: «La memoria de 1691, ya citada, dice que de los 51 ó 53 millones de mercancías embarcadas en Cádiz, 50 pertenecían a franceses, ingleses, holandeses, genoveses y flamencos, que traficaban bajo nombres supuestos o de comisionistas españoles.»[2]

Todo ello, unido a los altos gravámenes impuestos, desalentaba el comercio y encarecía artificialmente los precios. En los puertos agraciados con el monopolio se formó una clase comercial parasitaria que obtenía ganancias con sólo encubrir transacciones de terceros, en la mayoría de los casos extranjeros. Con la prohibición de ciertas rutas, las más naturales, las mercancías tuvieron que hacer un tránsito innecesario con el consiguiente aumento de los precios. «Bástenos a este propósito citar un hecho monstruoso al cual debió su antigua prosperidad nuestra ciudad natal. Las mercancías que iban de España al interior de la presidencia del Ecuador y a las provincias de Popayán, Pasto y Cauca, en el extremo meridional del Virreinato de la Nueva Granada, llegaban a Cartagena, en el mar Caribe, subían por el río Magdalena hasta Honda (800 kilóme-

---

1. J. M. Ots Capdequí, *El Estado español en las Indias* (Buenos Aires, Fondo de Cultura Económica, 1957), p. 45.

2. Henri See, *Orígenes del capitalismo moderno* (México, Fondo de Cultura Económica, 1961), p. 45.

tros, asunto de cinco o seis meses), de Honda seguían por tierra a lomo de mula y espaldas de peones, atravesaban las cordilleras Central y Occidental de los Andes granadinos, transitaban 500, 800, 1.000 o más kilómetros por caminos imposibles, y llegaban hasta Quito, a los veinte meses o dos años de haber sido expedidas de España»[3], según cuenta José María Samper. Como los barcos eran obligados a navegar en flotas patrulladas, se hizo preciso recaudar impuestos para cubrir la vigilancia, y como el comercio se concentraba en ciertos puertos, fue necesario amurallarlos y fortificarlos, todo a base de impuestos, con el consiguiente encarecimiento de las mercancías que soportaban el gravamen. Al ser España el único comprador y vendedor, impuso precios de monopolio, en detrimento de los productores y consumidores americanos; y por último el tiempo que perdían los buques mercantes en los puertos, esperando una orden de descargue, o a otros buques para el transporte convoyado, incidía lógicamente en el encarecimiento de los artículos.[4]

Siglo XVIII

En el siglo XVIII se presentaron ciertos cambios fundamentales en la economía española, los cuales influyeron en el ámbito del comercio metrópoli-colonia. Veíamos en el primer capítulo que en España, a diferencia de otros países europeos, los precios habían

---

3. José María Samper. *Ensayo sobre las revoluciones políticas* (Bogotá, Universidad Nacional, 1969), p. 121.

4. Ilustrativo de esta situación es el relato que trae la memoria francesa de 1691, relativa al comercio de Cádiz, transcrita por Henri See, *op. cit.*, p. 141: «Los galeones atracan primero en Cartagena. En cuanto arriban, el general de los galeones avisa al virrey del Perú, que reside en Lima. El virrey lo hace saber inmediatamente a todos los mercaderes y gira órdenes para el transporte del oro y de la plata que deben ser enviados a Panamá por mar y de ahí a Puerto Bello en mulas. Los galeones permanecen generalmente por cuatro meses en Cartagena, para negociar ahí y cambiar una parte de sus mercancías. El comercio que realizan asciende a cerca de 4 millones de escudos. De Cartagena, los galeones van a Puerto Bello, donde se celebra entonces una feria que dura de 50 a 60 días; ahí dejan entre 18 y 20 millones de escudos de oro, plata y otros productos del país.

subido a un ritmo similar a los salarios y que por causa de la difusión del oro americano entre las diferentes clases sociales, los nobles no habían quedado atrás de los burgueses. En el siglo XVIII empezó a presentarse en España el fenómeno vivido por otros países europeos dos siglos antes: los precios subieron a un ritmo superior al de los salarios y la burguesía española comenzó a asentarse y a cobrar preponderancia. Surgieron industrias en muchas regiones, especialmente en Cataluña, y lógicamente, ante los nuevos acontecimientos económicos, las ideas comenzaron a cambiar en un sentido liberalizante. En lo interno, se hizo un ataque a las estructuras feudales de tenencia de la tierra, se atacó la institución de los mayorazgos que concentraban la tierra, se inició la desamortización de bienes de la Iglesia, una de cuyas principales etapas fue la medida tomada por Carlos IV en 1805, con licencia papal, para vender parte de ellos. Como consecuencia de estos cambios, se modificaron ciertas actitudes feudalizantes contra el trabajo manual, se propendió la igualdad de los sexos para el trabajo y se dio impulso al desarrollo de las ciencias físicas y naturales.

La valoración y función asignada a las colonias varió también ante las nuevas realidades. Con el paulatino aumento de poder de la burguesía en la metrópoli, las colonias fueron siendo modeladas según los intereses de ésta: servir de mercado a sus manufacturas y de fuente de materias primas para su industria. El escritor Manfred Kossok, da cuenta muy clara de esta nueva orientación: «Todos los autores principales, desde Ustáriz y Ulloa hasta Rumacalva, Ward y Antúñez y Acebedo, basaron su juicio en ciertos criterios completamente nuevos, con lo que la valoración feudal de América, divulgada en los siglos XVI y XVII cedió su lugar a una concepción mercantilista y manufacturera-capitalista, de cuño holandés o anglofrancés. En adelante, lo que determinaba la valoración de

---

De Puerto Bello regresan a Cartagena, en donde permanecen 15 días más, y de allí van después a Veracruz, Villa del Reino de México; ahí desembarcan de ordinario todos los efectos y los comerciantes los venden en plaza, o los transportan, si quieren, a otros lugares. Permanecen en ese puerto desde el mes de septiembre hasta junio, fecha en que se vuelven a Cádiz...»

las posesiones coloniales no era únicamente su contribución en metales preciosos para el fisco y las necesidades suntuarias del estrato feudal superior, sino también la función de la colonia como posible mercado de expansión para la industria nacional, y como productora de materias primas para la metrópoli. A pesar de que, según la versión oficial, Hispanoamérica no era ya una colonia, sino parte constitutiva y en igualdad de derechos del imperio español, los proyectos de los 'economistas de Indias' sirvieron para ahondar aún más la dependencia económica y política de América, respecto de la así llamada 'madre patria'.»[5]

Esta modificación en la concepción de las colonias, originó también un cambio en las restricciones a la producción: «Hasta fines del siglo XVII, las restricciones se extendían principalmente a las ramas más nobles de la agricultura (vinos, olivos, etc.) y sobre todo trataban el comercio intercolonial. En el siglo XVIII, en cambio, se trató ante todo de medidas que impidieran el surgimiento de una manufactura colonial. Con este criterio se consiguió estrangular el comercio de Manila, y, en 1786, la eliminación del pasaje que, sobre el estímulo de los empresarios industriales, figuraba en el Reglamento de los recién instalados intendentes.»[6] Sobre esta política de restricción a la producción para evitar la competencia a los productos españoles, se lamentaban Camilo Torres y Frutos Joaquín Gutiérrez, en documento suscrito el 25 de septiembre de 1810: «El señor Lazo plantó el lino en Bogotá, el gobierno reprobó aquel plantío; el señor Neira puso algunas cepas en Sutatenza, el gobierno las arrancó; Girón costeó la fábrica de paños en Quito, el gobierno dio en tierra con la fábrica y con Girón; en Santa Fe puso don Joaquín Linares un batán, el gobierno lo perdió.»

Con estos cambios el comercio también varió. El régimen de flotas fue sustituido por el sistema de navíos sueltos; se autorizó en 1765 un correo marítimo mensual entre las colonias y España; se permitió en 1774 el comercio intercontinental entre los reinos

---

5. Manfred Kossok, *El virreinato del Río de la Plata* (Buenos Aires, Editorial Futuro), p. 36.

6. *Ibid.*, p. 40.

del Perú, Nueva España, Nueva Granada y Guatemala, así como el comercio entre Buenos Aires y Chile y las colonias del interior. Se habilitaron nuevos puertos para el comercio y se expidió el Reglamento y Aranceles Reales para el comercio libre de España y las Indias.

Las consecuencias benéficas de esta liberación en el comercio no tardaron en dejarse sentir: «Los resultados de esta política liberal fueron sorprendentes. El comercio de Cuba, afirma el profesor Haring, que en 1770 se hacía con cinco o seis navíos, necesitaba 200 en 1778. La exportación de cueros de Buenos Aires aumentó de 150.000 anuales a 800.000. En un período de diez años, desde 1778 a 1788, el valor total del comercio de España con sus colonias aumentó en 700%. Al final del período colonial, las provincias españolas de América gozaban de mayor prosperidad y bienestar que nunca.»[7]

El contrabando

Por causa de las restricciones al comercio, el contrabando se agudizó. España no tenía una industria potente y suficiente, y sin embargo pretendía continuar con el monopolio de abastecimiento de sus colonias. Para lograrlo tuvo que constituirse en simple intermediario entre éstas y los países europeos que las producían y esta función no tuvo más resultado que encarecer los precios. Los americanos que veían crecer cada vez más sus necesidades de artículos europeos, recurrían a la compra directa del país productor, por medio del contrabando, y a la venta de sus productos por el mismo sistema, no obstante las drásticas sanciones que la Corona impuso para esta clase de comercio. Desde las Antillas inglesas, holandesas y francesas se propiciaba el contrabando con las colonias de América.

Henri See, en su obra ya citada, nos relata uno de los procedimientos utilizados para el tráfico de contrabando en Cartagena: «Los

---

7. J. M. Ots Capdequí, *op. cit.*, p. 46.

extranjeros llegaban frente a un puerto americano, pedían que se les dejase reparar su embarcación, seducían con regalos al gobernador, y se consumaba la mala jugada. Así lo indica Huet en la obra antes citada (memoria sobre el comercio de los holandeses): los holandeses llegaron incluso a encontrar el medio de traficar allí secretamente, para ser más exacto, directamente por la isla de Curazao, que se halla muy cerca de Cartagena. Los comerciantes de esta famosa ciudad así como los de algunas otras de la costa marítima, se entienden con los holandeses, a quienes les traen las mercancías hasta sus barcos, que están anclados en lugares cómodos de la costa, y las cambian por mercancías de Europa.»[8]

La exportación de oro de contrabando para evadir el pago de impuestos y el contrabando de mercancías introducidas sobrepasaban, o al menos igualaban, el tráfico verificado por los medios legales.

EL COMERCIO EN LA NUEVA GRANADA

Comercio exterior

Ya hemos visto la magnitud del tráfico de importación de esclavos, el cual en el año de 1594 utilizó el 47.9% de los barcos que llegaban a América.[9] Si tenemos en cuenta que Cartagena fue el principal puerto de internación de esta mercancía humana, nos percatamos de la importancia de este comercio, máxime si observamos que allí existían negociantes que compraban lotes hasta de 100 esclavos para distribuirlos luego por los actuales territorios de Colombia, Venezuela, Panamá, Ecuador y aún más al sur. Era, pues, el comercio de esclavos una actividad económica significativa para la Nueva Granada.

De España importábamos textiles y vestuario de lujo para consumo de las clases poseedoras, que no utilizaban tejidos nativos, e importábamos además gran cantidad de bienes de consumo, como

---

8. Henri See, *op. cit.*,, p. 53.
9. Rolando Mellafe, *La esclavitud en Hispanoamérica* (Buenos Aires, Eudeba, 1964), p. 60.

loza, hierro y acero, así como azogue para usos metalúrgicos. La harina consumida en la costa Atlántica era importada del exterior y también los vinos y los aguardientes finos. Es digno de tenerse en cuenta, en el renglón de importaciones, el pago de servicios a españoles, tales como fletes, comisiones, honorarios, etc. De Quito se traían textiles, alfombras y obras de arte. Las primeras monedas de plata vinieron del Perú (plata perulera) y de México se trajo la moneda «macuquina.»

Con relación a las exportaciones, un dato de la aduana de Cartagena nos puede ilustrar acerca de su composición. «En el decenio 1784-93, las importaciones de España por el puerto de Cartagena montaron a 19.556.526 pesos. Las exportaciones fueron de 21.052.594 pesos; los frutos exportados no valieron sino 1.843.559, lo demás en oro.»[10]

El oro que era producido en el occidente (hasta fines del siglo XVIII el Cauca llevó la primacía, para luego tomarla hasta nuestros días Antioquia) se constituyó en nuestro principal producto de exportación, hasta el punto de que «se calculaba el oro en más del 85% de las exportaciones del Nuevo Reino de Granada.»[11] Sobre el oro hablaremos más a espacio en otros capítulos.

El cacao de la región de Cúcuta se exportaba hacia Maracaibo, o por Cartagena con destino a México. Se exportaba también, pero en pequeñas cantidades, algodón, añil, quina y maderas de tinte y al comienzo de la Colonia, algunas cantidades de azúcar hacia Panamá.[12]

En suma, exportábamos oro en grandes cantidades, bien por la vía legal o por medio del contrabando, y algunos productos agrícolas con los cuales pagábamos las importaciones de bienes de consumo, cubriendo el déficit de la balanza comercial (el cual parece que fue crónico) con oro en barras o amonedado.

---

10. Luis Ospina Vásquez, *Industria y protección en Colombia, 1810-1930* (Medellín, Editorial Santa Fe, 1955), p. 38.

11. Frank Safford, «Significado de los antioqueños en el desarrollo económico colombiano. Un examen crítico de las tesis de Everett Haggen», *Anuario colombiano de historia social y de la cultura* (1965), V. II, No. 3, p. 60.

12. Abel Cruz Santos, *op. cit.*, T. I, p. 100.

Comercio interior

El comercio interior fue lánguido. Contribuían para ello la deficiencia y en veces la carencia de vías de comunicación y la excesiva reglamentación. El mercado interno colombiano sólo vino a formarse prácticamente a finasles del siglo XIX y primeras décadas del XX. La actividad comercial giraba hacia el exterior: el occidente era minero; las regiones costaneras y cálidas, ganaderas, y Tunja y regiones circunvecinas, así como la región oriental, manufactureras.[13]

También era de consideración la producción manufacturera de Pasto. El intercambio de productos entre estas regiones dio lánguida vida al incipiente comercio interno colonial. De relativa importancia fue el comercio de azúcares, miel, ganado y de sal producida en las salinas de Zipaquirá.

En un comienzo el asiento de las manufacturas de la faja oriental estuvo en Tunja y de allí se transportaban para la venta en el occidente colombiano las mercancías producidas, ascendiendo este comercio en la ciudad de Popayán a 80.000 pesos en el año de 1560.[14] Más tarde el centro principal de esta producción vino a ser el Socorro. Ilustrativo de los obstáculos que para el comercio oponía la carencia de vías de comunicación, es el hecho de que sólo en épocas del virrey Guirior vinieron a consumirse en Cartagena y demás ciudades de la costa las harinas de trigo producidas en la sabana de Bogotá, pues resultaba más barato traerlas del exterior que transportarlas desde el interior.

---

13. Como tampoco se trataba de una economía natural, es oportuna la observación de Luis Ospina Vásquez, *op. cit.*, p. 33: «No se trataba de que la economía se compusiera de unidades productoras que consumieran sólo sus propios productos» (economía cerrada). No parece que ésta haya sido la forma común del proceso económico en ninguna región extensa, en ningún período de alguna duración. Lo que no excluye la posibilidad de consumos relativamente grandes de los propios productos en el seno de la unidad agrícola misma (agricultura de subsistencia, agricultura campesina, o latifundio «feudal»).

14. Luis Ospina Vásquez, *op. cit.,* p. 62.

6

IMPUESTOS

Al comparar este aspecto de la estructura colonial con los principios liberales posteriores sobre organización de la hacienda pública, lógico es concluir lo antitécnica que era y la forma como entrababa el progreso. La burguesía, al aplicar a la organización del Estado la racionalidad empleada en la administración de sus propios negocios, dio un salto adelante en la administración pública.

Para la percepción de los impuestos se optaron dos sistemas: el de la recaudación y administración directa por parte del Estado, y el de la adjudicación por remate a los particulares. Los impuestos se iban creando según la necesidad del momento, sin análisis técnico de su incidencia. En ocasiones se creaban para imputarlos a una determinada actividad estatal, y en ocasiones se nombraban funcionarios especiales con el solo objeto de la tasación y cobro de un determinado impuesto. Todo ello aumentaba innecesariamente la burocracia para la tasación, recaudación y manejo. Con un sentido directamente clasista gravaba a las masas trabajadoras con la preponderancia casi exclusiva de los impuestos indirectos. «El sistema tributario de España en sus colonias americanas gravaba, especialmente, los consumos y el trabajo.»[1]

---

1. Abel Cruz Santos, «Economía y hacienda pública», en *Historia Extensa de Colombia*, Vol. XV, T. I, p. 127.

Para la organización fiscal en América se establecieron en 1605 tres tribunales de cuentas: uno en México, otro en Lima y otro en Santa Fe de Bogotá. Hubo además un contador especial en La Habana y otro en Caracas.[2]

Es necesario, al enunciar los impuestos coloniales, referirnos a los civiles y a los eclesiásticos, ambos recaudados por el poder público, pues por razón del patronato eclesiástico confiado por el papa Alejandro VI a los monarcas españoles, éstos quedaron con derecho a percibir ciertas rentas y tributos eclesiásticos, con la obligación de sostener el servicio del culto.

Vamos a enunciar, simplemente, algunos de los tributos que pesaban sobre la sociedad colonial, pues de la simple enumeración se deduce lo caótico e irracional del sistema tributario de España en sus colonias:[3]

La avería: consistía en una especie de derecho de aduana que gravaba las mercaderías enviadas de España a las colonias o viceversa. Posteriormente fue establecido el almojarifazgo, que cumplía la misma función.

La media anata: por este impuesto, los empleados civiles debían pagar a la Corona la mitad de lo que recibieran el primer año, por concepto de sueldos, gajes y demás emolumentos obtenidos de su empleo.

La alcabala: que en un principio tuvo carácter transitorio pero que luego fue de vigencia permanente, gravaba la venta de bienes muebles e inmuebles.

El quinto real: era el impuesto que debían pagar los mineros por el oro obtenido. Tuvo varias formas de tasación y lo elevado de su importe fue una de las causas más estimulantes del contrabando.

El impuesto de la Armada de Barlovento: creado en 1633, con el objeto de establecer la lucha contra los corsarios del Caribe, gravaba el consumo de artículos esencialísimos. Su aumento fue

---

2. J. M. Ots Capdequí, *op. cit.*, p. 73

3. Una enumeración sucinta y clara de los impuestos de la Colonia, la cual seguimos en este trabajo, la proporciona Abel Cruz Santos, *op. cit.*, T. I, p. 138.

una de las causas inmediatas para el levantamiento de los comuneros en el año de 1781.

La sisa: un gravamen de origen medieval, era el porcentaje de peso y medida que el vendedor sustraía al comprador, en las transacciones menores, en beneficio de la Corona.

Los valimentos: consistían en la apropiación que la Corona se hacía de los sueldos de sus empleados, en momentos de afugio económico, unas veces con la promesa de devolución y en la mayoría en forma definitiva. Esta práctica desmoralizaba a los funcionarios y los impulsaba a la venalidad.

Gracias del sacar: era la suma percibida por la Corona cuando otorgaba ciertos privilegios o concesiones a alguno de sus súbditos, tales como el suplemento de edad para ocupar cargos públicos, o la concesión de títulos de nobleza. Muy conocido es el caso de Jorge Tadeo Lozano, a quien fue concedido el título de marqués de San Jorge en 1762, pero quien se negó a pagar el precio del ennoblecimiento, por lo cual fue encarcelado y despojado de su marquesado.[4]

Como arbitrio fiscal deben tenerse en cuenta el remate de algunos cargos públicos a partir de Felipe II, y la venta de tierras en remate, sobre todo a partir del siglo XVII. Los indígenas entre los 18 y los 50 años, pagaban el tributo de indígenas, establecido en 1523 y el cual los eximía de otras cargas tributarias. En 1821, al reconocerse a los indios igualdad ante la ley, se les dio igualdad ante el tributo y en consecuencia, el tributo de indígenas fue abolido y éstos quedaron sujetos a los demás gravámenes. En 1828 Bolívar lo restableció, pero José María Obando en su primera presidencia lo abolió definitivamente.

Entre los impuestos eclesiásticos, que por la causa arriba anotada eran ingresos de la Corona, deben destacarse los siguientes:

El diezmo: era un gravamen sobre los frutos vegetales y sobre las crías de los animales, con destino al servicio del culto. Precisamente Antonio Nariño, quien era recaudador de ellos, incurrió en

---

4. Véase Arturo Abella, *El florero de Llorente* (Ed. Antares, Bogotá), cap. III: «La sombra del marquesado.»

un desfalco al no poder presentar los dineros confiados a su custodia en el momento en que se le exigían. Sin embargo, para juzgar su conducta hay que tener en cuenta las prácticas y costumbres de la época, que autorizaban a los que habían rematado la recaudación para negociar con los dineros percibidos hasta entregarlos en una fecha predeterminada. Nariño, que había traducido los *Derechos del Hombre*, fue acusado políticamente y obligado en lo inmediato a restituir los fondos antes de la fecha de vencimiento de su cargo, con las consecuencias de que resultó fallido, no obstante que los créditos a su favor, los cuales esperaba hacer efectivos antes de la fecha fijada para la rendición de cuentas, eran superiores a la suma adeudada al Tesoro.[5]

La mesada eclesiástica: era la deducción por parte de la Corona, de la duodécima parte de la renta de un año, obtenida por causa de su oficio, por los miembros del clero.

Los espolios: eran los bienes muebles e inmuebles que dejaban los arzobispos y obispos al morir y que pasaban a la Corona.

Las vacantes mayores: eran las rentas que percibía la Corona, desde el día de la muerte de un prelado, hasta el día en que la Santa Sede preconizaba el sucesor.

ESTANCOS Y MONOPOLIOS

Los estancos funcionaban como un arbitrio rentístico importantísimo[6] y por esta razón el principal de ellos se prolongó varias décadas después de lograda la independencia. Operaba de la si-

---

5. El asunto está claramente dilucidado por Abelardo Forero Benavides, *El Espectador*, Bogotá, Magazine Dominical, junio 26 y julio 3 de 1966.

6. En un cuadro sobre el rendimiento anual de los impuestos en la Nueva Granada, en un año común de los inmediatamente anteriores a 1810, transcrito por Luis Ospina Vásquez en la obra tantas veces citada, *Industria y protección en Colombia*, p. 37, vemos cómo el tabaco producía 470.000 pesos y el aguardiente 295.000 (ambos eran productos estancados) sobre un ingreso total de 2.435.098 pesos, sumas muy por encima del quinto real de metales preciosos que producía 78.000 pesos.

guiente manera: el Estado era el único comprador y por consiguiente el único vendedor del producto, y sus ganancias se derivaban de la diferencia entre el precio de compra y el de venta. Con relación a su cultivo, el Estado por lo regular establecía el número de matas que podía plantar el agricultor y las zonas de explotación, imponiendo al contraventor severas penas que podían llegar hasta la confiscación y la muerte. El estanco lógicamente inhibió el libre crecimiento de la economía y los productos a él sometidos no se rigieron por la necesidad del mercado, sino por la concepción fiscal de la Corona. En otros países en donde ciertos productos no estuvieron entorpecidos por esta traba, como el caso de los aguardientes en Venezuela, la producción creció ante la necesidad del mercado capitalista. En nuestro país, los dos principales productos agrícolas a él sometidos fueron el tabaco y el aguardiente de caña.

7

ORO Y MONEDA EN LA COLONIA

EL ORO

Por su importancia, la producción de oro merece mención aparte. Durante la Colonia fue nuestro principal y casi único producto
de exportación.[1] Para los intereses de la Colonia, enmarcados en
el cuadro del mercantilismo, la Nueva Granada cumplía una función especial. De todas las colonias americanas era la que más oro
suministraba, el 17.91% de la producción mundial durante el siglo XVI,
el 39.01% durante el siglo XVII y el 24.69% durante el siglo XVIII.[2]

Con relación a la legislación sobre la propiedad de las minas, el
sistema español se separaba tajantemente del sistema romano, en
el que el dueño del suelo lo era también del subsuelo. En la legislación española, el monarca se reservaba la propiedad de las minas,

---

1. «A fines de la Colonia, se calculaba el oro en más del 85% de las exportaciones del Nuevo Reino de Granada», Frank Safford, «Significado de los antioqueños en el desarrollo económico colombiano. Un examen crítico de las tesis
de Everett Haggen». *Anuario Colombiano de Historia Social y de la Cultura*,
1965, Vol. II, No. 3, p. 60.

2. Abel Cruz Santos, «Economía y hacienda pública», en *Historia Extensa de
Colombia* (Bogotá, Editorial Lerner, 1965), p. 141.

bien para hacerlas explotar en su nombre o para adjudicarlas a particulares bajo ciertos requisitos. En un comienzo el rey se reservó para sí el dominio de todas las minas. Más tarde (1504) decretó que los particulares podían beneficiarlas pagando el quinto. Posteriormente se distinguió entre minas de nación (las más ricas), que se reservaba el rey, y minas ordinarias, adjudicadas a particulares.[3]

La minería del oro se desarrolló especialmente en el occidente colombiano y su forma de explotación vino a marcar regiones socioeconómicas definidas, como la esclavista del Cauca, con epicentro económico en Popayán y explotación aurífera en el Chocó, Barbacoas y Supía; la de Antioquia, con producción basada en parte en la esclavitud pero principalmente en mineros independientes, regiones éstas que se diferenciaron entre sí y de la manufacturera de Santander, la ganadera y la latifundista de la costa Atlántica, la del altiplano de Boyacá y Cundinamarca, dedicada a la agricultura y basada en la explotación indígena, en condiciones semiserviles.

La minería del Cauca (Chocó, Barbacoas, Supía) fue trabajada casi exclusivamente por esclavos que laboraban en beneficio de ricos propietarios de Popayán, los que a sus posesiones de minas y esclavos agregaban vastas extensiones de terreno ubicadas en la región andina, destinadas a la producción agropecuaria por medio de la explotación de indígenas. Durante la Colonia fue la región más productora (a principios del siglo XIX todavía producía más de la mitad del oro que se sacaba del Nuevo Reino de Granada)[4] y precisamente por estar basada en la esclavitud, al decaer la institución, sobre todo durante la guerra de independencia, la producción disminuyó no obstante la riqueza del suelo, y el primer lugar en la producción de oro vino a ser ocupado por Antioquia, en donde había bases sociales diferentes. En el siglo XVIII «la explotación de las minas del Chocó seguía su progreso a pesar de ser grandes los costos y dificultades. Un esclavo, varón o hembra, siendo de

---

3. J. M. Ots Capdequí, *El Estado español en las Indias* (Buenos Aires, Fondo de Cultura Económica, 1957), p. 42.

4. Vicente Restrepo, *Estado sobre las minas de oro y plata de Colombia* (Bogotá, Banco de la República, 1961), p. 76.

barra, valía de 400 a 500 pesos... Las carnes, aves, menesteres y comestibles entraban de fuera a precios excesivos, transportados a hombros de cargueros por caminos ásperos y fragosos (memoria anónima). Los Arboledas, los Mosqueras y otros vecinos de Popayán eran dueños de casi todas las minas.»[5] En 1788 se hizo el padrón de negros mazamorreros del Chocó y había 3.054. En Popayán y Barbacoas pasaban de 6.000 en 1788.[6]

La forma de explotación esclavista, a pesar de la inmensa riqueza producida, no benefició a la región ni creó condiciones para el desarrollo de actividades como la manufacturera, porque un mercado compuesto por esclavos era necesariamente estrecho y porque además no hubo reinversión del excedente producido, en la medida en que no se empleó la técnica y sobre todo en que los dueños de las minas cuyo asiento estaba en Popayán preferían invertir sus ganancias en tierras, en comercio de esclavos o en simple gasto ostensible de productos del exterior. La actual situación del Chocó, gran productor de oro y de platino, es en términos generales la misma que en la Colonia, pues los bajos salarios pagados por la compañía extranjera mantienen un mercado reducido, y el excedente obtenido a través de la fabulosa producción no se reinvierte en la región sino que va a otra parte, no ya a Popayán sino hacia Norteamérica. La situación del Chocó en la Colonia y en general de la minería esclavista, acertadamente la plantea Estanislao Zuleta en estos términos: «No puede dudarse en efecto, que la extracción de metales preciosos es de vital importancia para España —en la situación a que había llegado le era como vimos, al mismo tiempo indispensable y fatal—. En cambio es igualmente cierto que las regiones donde tiene lugar el auge de la minería, sacan poco provecho de ello. Para sustentar esta afirmación, basta observar el estado en que se encuentran las regiones que han sido famosas por su producción de metales preciosos, como el Chocó y en el caso que nos ocupa, las poblaciones de Zaragoza, Remedios, Cáceres, etc. Esta simple consideración prueba por lo menos una cosa: la incapacidad de

---

5. Vicente Restrepo, *op. cit.*, p. 87.
6. Vicente Restrepo, *op. cit.*, p. 88.

esa actividad económica para generar en los sitios donde se realiza un progreso acumulativo que pueda luego mantenerse por sí mismo.

«Cuando la explotación se lleva a cabo por medio de cuadrillas de esclavos, se crea apenas el mercado de alimentos y vestidos que consumen éstos, sus amos y capataces, mercado insuficiente para promover una producción agrícola importante, sobre todo cuando se abastece en regiones más o menos distantes, como es el caso más frecuente en Antioquia. Es además un mercado que puede desaparecer repentinamente con el agotamiento de las minas y con el que nadie puede contar como una base definitiva para su estabilidad económica. Todo progreso realizado sobre esa base es eminentemente precario, como muestra la experiencia tantas veces repetida del colapso económico general de una región que debe su crecimiento demográfico y depende en su producción de una explotación minera. La situación —desde el punto de vista que nos ocupa— es prácticamente la misma cuando en lugar de esclavos se emplea mano de obra asalariada, si bien en este caso existe mayor circulación monetaria. La capacidad de desarrollo autogenerado —o en otros términos la inversión— consiste en la ampliación de la mano de obra utilizada o en el mejoramiento de los sistemas, pero ninguna de las dos cosas implica la creación de un desarrollo económico que pueda sobrevivir al cierre de la extracción. Es cierto que los capitales acumulados pueden a la larga dirigirse al comercio y eventualmente a la manufactura, y que en este sentido la actividad minera es importante, pero esto no tiene que ver nada con la región en que se ubica. El caso del Chocó es muy indicativo sobre el tema porque allí se dio la minería y como explotación esclavista de manera casi exclusiva y todo lo que haya podido producir para los empresarios de España, de Popayán, o para el capital extranjero no ha generado ningún progreso en la región.»[7]

Sobre la provincia de Antioquia escribía Francisco Silvestre en 1789: «Pero lo que más sobresale en ella y se trabaja son los minerales de oro corrido, o en polvo que reducido a moneda, corre en

---

7. Estanislao Zuleta, *Conferencias de Economía Latinoamericana* (Medellín, Centro de Investigaciones Económicas, 1969), p. 67.

el reino y sale para España. Las minas de veta de oro, aunque abundan no se trabajan. Lo mismo sucede a las de la plata depreciándose las de otros metales.»[8] En esta provincia hubo fuerte explotación de las minas de veta en Buriticá, con base en la mano de obra indígena durante el siglo XVI, pero por problemas técnicos como canales de conducción de agua para el laboreo y por la extinción de los indígenas debida a la intensa explotación, este tipo de minería desapareció hasta el siglo XIX, en el que con otras condiciones reapareció. Asimismo se dio durante el siglo XVI la explotación de minas en Cáceres, Zaragoza, etc., con base en mano de obra esclava, y en los reales de minas y ciertos entables de consideración se siguió utilizando a los esclavos para la producción; pero lo importante y peculiar de esta región fue que al lado de la producción esclavista, y más importante que ella, se desarrolló la minería practicada por productores independientes. Como veíamos atrás —capítulo sobre la esclavitud— en vísperas de la Independencia el historiador José Manuel Restrepo calculaba que en Antioquia sólo un 15% de la producción de oro se hacía por esclavos. Por su parte, el gobernador Chávez estimaba que a mediados del siglo XVIII apenas una tercera parte de la producción de oro provenía del estrato de la minería organizada[9] y en 1851 las cinco sextas partes de los trabajadores de la minería del oro eran mazamorreros libres.

Esta situación de gran cantidad de productores independientes, determinó la configuración socioeconómica de la región. Desde el momento en que un colono, aunque no tuviera capital, podía dedicarse a la búsqueda del oro, abandonaba cualquier otro tipo de actividad y no estaba interesado, por ejemplo, en trabajar como asalariado, aparcero o cualquier otra forma, al servicio de un terrateniente en las labores agropecuarias. Por esta razón el latifundio tradicional no prosperó en Antioquia y por esto también, la agricul-

---

8. Francisco Silvestre, *Descripción del Reyno de Santa Fe de Bogotá* (Bogotá, Universidad Nacional, 1968), p. 56.

9. Alvaro López Toro, *Migración y cambio social en Antioquia durante el siglo XIX* (Bogotá, Centro de Estudios sobre el Desarrollo Económico, 1968), p. 16.

tura fue una actividad dependiente de la minería, para la simple subsistencia y no con destino a la exportación. En las últimas décadas del siglo XVIII, Pedro Fermín de Vargas hacía una observación de la sociedad colonial, perfectamente aplicable a Antioquia: «El laboreo de minas en el modo que hoy se practica en las de oro, además de ser destructivo de la población, encarece de tal suerte los jornales y maniobras, que por lo general entorpece el adelantamiento de la agricultura, la que siempre es candente en los países mineros. Entretenidas las gentes con las vanas esperanzas de alcanzar la suerte, que uno u otro ha logrado en el beneficio de minas, descuidan del todo los demás objetos de industria; se empeñan cada día más, y no correspondiendo los sucesos a los conatos, se arruinan y arruinan consigo a todos aquellos que se dejan engañar con sus vanas esperanzas.»[10] La situación generalizada en Antioquia de mineros independientes, contribuyó también a quebrantar la rígida estratificación de castas de la sociedad colonial y a la dispersión demográfica, en la medida en que el minero se convertía en trashumante buscando suerte en muchas partes y abandonando el sitio de explotación por otro eventualmente más próspero, desde el momento en que donde estaba se acababa o escaseaba el oro. Pero la consecuencia más importante de esta forma de producción fue el surgimiento de una clase comerciante, los «rescatantes» de oro, que tenían como función adelantar víveres y herramientas a los mineros, es decir, venderles al fiado para luego comprarles el oro obtenido, a menor precio, usufructuando la posición monopolista de vendedores y compradores y el hecho de que vendían a plazo y compraban de contado al minero que ya estaba endeudado con ellos. Precisamente, la perspicacia que debieron desarrollar en esta actividad, la fuerte tasa de ganancia que obtuvieron con el mecanismo monopolista de compra-venta y la circunstancia de que lo que obtenían era precisamente oro, hicieron de los comerciantes antioqueños los capitalistas más importantes del país en el siglo XIX,

---

10. Pedro Fermín de Vargas, *Pensamientos políticos* (Bogotá, Universidad Nacional, 1968), p. 57.

tanto que el ámbito de sus negocios no se conformó ya con el comercio provincial sino que abarcó incluso el comercio exterior del país. «Siendo entonces el comercio de importación una actividad semimonopolística, los núcleos de trabajadores mineros se veían forzados a aceptar penosas condiciones de trueque. Lo que ni el terrateniente ni el concesionario de reales de minas pudieron lograr en Antioquia, pudo entonces realizarlo el grupo comerciante, y ello fue mediante los instrumentos de la compra-venta, reducir el nivel de vida del minero libre al mínimo de subsistencia, extrayendo de su producción de oro un considerable excedente de ganancia bruta comercial. Pero una parte considerable de ese excedente debía dedicarse a reponer las pérdidas de capital circulante, estableciéndose un amplio margen entre el coeficiente bruto y el coeficiente neto de ganancias que, al conjugarse con un largo período de rotación de capital, imponía estrechos límites a la tasa potencial de crecimiento del sector comercial. Estos límites han debido ejercer una restricción al apetito natural del hombre rico por el consumo conspicuo y a mantener viva una tradición puritana muy propicia para el fortalecimiento del espíritu empresarial antioqueño».[11]

LA MONEDA

Las primeras monedas conocidas en América fueron españolas: el escudo de oro y el real de plata. Circulaba también la macuquina, moneda de plata acuñada en México y Lima y la cual subsistió aun después de la independencia, dando motivo a fraudes.

El sistema monetario español en América, tenía el inconveniente de que se fundaba en una moneda imaginaria, el maravedí, inexistente en América, lo cual entorpecía la circulación, pues se hacía la transacción en moneda imaginaria para cubrirse con una real. El oro en polvo vino a cumplir muchas veces funciones de moneda en las transacciones, pues regiones como Antioquia «hasta 1789 no usaron la moneda acuñada.»

---

11. Alvaro López Toro, *op. cit.*, p. 19.

Con el objeto de enmendar esa caótica situación, la Corona dispuso la fundación de casas de moneda en México, Lima, Potosí, Santafé, Popayán, etc. Por ordenanza real del 13 de diciembre de 1751, se ordenó acuñar en Santafé y en Popayán monedas de oro de ley de 22 quilates y forma circular.

«Las pastas de oro se pesaban por marcos, onzas, ochavos, tomines y gramos. El marco tenía ocho onzas (230 gramos), la onza ocho ochavos, y la ochava seis tomines y el tomín doce gramos. De cada marco se debía sacar 68 escudos u ocho y media onzas de doblones de ocho escudos, es decir, que producía 136 pesos.»[12]

Casas de moneda

En 1559 se iniciaron las investigaciones para la fundación de una casa de moneda en Santafé. En 1590 se despacharon de la metrópoli los primeros implementos necesarios para su funcionamiento, pero sólo en 1627 se inició la acuñación en firme. Con el objeto de evitar el contrabando de oro producido en el Chocó y el Cauca, se autorizó al Ayuntamiento de Popayán en el año de 1729 para la fundación de una casa de moneda en esa ciudad. Se concedió privilegio, para que la hiciera funcionar, a Pedro Agustín de Valencia, en 1749; fue clausurada en 1762, para ser reabierta en el año de 1768.

Del hecho de que la Corona española se hubiera desprendido del derecho de emisión en favor de particulares, se derivaron una serie de pleitos en las casas de moneda de Santafé y Popayán.

Funcionaron también casas de fundición en Cartago, Anserma, Cali, etc., con el único objeto de fundir el oro y recaudar el quinto real, previniendo así la fuga ilegal del metal hacia el exterior sin previo pago de derechos fiscales.

---

12. Abel Cruz Santos, *Economía y hacienda pública*, p. 155.

8

BREVE ENFOQUE DE LOS COMUNEROS
Y DE LA INDEPENDENCIA

LOS COMUNEROS

Ya hemos visto cómo a causa de los cambios en las estructuras económicas de la España del siglo XVIII, la concepción y función de las colonias cambió. La burguesía española en ascenso liberalizó el comercio y convirtió a América en mercado para sus mercancías y en fuente de materias primas para su producción. Acorde con la nueva orientación, la Corona española se fue alejando de la política proteccionista de los indígenas que hasta el momento había llevado (la causa de esa política ya lo hemos visto: era la protección de los naturales, frente al encomendero, para que no se extinguieran y pudieran seguir trabajando sometidos y tributando), y comenzó a favorecer el acrecentamiento de la producción en las haciendas de la aristocracia criolla, lanzando como peones al mercado de trabajo a los indígenas que hasta el momento se habían protegido en los resguardos. Estos fueron vendidos en pública subasta y los indígenas que los habían habitado por siglos fueron arrojados o recluidos en otros más alejados de los centros de población. Con ello la Corona lograba un doble resultado: obtenía fondos de la venta de las tierras de resguardo o realengas y lanzaba a los indígenas al mercado de trabajo para que se colocaran como peones y en esta forma, al crecer las haciendas, la metrópoli podía abastecerse de los productos agrícolas que necesitaba. Al mismo tiempo se hizo una reorganización fiscal y los impuestos fueron aumentados en gran medida, con una resolución más efectiva.

Con las medidas descritas la Corona deja de ser un intermediario paternalista entre la aristocracia criolla y el indígena y viene a constituirse en explotadora de todos. Surgen entonces dos contradicciones principales en la sociedad americana. Una, entre los terratenientes, que ya no tienen el freno del Estado paternalista, y los indígenas desprotegidos. Otra entre la clase poseedora criolla y la Corona, por causa de los impuestos.

En este marco se presenta la revolución de los comuneros. En un comienzo hay identidad de intereses entre las clases para oponerse a la Corona. Los impuestos afectaban a todos y era preciso liquidarlos. Tal postulado beneficiaba por igual al pueblo, a los artesanos, a la aristocracia y esta última trató de encauzar el golpe contra las autoridades españolas para que solamente se suprimieran los impuestos o en el mejor de los casos para que aquellas fueran depuestas entrando ellos a ocupar las posiciones de gobierno sin que, en lo fundamental, las formas de explotación colonial cambiasen. Por esta razón se colocaron al frente de la insurrección en los comienzos.

Mas la aristocracia no contó con que había otras clases sociales interesadas en el cambio del régimen tributario, pero cuyos intereses y reivindicaciones no paraban allí. Estaba el pueblo, compuesto por esclavos que querían su libertad a costa de los amos; estaban los indígenas desposeídos que clamaban por las tierras rematadas o robadas por los terratenientes; estaban los aparceros que pedían tierras y mejores condiciones de cultivo, y estaban por fin los artesanos, comerciantes y pequeños propietarios de la región de Santander, que pedían, además de la supresión de los impuestos, un cambio fundamental, un rompimiento con el régimen colonial para poder producir y comerciar en condiciones libres y ensanchar así su producción. Y precisamente es digna de anotar la vinculación regional de Santander, en donde la pequeña producción campesina, la producción artesanal y el comercio se habían desarrollado más que en cualquiera otra región del virreinato, con la sublevación de los comuneros.

Cada una de estas clases trató de reivindicar sus intereses. El pueblo comenzó a hacer valer los suyos: libertad de esclavos, repartimiento de tierras, liquidación de estancos, todos tras la consigna de su jefe Galán: «Unión de los oprimidos contra los opresores.» Es decir, la lucha de clases.

Ante tal actitud la aristocracia criolla, que tenía más que perder con las demandas populares que con el sistema tributario español, pactó con la Corona. Berbeo entregando a los comuneros de Zipaquirá es la personificación de una clase que estuvo al frente del motín cuando convenía a sus intereses, pero que temía más al pueblo que a la Corona española.

Una vez dispersado el grueso del ejército comunero en Zipaquirá, la vanguardia que persistía comandada por Galán fue liquidada con la ayuda de los mismos señores antes levantados.

La revolución no triunfó porque había una imposibilidad histórica para ello. El pueblo no tenía la organización necesaria y por esta razón desperdició con las primeras victorias sus energías en celebraciones jubilosas y, además, tenía poco clara la conciencia del orden nuevo que iría a construir sobre las ruinas del antiguo. La clase intermedia de propietarios, artesanos y comerciantes que históricamente era la que más podía proponer, no se había desarrollado todavía como para colocarse a la vanguardia del movimiento de liberación contra España y de transformación de la economía colonial.

En suma, las amenazas de nuevos impuestos y el empeoramiento y agravamiento del estanco del tabaco fueron los motivos inmediatos del levantamiento, pero tras ellos, y como causa esencial, estaba el despojo de tierras a que se estaba sometiendo a las masas indígenas.[1]

---

1. Véase Indalecio Liévano Aguirre, *Los grandes conflictos...*, T. III; Nicolás Buenaventura, *Dos enfoques de la época colonial*. Revista «Documentos Políticos» (abril, 1965), No. 48, pp. 7-25, y *La revolución de los comuneros*, pp. 29, 30, y Anteo Quimbaya, *Primeras grandes jornadas de nuestra revolución comunera*, Revista «Documentos Políticos» (abril, 1965), No. 48, pp. 37-55.

LA INDEPENDENCIA

Con la liberación del comercio y su consecuente aumento en el siglo XVIII, creció en América la burguesía comercial hasta llegar a convertirse en una clase social con conciencia, y reivindicativa de sus intereses. Sin embargo, la libertad para comerciar no era absoluta, tal como lo deseaban los comerciantes, y las restricciones que subsistían obraban como un freno para la expansión del comercio.

Esta contradicción entre los intereses de la burguesía comerciante y la Corona, la que no obstante haber cedido en algunos aspectos, quería seguir siendo la única proveedora de mercancías para sus colonias y la única compradora de sus frutos, fue la causa fundamental que motivó la Independencia americana. Sumamente ilustrativa al respecto es la carta enviada por el Tribuno del Pueblo, José Acevedo y Gómez, al corregidor regio, Antonio Villavicencio, el día 19 de julio de 1810, en la que el primero, ante las pérdidas sufridas, se inflama de amor patriótico y escribe... «Ciento veinte mil pesos, fruto de veinte años de trabajo, fatigas y peligros, me hizo perder el gobierno al principio de la guerra con Inglaterra, porque no hubo arbitrio de que este virrey nos permitiese ni aun el comercio de cabotaje, y en tres años las quinas se perdieron y decayó su estimación en Europa; los cacaos se pudrieron y los algodones que el monopolio peninsular me obligaba a mandar a Cádiz fueron presa de un enemigo poderoso en la mar. Doy por bien perdida mi fortuna y los restos de ella existentes en Cádiz y Barcelona en veinte y tantos mil pesos, con tal que mi patria corte la cadena con que se halla atada a esa península, manantial perenne de tiranos.»[2]

En la causa de la Independencia se embarcó la burguesía comerciante americana, constituyendo su vanguardia.[3] Para ello contó

---

2. Citado por Arturo Abella, *El florero de Llorente* (Bogotá, Editorial Antares, 1960), p. 104.

3. Los fusilados por Morillo en Cartagena eran comerciantes. Nariño tenía el pensamiento político burgués de la revolución francesa y lo propio hay que concluir de Torres, Caldas, Camacho, etc. *El Diario Político de Santa Fe*, por ejemplo, promulgó postulados de típico sabor burgués: «La clase estéril de la

con la ayuda de Inglaterra, la potencia capitalista más directamente interesada en que las colonias se separaran de España, para venir a inundarlas con sus manufacturas en nombre de la libertad. Inglaterra envió al efecto una legión con el objeto de secundar los esfuerzos de independencia y contribuyó «generosamente» a financiar la causa de la emancipación. En capítulo aparte veremos las consecuencias de esta «ayuda.»

Además de la burguesía comerciante y de los sectores artesanos que estaban interesados en el cambio, existían también otros sectores sociales: la aristocracia terrateniente y el pueblo.

La primera también participó en el movimiento, pero por razones muy distintas. Un sector, el más reaccionario, ante el avance de los ejércitos napoleónicos, que eran la encarnación de las ideas de igualdad de la revolución francesa, prefirió no ligar su suerte a la de la Corona y se separó de ésta antes de que los «libertinos» de Francia, propagadores del «pernicioso dogma de la igualdad entre los hombres», tomaran el gobierno de la metrópoli y sus colonias y decretaran la libertad de los esclavos.[4] Otro sector prefirió aguardar hasta conocer al vencedor para prestarle sus servicios: es éste el caso de la mayoría de los aristócratas del sur de Colombia, propietarios de haciendas, minas y esclavos, que tras luchar en favor del rey, o haberse mantenido al margen de la contienda, se convirtieron en fervorosos republicanos después del triunfo patriota en Boyacá en 1819.

---

sociedad debe reducirse al menor número posible y aumentarse cuanto más se pueda la clase industriosa y productiva... El gobierno debe favorecer la multiplicación de la clase productiva para que por su medio se aumente la riqueza. La agricultura, el comercio y la industria son elementos que mantienen la sociedad. El que ejerce estas profesiones debe ser favorecido por las leyes... la clase productiva debe contribuir con lo necesario para mantener una fuerza armada, gobierno y administración de justicia... los poderes civiles deben estar separados unos de otros y organizarse de modo que se contrapesen mutuamente para que cada uno de ellos se mantenga dentro de sus límites... el goce de la propiedad territorial es el más apreciable por el hombre... el valor de las producciones de un país, representa la suma del trabajo de sus habitantes...»

4. Véase Indalecio Liévano Aguirre, *op. cit.*, T. II, cap. XIX.

El tercer sector era el pueblo, que fue arrastrado a la lucha por patriotas y españoles o que, como en el caso de los esclavos, combatía por el que le ofreciera la libertad, aspecto en el cual los españoles se adelantaron muchísimas veces a los republicanos. El espíritu de lucha del pueblo por la independencia aparece muy bien descrito en el siguiente párrafo de un historiador erudito y de primera mano: «Cuando los reclutas eran finalmente enganchados, se les obligaba a marchar con las manos atadas por temor a que tratasen de escapar, y muchas veces sólo se entregaban las armas a los soldados de infantería y los caballos a los de caballería cuando habían llegado a la zona de pelea... Los ejércitos quedan reducidos a la mitad, a causa de las deserciones entre Cali y Popayán o a una tercera parte en el viaje de Bogotá a Cúcuta.»[5] El mismo autor citado trae el mensaje de Santander al ministro del Interior, en el que dice: «...por otra parte no son nuestros soldados como los de Europa. En éstos hay ilustración, conocen la causa que defienden y saben las leyes a que están sujetos: en aquellos sucede todo lo contrario; su ignorancia es conocida, se les oculta regularmente por quién combaten, y por más que se les instruya en las disposiciones penales, muy pocos llegan a entenderlas.»[6]

La intervención de la aristocracia fue determinante para el rumbo que tomó la República después de la Independencia. La burguesía trató de realizar cambios e implantar nuevas formas de producción, mientras que la aristocracia, satisfecha con la simple independencia —pues vino a ocupar los cargos del gobierno— pero decidida a no dejar cambiar las formas económicas existentes para que no se vulneraran sus privilegios, bloqueó las reformas propuestas, y como la burguesía no era lo suficientemente fuerte para imponerlas, tuvo que resignarse a una transacción y esperar tres décadas, cuando ya fuerte y con el apoyo del pueblo realizó la trans-

---

5. David Bushnell, *El régimen de Santander en la Gran Colombia*, 1ª ed. en español, traducción de Jorge Orlando Melo (Bogotá, Ediciones Tercer Mundo y Facultad de Sociología, Universidad Nacional, coeditores, 1969), p. 284.

6. *Ibid*, p. 284.

formación de 1849, verdadera revolución burguesa en el sentido estricto de la palabra.[7]

La burguesía logró imponer en el comercio internacional la política acorde con sus intereses al implantar la libertad de comercio, pero en lo interno tuvo que conformarse con tímidas reformas que pronto fueron anuladas por los siguientes gobiernos de reacción.[8]

En conclusión, por no haber podido la burguesía imponerse, la estructura económica permaneció casi intacta, y en sentido estricto no puede aplicarse el término revolución, entendido éste como un cambio en las formas de producción, al movimiento de Independencia originado en 1810; sólo en 1849, cuando la burguesía comerciante, en unión de los artesanos y del pueblo rompió la estructura colonial, quebrantó a los terratenientes e implantó formas de producción capitalista en el país, puede decirse que se logró la revolución.

---

7. Orlando Fals Borda en su obra *La subversión en Colombia* (Bogotá, Ediciones Tercer Mundo) es de la misma opinión: «Tampoco puede considerarse como subversión la guerra de la Independencia excepto al reto que sus personeros y capitanes hicieron de algunas normas de orden señorial. Esto en sí mismo es importante, en cierta forma prepara el advenimiento del élan subversor de 1848, cuando no sólo las normas sino también los valores fueron afectados», p. 98. «Es así como el grito de Independencia, como se ha dicho tantas veces, no implicó un apartamiento radical de la forma de vida señorial: era más que todo una operación de tipo formal, un cambio en el personal de guardia.», p. 103.

8. La alcabala se rebajó, se suprimieron los mayorazgos (1824), se suspendieron las medias anatas (1825), se creó la contribución directa (1821), se suprimió el tributo de indígenas (1821), se terminó con el estanco de aguardiente. Mas a partir de 1828 se restablecieron o aumentaron los impuestos suprimidos o rebajados, la contribución directa fue suprimida, la esclavitud fue atacada a medias, pues sólo se concedió la libertad de partos y por medio de subterfugios legales se violó su espíritu mientras estuvo vigente.

9

LOS EMPRÉSTITOS INGLESES
Y SUS CONSECUENCIAS

La Legión Británica no actuó en vano a favor de la Independencia americana. Consumada la separación se bajaron las compuertas restrictivas al comercio, y las manufacturas inglesas invadieron los mercados de las jóvenes repúblicas. Las minas, las tierras y el comercio quedaron en sus manos y para financiar los gastos de guerra y con el objeto de crear una demanda artificial de productos ingleses, se concedieron empréstitos.

Durante la contienda de Independencia los enviados latinoamericanos habían obtenido algunos créditos para financiar las operaciones militares, pero a partir de 1821, cuando la guerra —con excepción del Perú— estaba concluida, se inicia el período de las grandes inversiones inglesas y de penetración comercial y minera al continente americano. «Los bancos comerciales y las firmas financieras de Londres, que habían logrado desplazar a Amsterdam como centro financiero mundial durante el período de las guerras napoleónicas, manifestaron gran interés por los países de América Latina desde que éstos lograron su independencia. Conjuntamente con algunas firmas comerciales, emitieron varias series de bonos en 1822-25 en nombre de diversos gobiernos latinoamericanos que necesitaban dinero para pagar las enormes deudas contraídas para la adquisición de armas durante las últimas etapas de las guerras de la Independencia. En tres años, estas emisiones ascendían a más de 21 millones de libras esterlinas; generalmente devengaban un interés nominal del 6% y un interés real del 8 al 10%, porque los bonos se ofrecían a la venta a precios inferiores al valor nominal.

«Al mismo tiempo se crearon más de cuarenta sociedades anónimas a fin de explotar las posibilidades económicas de los países latinoamericanos. Sus propósitos eran muy diversos, como la extracción de perlas, la construcción de un canal en el istmo centroamericano o el establecimiento de colonos en los países del río de La Plata. Con todo, la mayor parte de estas empresas, aunque no las más seguras de ellas, se dedicaron a la exploración de minas de oro y plata que se suponía existían en las antiguas colonias españolas. En consecuencia, se fundó la General South American Mining Association, que se subdividió posteriormente en 21 empresas con un capital total de 25 millones de libras esterlinas, para explorar las posibilidades mineras en casi todos los países de América Latina.»[1]

Inglaterra, el más avanzado país capitalista de la época, tenía un excedente de capital inactivo para poner a circular fuera de sus fronteras, y las manufacturas inglesas, producidas con la técnica más avanzada del momento, necesitaban un mercado mayor que el propio. Sismondi, citado por Rosa Luxemburgo, aclara el sentido de la avalancha de empréstitos ingleses a Latinoamérica a partir de la tercera década del siglo XIX: «La apertura del enorme mercado que la América española ofrecía a los productores de la industria parece haber colaborado esencialmente en el restablecimiento de las manufacturas inglesas. El gobierno inglés era de la misma opinión, y ha desarrollado una energía, desconocida hasta entonces, en los siete años transcurridos desde la crisis de 1818, para llevar el comercio inglés a las zonas más alejadas de México, Colombia, Brasil, Río de La Plata, Chile y Perú.

«Aun antes de que el Ministerio se hubiera decidido a reconocer estos nuevos Estados, había tomado medidas para proteger el co-

---

1. Comisión Económica para América Latina, *El financiamiento externo de América Latina* (Nueva York, Naciones Unidas, 1964).

mercio inglés construyendo estaciones navales ocupadas constantemente por barcos de línea, cuyos comandantes tenían objetivos más diplomáticos que militares. Se había puesto frente a la gritería de la Santa Alianza, reconociendo a las nuevas repúblicas en el mismo momento en que toda Europa decidía su aniquilamiento. Pero, por grandes que fuesen los mercados que ofrecía la libre América, no hubieran bastado para absorber todas las mercancías producidas por Inglaterra, si los empréstitos de las nuevas repúblicas no hubiesen aumentado súbitamente en proporciones desmedidas sus recursos para comprar mercancías inglesas. Todos los Estados de América tomaron a préstamo, de los ingleses, una suma para fortalecer su gobierno, y a pesar de que esta suma era un capital, lo gastaban inmediatamente como una renta, es decir, lo utilizaron totalmente para comprar, por cuenta del Estado, mercancías inglesas, o para pagar las enviadas a cuenta de particulares. Al mismo tiempo se fundaron numerosas sociedades con grandes capitales para explotar todas las minas americanas; pero todo el dinero que gastaron fue, al mismo tiempo, un ingreso en Inglaterra para reintegrar inmediatamente el desgaste de las máquinas que utilizaban y las mercancías enviadas a los lugares de trabajo de las máquinas. Mientras duró este extraño comercio, en el que los ingleses sólo pedían de los americanos que comprasen con el capital inglés mercancías inglesas, pareció ser brillante la situación de las manufacturas inglesas. No fue la renta sino el capital inglés el que determinó el consumo; los ingleses se privaron de disfrutar sus propias mercancías, que enviaban a América y que compraban y pagaban por sí mismos.»[2]

LOS EMPRÉSTITOS A COLOMBIA

Desde el comienzo de la guerra, las juntas revolucionarias habían enviado representantes a Inglaterra con el objeto de obtener apoyo económico y político en su empeño de emancipación. Por

---

2. Sismondi. Citado por Rosa Luxemburgo, *La acumulación del capital* (México, Editorial Grijalbo, 1967), p. 328.

causa de la inexperiencia en las transacciones financieras y sobre todo debido a lo precario de la situación política y militar de los insurrectos americanos, cuando lograban algún empréstito, lo obtenían en condiciones usurarias y francamente ruinosas. A esto se añadía que muchas veces las credenciales de los diferentes enviados no estaban muy en regla, o coexistían, lo que lógicamente incidía para que no fuera muy clara la validez de las obligaciones por ellos suscritas. La primera misión venezolana viajó a Londres en 1810 y fue integrada por Simón Bolívar, Andrés Bello y Luis López Méndez, el último de los cuales permaneció en Londres como agente del gobierno de Venezuela. En 1814 llegó a Inglaterra el enviado de las Provincias Confederadas de la Nueva Granada, José María del Real. En junio de 1820 arribó a Londres Francisco Antonio Zea, en representación de la República de Colombia.

Los empréstitos de Zea

De llegada y para no «perder tiempo en regateos» aceptó una cuenta indiscriminada de 500.000 libras, en reconocimiento de obligaciones no muy claras e inespecificadas, de los enviados anteriores. Los problemas inherentes al crédito serían resueltos por una comisión de tres personas, todas elegidas por los acreedores extranjeros, y los intereses serían del 10% anual, si pagaderos en Londres, o del 12%, si en Colombia. Enseguida obtuvo un segundo empréstito de los principales acreedores de la primera transacción, la casa Herring, Graham and Powells, con el objeto de pagar los intereses debidos en el primer crédito. «Logró además otro crédito, con un descuento de las dos terceras partes, con el objeto de obtener 20.000 libras para sus gastos en una misión de paz a España, que por lo demás fue infructuosa.»[3]

Con la misma casa de Herring, Graham and Powells obtuvo en la primavera de 1822 el primer empréstito de importancia, por la suma

---

3. David Bushnell, *El régimen de Santander en la Gran Colombia*, p. 136.

de 2.000.000 de libras esterlinas, con un descuento del 20%, es decir, que por cada 100 unidades a las que Colombia se obligaba, se deducían 20 de entrada. Además, parte de la suma estaba destinada a cancelar obligaciones emitidas por Zea con anterioridad, las cuales habían sido adquiridas por el prestamista en una fracción de su valor nominal. «Además, se retenían ciertas sumas en Londres, destinadas al pago de intereses futuros, a comisiones, etc. De manera que solamente un tercio del crédito debía pagarse en efectivo y sin embargo no toda esta suma se entregó realmente.»[4] El empréstito se garantizó con los derechos de importación y exportación de la República de Colombia, así como con las rentas provenientes de las minas de oro, plata y sal, y con el producto del monopolio del tabaco.[5]

La gestión de Zea hizo exclamar a Bolívar en una carta: «Parece que los ingleses están decididos a encontrar legal el robo de los 10.000.000 de Zea. La deuda nacional nos va a oprimir; el señor Zea es la mayor calamidad de Colombia»; y Santander, al conocer su muerte, escribió: «Zea ha muerto en Londres y su muerte en estas circunstancias es el menor mal que puede sufrir la República.»[6]

El empréstito de 1824

Santander comisionó a dos amigos suyos, Manuel Antonio Arrubla y Francisco Montoya, quienes iban a viajar a Londres a negocios particulares, para que gestionaran un nuevo empréstito, y al representante de Colombia ante el gobierno inglés, Manuel José Hurtado, para que arreglara lo concerniente a la deuda de Zea.

Los comisionados obtuvieron un empréstito de la firma Goldschmidt and Co. en cuantía de 4.750.000 libras esterlinas (30.000.000

---

4. David Bushnell, *op. cit.*, p. 136.

5. Sobre las actuaciones de Zea en los empréstitos, véase: Arturo Abella, *Don Dinero en la Independencia* (Bogotá, Ediciones Lerner), cap. VI, «El empréstito o el saqueo de Zea.» Ver también sobre el tema de los empréstitos: Abel Cruz Santos, *op. cit.*, T. I., pp. 304-321, y Diego Montaña Cuéllar, *Colombia, país formal y país real* (Buenos Aires, Editorial Platina, 1963).

6. Ambos fragmentos están citados por Arturo Abella, *op. cit.*, p. 181.

de pesos) a condición de cubrir las obligaciones anteriores de Zea, por $10.000.000. El descuento que se hacía era de un 15% y los intereses anuales de 6%. Además Goldschmidt se convertía en el agente comercial de la República en Inglaterra, quedaba con un derecho preferente para un nuevo empréstito, y los intereses estipulados se contaban desde una fecha convencional anterior a la firma del contrato, y se pagaban sobre el crédito global antes de que fuera entregada la última cuota. Arrubla y Montoya recibieron cada uno una comisión de 20.137 libras esterlinas y Hurtado, funcionario del gobierno colombiano, una comisión de 53.137 libras esterlinas. «Los suministros, las sumas en efectivo y los créditos registrados por Castillo y Rada como realmente recibidos después de deducir el costo del empréstito mismo, totalizaban 3.622.745 libras esterlinas sobre un valor nominal de 6.750.000 libras esterlinas.»[7] Por último, en 1824 quebró la casa Goldschmidt, y Colombia perdió una parte considerable de los dineros del empréstito, que inexplicablemente Hurtado había dejado depositados en vez de consignarlos en un banco. A partir de 1826 se dejaron de pagar intereses por mucho tiempo, pues el estado financiero del país no lo permitía; el valor anual de los intereses y la amortización era de 2.100.000, es decir, la tercera parte de los ingresos nacionales. Las sumas exiguas que entraron a las arcas nacionales por concepto de empréstitos, siguieron beneficiando a los extranjeros, con preferencia de los nacionales. El Congreso estipuló que de preferencia se destinara ese dinero al pago de la «deuda doméstica» en manos de individuos de nacionalidad extranjera (comerciantes extranjeros radicados en el país), y luego al pago de los intereses de la deuda externa. Otra porción apreciable de esa suma fue destinada a la compra de materiales de guerra en Inglaterra y al pago de obligaciones de los agentes comerciales de Colombia en aquel país y en Estados Unidos.

Otras sumas del empréstito fueron dedicadas a la compra de manufacturas inglesas que el país producía, en contra de los intereses de los fabricantes nacionales, que perdían el mercado; tal el

---

7. David Bushnell, *op. cit.*, p. 142.

caso del ejército, que era el principal consumidor de textiles y que en muchos casos se abastecía de productos británicos con preferencia a los nativos.

LOS PROYECTOS DE ENAJENACIÓN DE TIERRAS EN 1855

Por causa de la deuda pública externa, el mismo territorio nacional estuvo en gravísimo peligro de quedar desmembrado, y el país en condiciones de regresar al estado de colonia, esta vez de Inglaterra y de Francia. Como no había dinero para cubrir las deudas (el Estado las había garantizado con sus propias rentas), se recurrió al expediente de pagarlas con tierras colombianas, dadas a vil precio. El presidente Mallarino —representante del gobierno que había deportado a cientos de artesanos a las prisiones de Chagres— firmó el 3 de septiembre de 1855 un contrato con la Compañía Sainte Rose, fundada en París el año anterior y representada en Bogotá por Stevenson Bushman, para amortizar con el dinero obtenido las deudas externas de la nación; las bases del contrato eran las siguientes:

«Comprar hasta 30.250.250 hectáreas o 75 millones de acres, pagándolos en vales de la deuda o en dinero efectivo a razón de cincuenta centavos por acre, que se irían pagando a medida que las tierras se fuesen entregando en un plazo no mayor de 21 años. Además se le darían a título gratuito 100.000 acres más a la compañía, como comisión por el trabajo que emprendiera a título oneroso, y con condición de hacer los gastos de mensura, planos y descripción de las tierras, 50.000 acres más. Al recibir los 100.000 entregaría la compañía 10.000 libras en vales, los que le serían devueltos al cumplirse el contrato, y al no cumplirse quedarían para el gobierno como compensación de los 100.000 acres cedidos. La compañía tenía derecho a las minas que se encontrasen en los terrenos otorgados y daría al gobierno un 25% en caso de que dichas minas se laborasen; también debería entregarse a la compañía para los colonos que trajese, 640.000 hectáreas de las destinadas para el fomento de la inmigración por la ley 2 de junio de 1847; durante el tiempo del contrato no podían cederse otros baldíos más que a la misma compañía o a granadinos, para su propio uso, sin perjuicio de las concesiones ya hechas antes de este contrato. La compañía iría señalando las provincias en que sucesivamente debieran dársele las tierras.»[8]

Posteriormente se firmaron contratos similares con David Castello y Lucio Devoren, así como otro con José Miguel de Paz. Afortunadamente ninguno se llevó a efecto por la vigorosa oposición de algunos ciudadanos en la Cámara.

A este episodio de la vida nacional se refiere Indalecio Liévano Aguirre en los siguientes términos: «Por contrato celebrado entre el gobierno que sucedió a Obando y el representante de una compañía extranjera domiciliada en París, pero la cual tenía como representantes y abogados a ciudadanos colombianos, se concedió a dicha compañía el privilegio de adquirir con papeles de deuda pública, la cantidad —asómbrense mis oyentes— de 30 millones de hectáreas de tierras baldías, en los lugares del territorio nacional que ella libremente escogiera. Este contrato inaudito aparece publicado en la *Gaceta Oficial* número 1857 y no se llevó a efecto, después de firmado, por dos circunstancias que milagrosamente salvaron la soberanía nacional: la guerra que en esos momentos se libraba entre Rusia, Francia e Inglaterra por el dominio del Medio Oriente, que impidió la participación del capital franco-inglés que se había previsto, y la gallarda actitud de don José María Samper, quien en el Congreso combatió con indignación patriótica un contrato que, de llevarse a cabo, nos hubiera convertido en una factoría de las naciones europeas, al enajenárseles una tan gigantesca porción del territorio nacional... en la *Gaceta Oficial* aparecen también dos contratos celebrados por el gobierno del señor Mallarino, el primero con ciudadanos extranjeros, asociados con nacionales, en virtud del cual se adjudicaban por un precio irrisorio, satisfecho en papeles depreciados de deuda pública, 500.000 hectáreas, que incluían los llanos de Neiva y parte de los de San Martín, y el segundo, con un ciudadano colombiano, adjudicándole la tota-

---

8. Citado por Abel Cruz Santos, *op. cit.*, p. 436.

lidad de las tierras baldías que existieran en las cabeceras del río Magdalena. Debemos agregar que algunas de tales adjudicaciones tenían como finalidad no sólo recibir, casi gratuitamente, las vastísimas extensiones territoriales designadas en los contratos, sino los más ricos bosques de quina de la República...»[9]

MINERÍA

Colombia era uno de los principales productores de oro en el mundo, y las inversiones en este campo eran ideales para la expansión del capital inglés, que hizo del cohecho y del soborno un medio honorable de penetración. El mismo Santander aseveró que una compañía minera británica le había ofrecido 60.000 libras esterlinas solamente para que le prestara su nombre. (Santander aseguró haber rechazado la propuesta, lo cual parece cierto).

La Cartagena Anglo-Colombian Mining Association obtuvo una concesión sobre todas las minas descubiertas y que se llegaren a descubrir en la provincia de Cartagena. La Colombian Mining Association, en la que la firma Goldschmidt —la misma del último empréstito— tenía fuertes intereses, y cuyo presidente era el ministro de Colombia en Gran Bretaña, Manuel José Hurtado (¿se podrá explicar el por qué Hurtado no había retirado y depositado en un banco los fondos del empréstito?) obtuvo concesión sobre unas minas de plata cerca de Mariquita y allí envió más de 100 mineros ingleses[10].

COMERCIANTES EXTRANJEROS

A partir de la Independencia, los comerciantes extranjeros lograron mayores prerrogativas que los nacionales, pues cuando se trató de pagar la deuda causada dentro del país, se les cubrió con

---

9. Indalecio Liévano Aguirre, *El proceso de Mosquera ante el Senado* (Bogotá, Editorial Revista Colombiana, 1966), pp. 39-40.

10. Véase David Bushnell, *op. cit.*, p. 160.

preferencia sobre éstos. Se les eximió en adelante de empréstitos forzosos para financiar las operaciones de guerra, carga que era onerosísima para los comerciantes, y el gobierno siempre estuvo pronto a atenderles sus demandas, pues al menor pretexto pedían protección a sus gobiernos y éstos invadían o bloqueaban los puertos como medio de presión. Además, por sus vinculaciones con el extranjero y por el conocimiento de otros idiomas, los comerciantes foráneos estaban en mejores condiciones de competencia que los nacionales.

LA MARINA MERCANTE

Una de las actividades económicas que más se trató de proteger durante los primeros años de la República fue la marina mercante nacional. Al efecto se dictaron leyes que reservaban la navegación de cabotaje para nuestros barcos y que daban tarifa preferencial a las mercancías transportadas en los navíos nacionales y favorecían a éstos con rebajas en el derecho de tonelada y en los portuarios. Pero también en este campo Inglaterra, que tenía la marina más poderosa del mundo, coaccionó a nuestro gobierno con el objeto de que le otorgaran ventajas; en la misma forma obró Estados Unidos.

En 1825, Inglaterra presionó un tratado comercial con la Nueva Granada por medio del cual los barcos ingleses obtenían las mismas exenciones que los barcos nacionales e igualdad de derechos de puertos. En contraprestación, los buques colombianos tendrían los mismos derechos que los ingleses, entendiéndose por barco colombiano el «construido en los territorios de Colombia y poseído por sus ciudadanos, o por alguno de ellos, y cuyo capitán y tres cuartas partes de los marineros, a lo menos, sean ciudadanos colombianos.» Colombia no tenía astilleros adecuados ni estaba en condiciones de cumplir con los otros requisitos, por lo que la competencia inglesa liquidó nuestra marina, no obstante la igualdad teórica ante el tratado, lo que vino a dar cumplimiento una vez más a la justa máxima de que «la igualdad entre desiguales es el derecho del más fuerte.» Por virtud de la cláusula de la «nación más favorecida», a partir del 30 de enero de 1826 Estados Unidos obtuvo las mismas prerrogativas. Paulatinamente se fue aboliendo el monopolio en la navegación de cabotaje para los barcos nacionales, los cuales en este campo también fueron suplantados por los extranjeros.

CONSECUENCIAS DE LOS EMPRÉSTITOS

Tanto para el país que los suministraba como para el que los recibía, los empréstitos tuvieron consecuencias económicas y políticas.

Para el país prestamista, la transacción era un medio de colocar capital en condiciones más ventajosas que en su propio territorio, al paso que creaba un mayor mercado para sus manufacturas, pues con el producto de los dineros recibidos a préstamo, los países deudores ampliaban artificialmente la demanda de artículos extranjeros. Pero lo fundamental era la preponderancia política que adquiría el país prestamista, por cuanto los demás que llegaban a ser sus deudores por sumas inmensas para su capacidad económica del momento, tenían que ir cediendo ante sus imposiciones hasta llegar a entregar su economía. En los países deudores las consecuencias eran adversas porque sus ventas y sus posibilidades quedaban sujetas al pago de deudas onerosas y prontamente gastadas. Los Estados deudores obligatoriamente tenían que dedicar sumas ingentes de su presupuesto, no a obras públicas y al desarrollo del propio país, sino a cubrir los intereses y amortización de la deuda externa. El caso de Colombia es muy claro: 50 años después de la obtención de los empréstitos, en el presupuesto de gastos de 1867 a 1868, sobre un monto de $4.688.779.66 se destinaron 3.184.159, es decir, el 68%, a cubrir la deuda externa. Y en el presupuesto de 1871-72, cuando el monto de las rentas ascendía a $3.642.000, fueron destinados $2.267.632.50 al servicio de la misma deuda. Al disminuir las rentas disponibles, el gobierno se debilitaba y quedaba sujeto a las presiones externas o a las de grupos internos, todo ello en beneficio de los Estados poderosos.

Los países deudores perdían además toda capacidad de manio-
bra financiera, porque para garantizar la deuda daban en garantía
sus rentas más productivas (aduanas, salinas, etc.), y como éstas
eran las principales y en veces casi únicas entradas fiscales, al
tomarlas el acreedor el gobierno se encontraba sin fondos para
desarrollar sus actividades.

Con el negocio de la deuda tanto externa como interna se fue
creando un influyente sector de especuladores que adquiría los depreciados bonos de la deuda pública por una parte infeliz de su
valor nominal para el pago de los impuestos. Especialmente en las
aduanas, los especuladores obtenían pingües ganancias al comprar
bonos depreciados por su valor comercial en el mercado para salir
de ellos por su valor nominal en pago de impuestos al Estado. El
Estado, por su parte, nunca podía cuadrar su presupuesto porque
calculaba las entradas de una vigencia en una suma que creía que
efectivamente iba a ser percibida, para encontrarse con que una
parte de ella era para ser cubierta con bonos.

Las industrias nacionales también sufrían por el cambio provocado en los gustos al ser sustituidas las manufacturas nativas por
las extranjeras, principalmente en el ramo de los textiles.[11]

Las economías de los países deudores fueron transformadas en
función del beneficio de los países adelantados prestamistas, tal
como lúcidamente lo explica Rosa Luxemburgo, a quien transcribimos en extenso: «El capital inactivo no tenía en el propio país

---

11. Sobre el particular escribía José Ignacio de Márquez en su calidad de secretario de Hacienda a la Convención de 1831: «Esta latitud que se ha dado a la
libertad del comercio, ha producido otro efecto no menos pernicioso: la disminución del capital moneda. No pudiendo nuestros frutos exportables nivelarse con
los que se importen del extranjero, debemos cubrir el saldo con dinero sonante, y
habiendo sido tan considerable este saldo en los años pasados, no han sido bastantes los rendimientos de nuestras minas para llenarlo. Así es que ha salido toda
la moneda que se había estado acumulando en tiempos anteriores, cuando faltan-
do el comercio libre y el gusto que desgraciadamente se ha introducido por el lujo
que no es el resultado de aumento de riqueza, no había tantos objetos en qué
consumir; se ha vuelto a exportar todo el producto del empréstito extranjero y
hasta los metales que estaban en vajillas, y otros muebles, se han amonedado...»

posibilidad alguna de acumularse, ya que no existía demanda del producto adicional. En cambio, en el extranjero, donde no se ha desarrollado aún una producción capitalista, surge en capas no capitalistas una nueva demanda o es creada violentamente. Justamente el hecho de que el 'goce' de los productos se traslada a otros países es decisivo para el capital. Pues el goce de las propias clases, capitalistas y obreras, no tiene trascendencia para los fines de la acumulación. Cierto que el 'goce' de los productos ha de ser realizado, pagado por los nuevos consumidores. Para ello, los nuevos consumidores han de tener dinero. Ese dinero se lo da, en parte, el cambio de mercancías que se produce al mismo tiempo. A la construcción de ferrocarriles, como a la extracción de minerales (minas de oro, etc.), va anejo un activo comercio de mercancías. Este realiza, poco a poco, el capital invertido en la construcción de ferrocarriles o la minería junto con la plusvalía. La esencia de la cosa no se modifica porque el capital, que de este modo afluye al extranjero, como capital en acciones, un campo de trabajo, o por intermedio del Estado extranjero, halle en calidad de empréstito exterior, nueva actividad en la industria o en el transporte, ni tampoco porque, en el primer caso, las empresas fundadas al aire quiebren cualquier día, o porque, en último caso, el Estado deudor caiga en bancarrota, y el propietario pierda de un modo o de otro su capital. También en el país de origen, en épocas de crisis, se pierde con frecuencia el capital individual. Lo fundamental es que el capital acumulado del país antiguo, encuentre en el nuevo una nueva posibilidad de engendrar plusvalía y realizarla, esto es, de proseguir la acumulación. Los países nuevos abarcan grandes territorios que viven en condiciones de economía natural, a los que transforma en países con economía de mercancía, o bien zonas con economía de mercancías, de las que hace mercados para el gran capital. La construcción de ferrocarriles y la minería (particularmente las minas de oro) propicias para la colocación del capital de países antiguos en nuevos, provoca, inevitablemente, un activo tráfico de mercancías en países donde hasta entonces había regido la economía natural; y producen la rápida disolución de antiguas formaciones económicas, crisis sociales, renovación de las costumbres, es decir, la implantación de la economía de mercancías primero, y posteriormente, la producción de capital...»[12, 13]

---

12. Rosa Luxemburgo, *op. cit.*, p. 331.

13. Sobre la historia de las inversiones extranjeras en Latinoamérica, véase: André Gunder Frank. «La inversión extranjera en el subdesarrollo latinoamericano, desde la conquista colonial hasta la integración neoimperialista». Revista *Desarrollo Indoamericano* 2 (5), febrero 1967, pp. 25-34.

10

LA REVOLUCIÓN DEL MEDIO SIGLO

Los cambios estructurales que la burguesía no había logrado con la guerra de Independencia, fueron implantados en el medio siglo por una coalición de clases —la burguesía, los artesanos, los pequeños propietarios agrícolas y los esclavos—, en contra de los intereses de la aristocracia terrateniente.

Las clases interesadas en el cambio coincidieron en cuanto a muchas de sus pretensiones, pero en el transcurso del proceso social se fueron desarrollando contradicciones entre ellas, sobre todo entre comerciantes y artesanos, lo que originó la división del partido político en el que habían militado todos, el liberal, entre gólgotas y draconianos.

Veamos cuáles eran los intereses de las diferentes clases sociales con relación a las reformas planteadas y llevadas a cabo en el período: los comerciantes estaban interesados en la supresión de los resguardos, pues si lo lograban conseguían que los indígenas tuvieran que emigrar a la ciudad o a las haciendas vecinas, proletarizándose. Es decir, que al recibir un salario por su trabajo se integrarían a la economía monetaria y en consecuencia aumentaría su capacidad adquisitiva en beneficio de los traficantes de mercancías. Al proponer la abolición de la esclavitud pretendían lo mismo, puesto que mientras el esclavo permaneciera en situación de tal, su capacidad de consumo sería ínfima y estaría sujeto a lo que el amo le quisiera proporcionar. La abolición del estanco del tabaco era también de su interés, pues con el desarrollo del producto los agricultores estarían en capacidad de consumir un número mayor de mercancías. Y al propiciar las reformas tributarias y en el campo, era ese mismo interés, la ampliación de la capacidad de consumo de masas, lo que los movía.

Los comerciantes tenían un interés particular en establecer el libre cambio en el comercio internacional, y en ese aspecto se presentaba una contradicción antagónica con los artesanos. Para los comerciantes la supresión de las tarifas aduaneras proteccionistas, significaba una mayor venta, a precios más reducidos, de artículos extranjeros, y por lo tanto una mayor ganancia. Para los artesanos, cuyo dominio del mercado interno dependía del alejamiento de los productos extranjeros, por medio de aranceles, la política de libre cambio, propiciada por los comerciantes, era funesta.

Los artesanos: tenían los mismos intereses que los comerciantes para propiciar la supresión de los resguardos, la abolición de la esclavitud, la supresión del estanco del tabaco y las reformas tributarias y en el campo, pero chocaban con éstos en cuanto que su interés vital era el aumento o el mantenimiento de los aranceles y no su supresión.

Los esclavos: era obvio que estaban interesados en adquirir su libertad y pasar así al estado de hombres y no de «cosas». Aunque por su carencia de derechos políticos no podían intervenir dentro de los cauces constitucionales para cambiar su condición, sí la presionaron por medio de incontables rebeliones, y con las armas en la mano en la guerra civil de 1851 desatada por los esclavistas como consecuencia de la medida abolicionista.

Los pequeños agricultores, ubicados especialmente en la región de Santander, abogaban por la supresión del estanco del tabaco que les impedía la expansión de la producción, y secundaban también las reformas fiscales, especialmente la abolición del diezmo eclesiástico que pesaba duramente sobre ellos.

Los terratenientes, por el contrario, eran los partidarios del *statu quo*, y aunque ciertas medidas los podían beneficiar —la abolición del diezmo, por ejemplo—, otras, como la supresión de la esclavitud, les eran extremadamente perjudiciales. Por esta razón se unieron en un partido político, el conservador, para defender sus intereses económicos, contando con el apoyo decidido de la Iglesia católica, el más grande terrateniente del país, que en 1861, época de la desamortización de bienes de manos muertas, tenía propiedades avaluadas en diez millones de pesos, en momentos en que el presupuesto nacional era sólo de $2.000.000.[1]

CONVULSIONES SOCIALES CAUSADAS POR EL CAMBIO

La transformación revolucionaria que vivió el país a mediados del siglo XIX se vio envuelta, como sucede siempre en este tipo de cambio, por violentos sacudimientos sociales al agudizarse la lucha entre diferentes clases sociales.

En defensa de sus intereses las diferentes clases se unieron en partidos políticos, los cuales en Colombia remontan su origen precisamente a esta época. El partido liberal fue el instrumento político de las clases sociales interesadas en el cambio —comerciantes, artesanos, pequeños agricultores y esclavos— y el conservador el de los terratenientes comprometidos con la conservación del *statu quo*.

El problema de los aranceles proteccionistas, punto vital para artesanos y comerciantes, fue la causa de la subsecuente división del liberalismo. Desde la Independencia, las manufacturas inglesas afluyeron a nuestro país, pero las altas tarifas proteccionistas habían logrado hasta el momento preservar la producción nacional que todavía contaba con un extenso mercado. Pero el desarrollo de

---

1. «El precio de los terrenos y semovientes que pasaron a poder de la nación, para ser vendidos en pública subasta, pasó de 10 millones de pesos, lo que revela su importancia en un momento en que el presupuesto nacional para la vigencia de 1863 a 1864 apenas llegaba a un guarismo ligeramente superior a los dos millones de pesos. Los bienes expropiados tenían un precio relativo cinco veces mayor al presupuesto del Estado, lo que permite caracterizar la medida como el más importante sacudimiento en las relaciones de la propiedad agraria que ha tenido el país.» En Guillermo Hernández Rodríguez, *La alternación ante el pueblo como constituyente primario* (Editorial América Libre, 1962), p. 27.

la técnica y del capitalismo en los países avanzados, unido al interés económico de los comerciantes nacionales, pudo más que el desesperado esfuerzo de los artesanos, y las manufacturas extranjeras, sobre todo las inglesas, inundaron nuestro mercado y dieron el golpe de gracia a la producción nacional. Ya en 1848 Carlos Marx y Federico Engels daban cuenta de este proceso en el *Manifiesto Comunista*:

«Mediante la explotación del mercado mundial, la burguesía de los países avanzados dio un carácter cosmopolita a la producción y al consumo de todos los países. Con gran sentimiento de los reaccionarios, ha quitado a la industria su base nacional. Las antiguas industrias nacionales han sido destruidas y están destruyéndose continuamente. Son suplantadas por nuevas industrias, cuya introducción se convierte en cuestión vital para todas las naciones civilizadas, por industrias que ya no emplean materias primas indígenas, sino materias primas venidas de las más lejanas regiones del mundo, y cuyos productos no sólo se consumen en el propio país, sino en todas partes del globo. En lugar de las antiguas necesidades, satisfechas con productos nacionales, surgen necesidades nuevas que reclaman para su satisfacción productos de los países más apartados y de los más diversos climas. En lugar del antiguo aislamiento de las regiones y naciones que se bastaban a sí mismas, se establece un intercambio universal, una interdependencia universal de las naciones... Merced al rápido perfeccionamiento de los instrumentos de producción y al constante progreso de los medios de comunicación, la burguesía arrastra a la corriente de la civilización a todas las naciones, hasta a las más bárbaras. Los bajos precios de sus mercancías constituyen la artillería pesada que derrumba todas las murallas de China y hace capitular a los bárbaros más fanáticamente hostiles a los extranjeros. Obliga a todas las naciones, si no quieren sucumbir, a adoptar el modo burgués de producción, las constriñe a introducir la llamada civilización, es decir, a hacerse burgueses. En una palabra: se forja un mundo a su imagen y semejanza».[2]

---

2. Carlos Marx y Federico Engels, *Manifiesto del Partido Comunista*, en «Obras Escogidas» (Moscú, Ed. Progreso, 1955), T. I, p. 24.

En las principales ciudades del país los artesanos formaron grupos gremiales con intereses políticos a los cuales dieron el nombre de «sociedades democráticas.» «En las secciones de estos clubes se declamaba contra los ricos, los aristócratas y los conservadores. Se predicaba el comunismo y el socialismo, mezclándose también ataques contra la religión católica que el partido liberal quería minar por lo menos», nos cuenta el historiador José Manuel Restrepo, testigo presencial de los acontecimientos.[3]

Para lograr el cambio, la burguesía comercial utilizó a las masas populares, enfrentándolas en la lucha contra los terratenientes. Este proceso fue especialmente dramático en el Valle del Cauca, donde precisamente estaban ubicados los reductos más firmes de la economía esclavista. El aristocrático Restrepo anota sobre los conflictos allí desarrollados, a los cuales el jefe liberal Murillo Toro dio el nombre de «retozos democráticos», lo siguiente: «Haber levantado las castas y a los proletarios del hermoso Valle del Cauca; haber inventado el zurriago y el látigo, como un medio de sostener y apoyar su partido; *haber lanzado a los negros, mulatos y hombres perdidos*, sobre las propiedades de los conservadores para que las destruyeran y quemaran como vándalos feroces; haber en fin extendido por todo el Valle las vapulaciones hasta dejar exánimes sus víctimas, aunque fuesen *mujeres delicadas*, era lo que llamaban los prohombres del partido liberal rojo, 'establecer la verdadera república'.»

Y en Medellín, «en el año de 1854, cuando las Sociedades Democráticas intentaron una verdadera revolución social, algunos capitalistas de Medellín, asustados, idearon el plan de incorporar toda la nación colombiana a los Estados Unidos, para poner fin para siempre a la inseguridad de la propiedad. Con el mismo motivo, al menos un capitalista de Medellín, Eugenio M. Uribe, se volvió ciudadano de los Estados Unidos (sin moverse de Medellín).»[4] Sobre el asunto escribía Mariano Ospina Rodríguez, uno de los fundadores del partido conservador y futuro presidente de la república, a

---

3. José Manuel Restrepo, *Historia de la Nueva Granada* (Bogotá, Editorial El Catolicismo, 1963), T. II, 1845 a 1954, p. 204.

4. Frank Safford, «Significado de los antioqueños...» p. 55.

don Pedro Alcántara Herrán, ex presidente de la misma, en 1854: «Los negociantes de la provincia han acogido con mucho entusiasmo la idea de anexar la república a los Estados Unidos, como único medio de conseguir seguridad. Tal paso tendrá algunos inconvenientes, pero es el único remedio posible que se encuentra qué oponer a la barbarie que amenaza a devastar este país para siempre...»[5]

Los latifundistas unidos en el partido conservador presentaron fuerte resistencia y trataron de contrarrestar el ímpetu revolucionario creando también organismos de artesanos llamados «sociedades populares», dirigidas directamente por los jesuitas. Sin embargo, pesaron más los factores del cambio que permitían el desarrollo de las fuerzas productivas y los terratenientes fueron vencidos. Por su parte, entre los liberales se desarrolló la contradicción entre los intereses de los comerciantes (gólgotas) y de los artesanos (draconianos), hasta que en 1854 el general Melo, quien no obstante ser librecambista había asumido el poder, apersonándose de las aspiraciones de los artesanos, fue vencido por una coalición en la que participaron los jefes liberales y conservadores (José Hilario López, Tomás Cipriano de Mosquera, Pedro Alcántara Herrán, Tomás Herrera, etc.), con el epílogo sangriento de cientos de artesanos que perecieron desterrados en el río Chagres. Al ser vencidos los artesanos, quedó el campo abierto a los intereses de los comerciantes, y desde ese momento en adelante comenzó a desaparecer la producción manufacturera nacional, en beneficio del comercio de productos extranjeros, y el país no volvió a abastecerse con producción nacional de bienes de consumo hasta el surgimiento de la industria liviana en 1930.

¿CUÁLES FUERON LOS CAMBIOS?

Como en todo país dependiente el desarrollo es contradictorio, en la mitad del siglo XIX sucedió lo que acontecería en 1930. A mayor desarrollo de las fuerzas productivas mayor dependencia del imperialismo. Se dio un golpe fuerte a las estructuras coloniales, el

---

5. Citado por Frank Safford, *op. cit.,* p. 55.

país dio un paso adelante hacia el capitalismo y la burguesía colombiana tomó el Estado en su propio beneficio, mas como no teníamos industria, la dependencia de Inglaterra se acentuó y por cerca de un siglo el mercado nacional de bienes manufacturados de consumo se surtió con productos extranjeros. Los empréstitos y las inversiones inglesas, sobre todo en los ferrocarriles, se hicieron sentir y el comercio de exportación fue controlado desde el exterior. Habíamos dado un paso adelante en el camino del capitalismo y retrocedido dos en el de la dependencia. Por muchos años seríamos semicolonia con una independencia política formal y una dependencia económica y política real, de Inglaterra.

Desde el final de la primera administración de Tomás Cipriano de Mosquera (1845-1849) se presentaron los primeros cambios, los cuales se realizaron principalmente durante la presidencia de José Hilario López y culminaron en la tercera presidencia de Mosquera, con la desamortización de bienes de la Iglesia.

Florentino González, ministro de Mosquera en su primera administración, fue el impulsor de las medidas tomadas para suprimir los aranceles proteccionistas. Partidario furibundo de la política de *laissez faire*, y de la división internacional del trabajo, creía que nuestro país debía especializarse en la producción agrícola y mineral y convertirse en comprador de manufacturas extranjeras. Sus ideas fueron apoyadas fuertemente por los comerciantes, y una de las reformas principales del período fue aquella de la supresión de las tarifas aduaneras, con la consecuencia de la ruina en la producción manufacturera nacional.

En el orden fiscal fueron suprimidos muchos gravámenes que entrababan el desarrollo de las fuerzas productivas. En el capítulo referente a los impuestos en la Colonia, vimos cómo éstos eran grandes en número, no tenían una finalidad concreta y sólo frenaban el desarrollo del comercio. Como expresión franca del sistema colonial, fueron atacados por la burguesía comerciante en el poder, y los más absurdos eliminados. La alcabala, los derechos de exportación, los diezmos, el impuesto al aguardiente, el de hipoteca y registro, etc., fueron eliminados.

Mención especial merece la abolición del estanco del tabaco que había venido funcionando desde la época de la Colonia y que se había constituido en la más grande traba para el desarrollo del cultivo, no permitiendo su producción para la exportación. Desde comienzo de la República se había pensado en su supresión, pero como era una de las principales fuentes de ingresos del Estado, ningún secretario de Hacienda se había atrevido a terminar con él. Prescindir del estanco del tabaco fue una medida atrevida del gobierno de Mosquera, pero la práctica demostró que era acertada, pues a partir de ella la producción creció a un ritmo desconocido en el país y el tabaco vino a ser durante varios años nuestro principal renglón de exportación.

Las rentas nacionales fueron descentralizadas durante el gobierno de López y se creó una contribución directa con el objeto de llenar el vacío dejado por los impuestos suprimidos.

Las estructuras agrarias, base del poder de los terratenientes, fueron las más duramente atacadas y golpeadas. La esclavitud, base de la producción de muchos latifundios, fue abolida por completo en el año de 1851. Otra medida de importancia para cambiar las estructuras agrícolas fue la abolición de los censos, que eran cargas patrimoniales que pesaban sobre las propiedades territoriales.

El ataque contra los resguardos fue otro paso de gran trascendencia en el aspecto económico y social. Una ley de 1850 autorizó a las cámaras legislativas de provincia, para que dispusieran lo relacionado con los resguardos y capacitaran a los indígenas para que pudieran enajenar individualmente las tierras que hasta el momento habían poseído en forma comunal. Con la medida, vastas masas de indígenas se incorporaron a la economía monetaria, se proletarizaron y se acabó con verdaderos reductos de economía natural, como eran los resguardos, puesto que en ellos los indígenas llevaban su propia vida económica interna al producir todo lo necesario para su subsistencia. Como consecuencia de lo anterior, al proletarizarse muchos indígenas, desmejoró su condición social.

El epílogo de los cambios estructurales de mediados del siglo XIX lo constituye la medida tomada por Tomás Cipriano de Mosquera, en decreto de 9 de septiembre de 1861, ordenando la desamortización de bienes de manos muertas, con el objeto de dar «la tierra a los que la trabajen y la hagan producir», según rezaba el texto. Con el transcurso del tiempo la Iglesia había acumulado vastísimas extensiones de terreno que mantenía improductivas, y que por su destinación especial no podían enajenarse. Al sacar a remate las cuantiosas propiedades de la Iglesia, Mosquera y sus seguidores, con una visión progresiva, pretendían llevar a la circulación económica «una masa considerable de valores inertes» y sobre todo hacer una distribución de la propiedad agraria creando un fuerte núcleo de pequeños propietarios. Así lo dice textualmente Rafael Núñez, quien como secretario de Hacienda fue uno de los más decididos impulsores de la desamortización en la circular de 14 de julio de 1862, en la que señalaba:

«Aquí no se trata solamente de sacar a la vida y a la circulación una masa considerable de valores inertes, lo cual era bastante; ni se trata tampoco, además de lo dicho, de amortizar la deuda pública, lo cual era más todavía; aquí, por la índole de los precedentes, porque se trabaja en suelo eminentemente fértil, y a la luz de una época más adelantada; aquí, repito, se trata de resolver con la desamortización, hasta donde es posible, el arduo e inmenso problema de la distribución equitativa de la propiedad, sin perjuicios de ningún derecho individual anterior... Creo que esto se ha conseguido por medio de las disposiciones que siguen:

«1. La concesión de plazos para el pago de las propiedades adjudicadas en remate.

«2. La división en lotes de estas propiedades, y

«3. La supresión de la fianza personal, que no está al alcance de muchos conseguir...»[6]

La aristocracia conservadora por prejuicio religioso, en términos generales, no participó en los remates, pero la burguesía liberal que quería apoderarse de las tierras de la Iglesia, apoyó la medida, mas no su forma de llevarla a la práctica. Quería que todos los bienes

---

6. Citado por Indalecio Liévano Aguirre, *El proceso de Mosquera ante el Senado* (Bogotá, Editorial Revista Colombiana, 1966), p. 52.

se sacaran de una vez a remate para que el exceso de la oferta hiciera bajar sus precios, que no se dieran plazos para que los pobres tuvieran que abstenerse de participar en los remates y que los lotes se vendieran indivisos para alejar a los compradores de poca capacidad económica.

Por último, pretendían que se pudiera rematar con bonos de la deuda pública que ellos tenían acaparados, y los cuales obtenían en un 15 ó 20% de su valor nominal y eran recibidos por éste. La oligarquía liberal obtuvo lo que pretendía en contra del pensamiento original que habían tenido Mosquera y sus seguidores, y la reforma de la estructura agraria se frustró, pues el latifundio civil y las tierras en otro tiempo de la Iglesia vinieron a dar a manos de los comerciantes y generales liberales.

11

LA TIERRA DURANTE LA REPÚBLICA:
EL SIGLO XIX

Para la época de la Independencia la situación de tenencia de tierras en la Nueva Granada era como sigue: ganadería extensiva y algunas plantaciones en la costa Atlántica, con fuerte concentración territorial; pequeñas unidades agrícolas en Santander con cultivos de tabaco y plantaciones de caña de mayor extensión en las regiones cálidas; concentración territorial en Antioquia e inicio del proceso de colonización; latifundio, formación de minifundio y resguardo en la parte central del país (Cundinamarca y Boyacá); grandes extensiones territoriales en el Valle del Cauca con cultivos de caña y ganadería extensiva; inmensas dehesas de ganado en los Llanos Orientales; y en el sur del país grandes haciendas y gran cantidad de resguardos. En síntesis, una fuerte concentración territorial en manos de una reducida oligarquía.

Las guerras de Independencia motivaron algunos cambios en la propiedad y aceleraron aún más el proceso de concentración de la propiedad territorial. Durante ellas, posiblemente los propietarios que más trastornos tuvieron fueron los dueños de esclavos, pues muchos de éstos se escaparon o lograron la libertad como contendientes en alguno de los bandos que ofrecían el premio de la liberación a los esclavos que se enrolaban en sus filas.

Con respecto a la propiedad de la tierra, cabe destacar que en los diferentes momentos de conquista y reconquista a que se vieron sometidas las regiones posteriormente liberadas, muchos propietarios fueron arrojados y perdieron posteriormente su dominio y que ésta fue la suerte corrida por muchos españoles o adictos a la causa monarquista, quienes tuvieron que huir del país después del triunfo de las armas republicanas, perdiendo sus tierras por expropiación. Los beneficiados con la nueva situación fueron antiguos terratenientes que medraron al lado del alternativo vencedor, militares republicanos que se hicieron pagar sus «servicios» con tierras, y comerciantes, terratenientes y militares que acapararon tierra a través de los bonos de la deuda pública.

El Congreso de Angostura (1819) expidió una ley por la cual premiaba a los militares republicanos con propiedades nacionales en una escala que iba desde $500 para los soldados rasos, hasta $2.500 para un general en jefe. Páez, por ejemplo, obtuvo como bonificación una propiedad de $200.000 y Santander recibió la suya en un predio aledaño a Chiquinquirá. Pero si los generales podían hacer valer sus demandas ante el Congreso y recibían en ocasiones más de lo solicitado, los soldados tenían que resignarse a vender su magra bonificación, respaldada en «bonos de la deuda pública», por un porcentaje reducido de su valor nominal. «No fueron pocas las denuncias relativas a soldados que vendían sus derechos sobre las tierras de la nación por un 5% o menos de la cantidad que les era legalmente adeudada; muchas veces incluso este pago parcial se hacía en especie.»[1]

La compra de bonos depreciados y su ulterior conversión en tierras por su valor nominal dio lugar a que se concentrara aún más el dominio de millones de hectáreas en manos de unos pocos comerciantes y terratenientes.[2]

---

1. David Bushnell, *El régimen de Santander en la Gran Colombia,* p. 308.

2. Desde el punto de vista jurídico, las formas de adquirir el dominio de la tierra, en el período republicano, son descritas así: «Ya durante la República, la Ley 1 de octubre de 1821 derogó todas las normas españolas sobre adjudicaciones, pero reconociendo los derechos adquiridos. La adquisición de las tierras del Estado

Con motivo de los empréstitos ingleses muchos extranjeros obtuvieron ventajosa posición para adquirir tierra en grandes cantidades y por poco precio. El Congreso de 1823 expidió una ley por la que se autorizaba la distribución de 3.000.000 de fanegadas de tierra con el objeto de promover la inmigración. Al efecto se crearon varias compañías. Sobra decir que todas fracasaron por falta de inmigrantes. «Sin embargo, quien quiera que obtuviera los contratos generalmente tenía que obtener su capital en Londres para el efecto de traer los colonos y suministrarles lo necesario. Algunos especuladores nativos obtuvieron contratos con el simple propósito de transferir sus derechos a inversionistas ingleses y luego desligarse por completo del asunto. Los concesionarios tenían también la tendencia a combinar sus posesiones para conformar gigantescas corporaciones de mayor capacidad financiera o por lo menos especulativa. Una compañía nacional de colonización fue otorgada por un grupo de comerciantes bogotanos que reunían títulos sobre 500.000 fanegadas. En Londres, Goldschmidt and Company y otras firmas interesadas e incluso algunos miembros del parlamento concibieron y organizaron la Compañía Colombiana para la Agricultura y otros propósitos. Su presidente nominal fue Manuel José Hurtado y dijo poseer más de un millón de acres.»[3]

---

puede hacerse desde entonces por la venta, la prescripción, la ocupación o explotación económica (como fuera permitido también en la época colonial), así como por algunos títulos especiales que sustituyeron la merced o gracia. Para las ventas hubo precios inicialmente fijados en dinero y ya en 1836 se admitió el pago con títulos de deuda pública, principio que se mantuvo hasta 1912 cuando el código fiscal prohibió la enajenación de baldíos a título de venta. Desde 1882 se estableció la imprescriptibilidad de las tierras de baldíos contra el Estado; la ocupación seguida de explotación económica ha sido un sistema reconocido ininterrumpidamente desde 1821 y consiste en mantener casa y cultivo, pastos naturales o artificiales, cercamientos y ganados, etc., y requiere la formalidad de la adjudicación; a título especial se dieron tierras gratuitas y directamente como recompensa, a los militares de las guerras de la Independencia y de las guerras civiles, a los departamentos y a los municipios para ciertos servicios públicos o para el fomento de determinadas obras públicas.» Hernán Toro Agudelo, *Planteamiento y soluciones del problema agrario*, «Revista Universidad de Medellín», año IV, agosto de 1960, No. 7, p. 457.

3. David Bushnell, *op. cit.*, p. 71.

En los primeros tiempos de la República se pensó insistentemente en promover la inmigración de europeos y norteamericanos y se facultó al poder ejecutivo para que concediese a cada familia de inmigrantes hasta doscientas fanegadas de tierra. El extranjero que poseyese tierras en Colombia gozaba de ventajas especiales para obtener la nacionalización. La Ley 17 de septiembre de 1821 decía: «Art. 6. Los que adquieran en Colombia una propiedad raíz rural, cuyo valor libre alcance a $1.000, necesitarán de dos años de residencia continua para obtener carta de naturaleza; los propietarios de $2.000 en iguales términos, podrán naturalizarse, procediendo solamente la residencia de un año continuo; los casados con mujer nacida en Colombia tendrán derecho a la naturalización después de seis meses de residencia continua». «Art. 7. No necesitarán de residencia alguna para obtener carta de naturaleza en Colombia los que adquieran una propiedad territorial, en bienes rústicos, cuyo valor libre exceda de $6.000.»[4]

Resguardos y ejidos: la voracidad de comerciantes y terratenientes por las tierras de resguardo y las ideas liberales profesadas por muchos dirigentes del proceso de emancipación, confluyeron para que tan pronto se lanzó el grito de independencia la oligarquía criolla continuara con el proceso iniciado en el siglo XVIII tendiente a liquidar las comunidades indígenas. Sólo dos meses después de los acontecimientos del 20 de julio la Junta de Gobierno de Santafé decretó el repartimiento de las tierras de resguardo entre los indígenas, en proporción a sus familias. (Decreto de 24 de septiembre de 1810). Los acontecimientos de la guerra y la reconquista de Morillo no permitieron el cumplimiento de la disposición.

En el Congreso de Cúcuta (1821) se ordenó de nuevo la repartición de los resguardos. Once años después, en 1832, se volvió a ordenar el repartimiento pero se estableció que «ningún indígena podía vender la porción de tierra que se haya adjudicado antes del término de diez años sino en el solo caso de que haya de variar de domicilio. Posteriormente, en 1843 se extendió la prohibición de

---

4. Mauricio Salazar, *Proceso histórico de la propiedad en Colombia* (Bogotá, Editorial ABC, 1958), p. 260.

enajenar tierras de los resguardos a veinte años, hasta que vino el golpe definitivo con la Ley 22 de junio de 1850, por la cual se autorizó a las Cámaras de Provincia para disponer lo relacionado con la libre enajenación de los resguardos. «Obstáculos de índole diversa se presentaron para el cumplimiento de tales leyes. Los terrenos de comunidad habían sido dados en arrendamiento por los indígenas y cuando la ley ordenó que se repartiesen, no había en muchos casos expirado el plazo de los respectivos contratos; y por no verse envueltos en litigios referentes a mejoras o a la indemnización de los daños y perjuicios que los arrendatarios les exigían, los indios se oponían al reparto.

«Las tierras que constituían los resguardos no eran todas de una misma calidad, y al paso que eran unas propias para el cultivo, otras sólo servían para el pastoreo de ganado. Algunas familias habían construido sus habitaciones en los terrenos comunes y habían plantado en ellos sus huertos. No se resignaban a abandonar aquello que tenían por suyo y a trasladarse a las juntas que les designase el sorteo.»[5]

No obstante el marcado interés de los terratenientes por ensanchar sus predios a costa de las tierras de resguardo y de obtener mano de obra indígena barata, privándolos de la tierra y del afán de los comerciantes para acabar con estos reductos de «economía natural» en beneficio del país, vacilaron por cuatro decenios en llevar a efecto cumplido la liquidación de los resguardos, movidos por el temor a las consecuencias que podrían derivarse de la medida.

El golpe de gracia dado a los resguardos en 1850 se hizo con la mayor sutileza y en nombre de la libertad. Se adujo por la clase dominante que todos los colombianos —incluso los indígenas— eran ciudadanos iguales ante la ley y con los mismos derechos y obligaciones, motivo por el cual los ciudadanos indios no debían ser recortados en el derecho más preciado que es el de la propiedad privada. En consecuencia, los resguardos se debían repartir entre los indígenas

---

5. Diego Mendoza, *Ensayo sobre la evolución de la propiedad en Colombia*, «Revista de la Academia Colombiana de Jurisprudencia», Bogotá, año XVI, diciembre de 1942, No. 145-146, p. 30.

y debía permitirse a éstos la libre disposición sobre los lotes adjudicados. Enseguida vinieron las presiones y en masa los indígenas salieron a vil precio de las parcelas recién adjudicadas para vivir las delicias de la igualdad ante la ley y los beneficios de una libertad tan real que hasta llegó a liberarlos de toda propiedad sobre la tierra.

Durante gran parte del período colonial, en el que había una economía relativamente cerrada en el centro del país, el Estado español estaba esencialmente interesado en la capacidad tributaria de los indígenas y esta política no pugnaba, sino que por el contrario se complementaba, con la protección de los resguardos. Pero a partir de la Independencia se desarrolló el sector de la burguesía comerciante que estaba interesado en quebrar instituciones que como los resguardos no eran compatibles con sus intereses. Así, por ejemplo, al liquidarse los resguardos se comercializó la tierra, se vinculó la población indígena a la economía monetaria, hubo provisión de mano de obra «libre» no sólo para las haciendas del altiplano sino también para las nuevas tierras que se estaban cultivando con tabaco, destinado a la exportación, en la región del Tolima. Con la quiebra de los resguardos el latifundio prosperó al ampliarse territorialmente a costa de los lotes adjudicados a los indígenas pero, sobre todo, contó con mano de obra asalariada y con agregados, aparceros, arrendatarios, etc. A su vez, este abaratamiento de la mano de obra contribuyó aún más a hacer antieconómica la esclavitud y a precipitar su supresión.[6]

En casi todo el país los resguardos desaparecieron a partir de 1850. Subsistieron en el sur de Colombia, especialmente en Nariño y Cauca. La supervivencia de los resguardos en el sur se debió en gran parte a que el desarrollo capitalista de la región fue menor que en el resto del país y a que sobre todo en el caso de Nariño, por la carencia de vías de comunicación, no se produjeron cultivos para la exportación. «Todavía en 1928 los 88 resguardos que subsistían en el departamento de Nariño (en las tierras altas) ocupaban cerca de 70.000 hectáreas, extensión grande en relación con el área de la

---

6. Estanislao Zuleta, *Conferencias de economía colombiana* (Medellín, Centro de Investigaciones Económicas, 1969), p. 46.

región.»[7] La comercialización de productos como la papa, sobre todo con la apertura de la carretera hacia el interior, la presión sobre la tierra por la cantidad de población y la voracidad de las clases dominantes amparadas por el Estado, confluyeron para decidir la lucha de 120 años, en contra de los resguardos en Nariño. «Parece que los primeros resguardos extinguidos por el gobierno fueron los del Valle de Atriz en los alrededores de Pasto, empezando en 1940 la aplicación del Decreto-ley 1421 del mismo año. Se recurrió entonces a un fácil recurso que tiene su base en nuestro absurdo sistema de registro y titulación de bienes: para proceder legalmente, las autoridades declaraban que el resguardo de indígenas dejaba de existir por carecer de titulación necesaria, es decir, por ser imposible encontrarla en las notarías; por lo mismo, las tierras se consideraban como baldías y los indígenas como simples ocupantes o colonos a quienes se les podía reconocer lo que tuviesen cultivado y otro tanto si lo hubiese.»[8]

La reciente quiebra de los resguardos en Nariño implicó profundas modificaciones en la estructura social y contribuyó a agravar los problemas del minifundio. Algunos casos descritos por Fals Borda son ilustrativos a este respecto: «El primero de ellos era el de Anganoy, extinguido en 1948 por insistencia del propio gobernador de indígenas, quien amenazó a éstos con la expropiación si no aceptaban la parcelación. El resguardo ya era pequeño: en efecto, no alcanzaba sino al ámbito del pueblo y a algunas tierras adyacentes, pues las haciendas vecinas habían sido incorporadas a los lotes. No es sorprendente entonces que las parcelas resultantes en el reparto fuesen hasta de 500 a 700 metros cuadrados, formando así minifundios antieconómicos. Ultimamente ha habido cierta tendencia a la concentración de propiedades en lo cual están interviniendo algunos blancos y el mismo gobernador.»

7. Luis Ospina Vásquez, *Industria y protección en Colombia* (Medellín, Editorial Santa Fe, 1955), p. 19.

8. Orlando Falls Borda, *El vínculo con la tierra y su evolución en el departamento de Nariño.* «Revista Academia Colombiana de Ciencias», Bogotá, Vol. X, No. 41, p. 9.

«El resguardo de Obonuco fue extinguido en 1947 porque no se pudo encontrar ningún título en Quito ni en Pasto. Las 70 hectáreas que quedaban fueron divididas entre 200 familias, quedándose muchas de ellas sin recibir nada, por ser físicamente imposible acomodarlas. Los lotes iban de un tercio de hectárea a una hectárea para constituir propiedades que, es mucho advertirlo, se han seguido subdividiendo entre los herederos. Recientemente se repartió uno de estos lotes, quedándole a cada uno de los herederos una porción de 8 metros de frente por 80 de largo. El resguardo de Jongovito, de 84 hectáreas, fue repartido entre algo más de 100 familias en 1949, por insistencia del propio gobernador Alejandro Tulcán, resultando lotes de un cuarto de hectárea a una hectárea. Del resguardo de Gualmatán, extinguido en 1951 con la aprobación del cabildo presidido por Faustino Maigual, resultaron parcelas de media hectárea, algunas hasta de tres hectáreas. Era tal la presión por la tierra disponible, que en Gualmatán ocurrió una importante cadena de crímenes y de conflictos entre los mismos indígenas.»[9]

En el departamento del Cauca, en donde existen comunidades indígenas con su cultura autóctona y en donde no hay tanta presión sobre la tierra, es donde actualmente subsiste el mayor número de resguardos de indígenas. En 1954 había en este departamento 54 resguardos según enumeración que hizo Marino Balcázar Pardo en un libro que lleva el sugestivo título de *Disposiciones sobre indígenas, baldíos y estados antisociales* (*vagos, maleantes y rateros*).[10]

LOS EJIDOS

A diferencia de los resguardos, que eran tierras comunales exclusivas para los indígenas, o de otras instituciones en las que se combinaron elementos de instituciones españolas con elementos de

---

9. Orlando Falls Borda, *op. cit.*, p. X.

10. Marino Balcázar Pardo, *Disposiciones sobre indígenas, baldíos y estados antisociales* (*vagos, maleantes y rateros*). (Popayán, Editorial Universidad del Cauca, 1954), p. 5.

las sociedades encontradas por los europeos en América, el ejido era una institución típica de la sociedad feudal europea. En España funcionaron desde el Medioevo.

En términos generales puede decirse que los ejidos eran tierras que pertenecían en comunidad a los vecinos de una población para que se beneficiaran de ellas, pastando ganados, sacando leña, etc. Por lo regular eran tierras que circundaban a las poblaciones pero en ocasiones quedaban alejadas de ellas, como fue el caso de las vegas en Rionegro, dadas como ejidos a la población de Santafé de Antioquia.

Tan pronto se inició la conquista y colonización de América los monarcas españoles dispusieron por real cédula de 29 de mayo de 1525 que en cada nueva población se debían dejar terrenos suficientes para solares de los vecinos y ejidos en los que pudieran pastar ganados y una provisión de tierras que consultara las necesidades de un crecimiento futuro.[11]

---

11. La recopilación de las Leyes de Indias decía en el tomo IV, libro III, título VII, Ley XIII: «Los exidos sean en tan competente espacio, que si creciere la población quede siempre bastante espacio, para que la gente se pueda recrear, y salir los ganados sin hacer daño» (ordenanza de Felipe II). En cuanto a los bienes comunales establecía la Ley XIV: «Habiendo señalado competente cantidad de exido para la población y su crecimiento, en conformidad de lo poseído, señale los que tuvieran facultad para hacer el descubrimiento y nueva población, dehesas, que confinen con los exidos en que pastar los bueyes de labor, caballos y ganados, de la carnicería, y para el número ordinario de los otros ganados que los pobladores por ordenanza han de tener, y alguna buena cantidad más que sean propios del Concejo y lo restante en tierras de labor, en que hagan suertes y sean tantas como los solares, que puede haber en la población, y si hubieren tierras de regadío así mismo se hagan las suertes, y repartan en la misma proporción a los primeros pobladores, y los demás queden baldíos, para que nos hagamos merced a los que de nuevo fueren a poblar; y de estas tierras hagan los virreyes separar los que parecieren convenientes para propios de los pueblos, que no los tuvieren de que se ayude a la paga de salarios de los corregidores dexando, exidos, dehesas y pastos bastantes, como está proveído, y así lo executen» (ordenanza de Carlos V y Felipe II).

«La dehesa, era un cinturón de montes, campos y aguas que se demarcaba después de los ejidos, también de uso común, donde los vecinos podían echar sus ganaderías e incluso hacerles corrales; con frecuencia se le confundía con los ejidos, y de hecho se le identificaba, empero ni en uno ni en otro se podía cultivar o edificar, hacerlo era delito con gran rigor visto por la ley.» Según dice Gustavo Espinoza, quien más adelante anota: «Y los bienes de propios, pertenencia

A medida que la tierra fue acaparada por unos pocos propietarios, tal como lo hemos venido describiendo, su escasez se hizo más notoria y la necesidad de uso de los ejidos por parte de la población pobre, para obtener algunos ingresos suplementarios, se agudizó. Como los ejidos por lo común estaban ubicados cerca de las poblaciones, sus terrenos se valorizaron y tentaron la codicia de los terratenientes, que procedieron a correr cercas y a agrandar sus propiedades a costa de los terrenos comunales. Para finales del siglo XVIII en la región del Valle del Cauca y especialmente en Cali, comenzó a vivirse una dramática lucha entre vecinos pobres de la ciudad que pretendían retener las tierras que les pertenecían y los terratenientes que en forma ilegítima ensancharon sus predios con estas valiosas propiedades. Por providencias virreinales se había dispuesto en 1776 y 1779 que se adjudicara para ejidos, dehesas y propios de la ciudad de Cali «la extensión que se creyera conveniente de las tierras comprendidas entre los ríos Cauca y Piedras, Sierra Occidental y goteras de la ciudad y pueblo de Anaconas.»[12] Empero, los terratenientes se negaron a cumplir las disposiciones oficiales y retuvieron para sí los terrenos comunales. La lucha quedó latente hasta que estalló con todo vigor dentro del proceso revolucionario que se manifestó en la mitad del siglo XIX. En 1848 por orden del gobierno granadino se siguió un juicio sobre los expresados ejidos y el juez declaró que debía darse posesión al personero municipal de las tierras usurpadas por los terratenientes. No obstante la sentencia pronunciada con todas las formas legales, muchos terratenientes se resistieron hasta que las masas apoyadas

exclusiva de las villas, administrados por las autoridades del lugar en beneficio directo de éstas y que podían ser tierras, o grupos de esclavos, o ingresos por concepto de 'penas de cámara' —especie de multa—; su producto lo empleaba el gobierno municipal en atender exigencias de suyo públicas o administrativas, explotándolos directamente o alquilándolos a particulares por remate». Gustavo Espinoza, *Los bienes comunales: su origen, variedad y trayectoria en la legislación española antigua y colombiana.* Revista Estudios de Derecho, año XX, segunda época, septiembre, 1959, Vol. XVIII, No. 56, pp. 177 y 178.

12. José Manuel Restrepo. *Historia de la Nueva Granada* (Bogotá, Editorial El Catolicismo, 1963), p. 170.

por el gobernador, procedieron a hacer valer sus derechos. «El astuto gobernador Mercado que deseaba oprimir y vejar a los vecinos ricos de Cali, que por lo general eran conservadores (léase terratenientes) se apoderó inmediatamente de esta cuestión. Tanto por sí como por medio de sus agentes confidenciales, inspiró a sus copartidarios y a las masas ignorantes del pueblo, odio contra los ricos a quienes caracterizó de tiranos y opresores de los pobres; añadiendo que tenían usurpadas las tierras comunales de los ejidos, dehesas y propios mandatos a entregar a la ciudad, para que los pobres tuvieran dónde mantener sus ganados, caballerías y demás animales domésticos. Tales predicaciones e insinuaciones malignas causaron en breve un incendio y desórdenes terribles en las masas ignorantes. Estas, conducidas por jefes de su misma clase, y azuzadas por liberales de alcurnia más elevada, comenzaron a poner en planta un sistema vandálico de destrucción.» Así lo relata el aristocrático José Manuel Restrepo, contemporáneo de los acontecimientos.[13, 14]

El gobierno liberal, que para la época encarnaba los intereses de la clase comerciante y que venía actuando en forma sistemática contra las estructuras de la economía colonial (supresión de la esclavitud, de resguardos, de censos, etc.), no procedió consecuentemente en el sentido ideológico propiciando la disolución de los ejidos, sino que por el contrario y con el objeto de buscar piso político entre las masas apoyó su conservación. «En teoría, los liberales fueron inconsecuentes al defender la estructura colonial de la propiedad en el Cauca, pero en la práctica fueron consecuentes, pues sólo estaban interesados en las reformas económicas que be-

---

13. José Manuel Restrepo, *op. cit.*, p. 170.

14. «En una antigua obra titulada *Breve reseña histórica de los acontecimientos políticos de la ciudad de Cali*, encontramos los siguientes comentarios relativos al problema que venimos analizando: 'el pueblo tampoco estaba pobre, pues aseguraba su subsistencia y aún tenía algo de abundancia con la inmemorial posesión de las tierras circunvecinas, que por tradiciones antiguas se sabía que eran ejidos, dehesas y propios de la ciudad, pero no había un título escrito; pues aunque se decía vulgarmente que existían documentos se ignoraba absolutamente su paradero; mas el pueblo los disfrutaba y tenía pan y esto bastaba para que se apercibiera poco de los demás. Con estos medios, los hacendados de las inmediaciones

neficiaran a la burguesía liberal. Y la eliminación de los ejidos en Cali y Palmira, a diferencia de la destrucción de los resguardos de indígenas del centro de la República, no le interesaba a la burguesía, pues sólo beneficiaba a los terratenientes conservadores.»[15]

De hecho muchos terratenientes se habían apoderado en todo el país de los bienes comunales. De derecho la Ley 20 de abril de 1850 sobre «Descentralización de algunas rentas y gastos públicos y sobre organización de la renta nacional» sirvió de base para que las cámaras de provincia y los cabildos dispusieran de estos bienes en beneficio también de los terratenientes.

En el siglo XIX fueron suprimidos prácticamente todos los ejidos en Colombia. Subsistieron y subsisten donde eran imprescindibles para la conservación del latifundio, como en el departamento del Cesar y algunas otras regiones de la Costa Atlántica en donde las tierras se inundan en invierno y es necesario dejar predios comunales libres para sacar el ganado. Sólo allí en donde el interés de los terratenientes coincidía con el «interés público» se preservaron los ejidos.

LA «REFORMA AGRARIA» DE 1850

A mediados del siglo XIX las estructuras coloniales sufrieron un fuerte embate. En la lucha de clases llevada a cabo por comerciantes y artesanos, en un comienzo unidos contra los latifundistas, los pilares de la propiedad territorial fueron sacudidos. Ya hemos visto lo que aconteció con resguardos y ejidos, pero además ciertas cargas que pesaban sobre la propiedad territorial como el diezmo y los censos fueron liquidados, y la esclavitud, base de la producción en ciertas regiones, también lo fue.

---

comenzaron a cercar todas las tierras que el pueblo poseía, reduciendo a callejones las inmensas llanuras y bosques en que pastaban los ganados y bestias de la multitud, y de donde sacaban leñas, maderas de construcción y otras materias con que trabajaban'.» Citado por Indalecio Liévano Aguirre, *Rafael Núñez* (Bogotá, Segundo Festival del Libro Colombiano), p. 55.

15. Miguel Urrutia, *Historia del sindicalismo en Colombia* (Bogotá, Ediciones Universidad de los Andes, 1969), p. 68.

Ya desde el año de 1824 se había suprimido en Colombia el mayorazgo que limitaba la libre enajenación de las propiedades territoriales y por medio del cual los bienes inmuebles pasaban indivisos del padre al hijo mayor.

Los *diezmos*, que consistían en una contribución de carácter eclesiástico, eran recaudados y percibidos por el Estado en virtud del patronato eclesiástico heredado por la República, circunstancia por la cual el agricultor que se negaba a pagarlo estaba compelido no sólo por las penas de la otra vida sino por la real coacción del Estado. El diezmo pesaba fuertemente sobre todos los agricultores tanto pobres como ricos y su supresión por la Ley 20, de abril de 1850, en última instancia favoreció al latifundio.

El *censo*: «Es una carga patrimonial que gravitaba sobre las propiedades territoriales urbanas y rústicas. Los edificios también podían estar gravados con censos más o menos cuantiosos. El censo se transmitía con las propiedades. Era, o concedía un derecho real que como tal no estaba limitado a una precisa y determinada relación personal. El censatario era el nombre de la persona sobre la cual pesaba el gravamen; y censualista el de la persona que disfrutaba agradablemente del censo. La propiedad gravada —finca rural o edificio— se llamaba finca acensuada.»[16]

Del funcionamiento del censo surge el que fuera un obstáculo para el desarrollo de la agricultura neogranadina, pero su eliminación por medio de la Ley 30, de mayo de 1850, que autorizaba al poder ejecutivo para redimirlos no hizo más que favorecer al latifundio. «Dicha supresión, como la de los diezmos, producirá cierto alivio en el latifundio neogranadino. Este recibirá un nuevo apoyo a su conservación en la destrucción de los censos. Si bien es cierto que no se sabe cuántas grandes propiedades estaban sometidas a censos en los momentos en que se decretó la redención voluntaria de los mismos en el Tesoro Nacional.»[17]

---

16. Luis Eduardo Nieto Arteta, *Economía y cultura en la historia de Colombia* (Bogotá, Ediciones Tercer Mundo, 1962), p. 147.
17. Luis Eduardo Nieto Arteta, *op. cit.*, p. 152.

Esclavitud: En la Nueva Granada los propietarios utilizaron la mano de obra indígena preferentemente, pero en las regiones donde ésta era escasa o había sucumbido por lo intenso de la explotación, bien pronto fueron introducidos los esclavos a trabajar en diferentes renglones, especialmente en minería pero también, en grado importante, en la agricultura. «Las haciendas de ganado y labranza de la Costa Atlántica, del Cauca y del Valle, y los trapiches productores de panela, miel y azúcar del oriente colombiano se movían con trabajo esclavo. En la visita que efectuó el oidor Jacinto de Vargas Campuzano a las regiones de Vélez, Moniquirá, Oiba, Onzaga y otros pueblos de Boyacá y Santander en el año de 1670, para verificar las condiciones de vida de los indígenas y examinar si éstos eran usados como esclavos en el trabajo de haciendas y trapiches, registró la existencia de 53 propietarios que utilizaban 482 esclavos 'negros, mulatos y pardos'. También encontró que se empleaban numerosos peones y concertados, mestizos y blancos y que un número considerable de trapiches era explotado únicamente por la familia de sus propietarios. La mayor parte de estos trapiches eran pequeños, pues sólo se encontró 13 propietarios que poseyeran más de 15 esclavos... También la producción de dulce de las tierras calientes de Cundinamarca se hacía sobre todo a base de los esclavos. El 5 de enero de 1736, un grupo de propietarios de trapiches de los pueblos de Pacho, Vélez y Tocaima se dirigieron al oidor Cabrera y Dávalos solicitando la eliminación de la multitud de trapiches que emplean menos de 10 esclavos... Los trapiches de caña, hatos de ganado y haciendas de labranza de la Costa Atlántica eran trabajados casi en su totalidad por esclavos.»[18]

Los indígenas en estado semiservil por medio del trabajo en encomiendas y mitas en los primeros siglos de la Colonia y luego como peones, arrendatarios y aparceros sobre todo a partir del ataque a los resguardos en el siglo XVIII, así como una gran cantidad de mestizos e inmigrantes pobres explotados en la misma forma, consti-

---

18. Jaime Jaramillo Uribe, *Ensayos sobre historia social colombiana* (Bogotá, Universidad Nacional de Colombia, 1968), pp. 23-24.

tuyeron con los esclavos la mano de obra trabajadora en el período colonial. Para el siglo XIX la esclavitud se hizo antieconómica y de allí que hubiese sido liquidada, no obstante los argumentos presentados por algunos terratenientes esclavistas en contra de la medida.[19]

«Cuando se hallaba reunido el Congreso de Cúcuta (1821) y se discutía la ley de manumisión de partos, José Jerónimo Torres consideraba que había en la Gran Colombia 90.000 esclavos, que avaluados a un promedio de 200 pesos representaban un capital de 18.000.000. Consideraba además, que no existían en la Nueva Granada riqueza general o individual, ni establecimiento común o particular, piadoso o literario cuyas rentas no vinieran directa o

---

19. «Sin embargo, en aquel ambiente de acuerdo general sobre la eliminación de la esclavitud no faltaron voces aisladas que defendieran los derechos de los propietarios y proclamasen la licitud de la institución. Citando el Evangelio —Exodo, Cap. 21 y Epístola de San Pablo a los efesios— un grupo de propietarios de esclavos de la ciudad de Cali, entre los cuales se contaba el presbítero Gregorio Camacho, proclamaba que la esclavitud estaba apoyada por los 'libros sagrados'. El 12 de marzo de 1874, circulaba en la mencionada ciudad una hoja impresa cuyo texto central reproducimos a continuación:

Esclavitud. Está apoyada en los libros sagrados. Exodo, Capítulo 21: 2. 'Si comprares un siervo hebreo, te servirá seis años; en el séptimo saldrá libre de balde. 4. Mas si su señor le hubiere dado mujer, y hubiese parido hijos e hijas, la mujer y sus hijos serán de su señor y él saldrá con su vestido. 20. El que hiriere a su siervo con palo y muriese entre sus manos será reo de crimen; 21. Pero si sobreviviese uno o dos días, no quedarán sujetos a pena alguna; porque dinero suyo es'.

'San Pablo en su carta a los efesios, Cap. 6: 5. Siervos, obedeced a vuestros señores temporales con temor y con respeto en sencillez de vuestro corazón como a Cristo. 6. No sirviéndoles al ojo, como por agradar a los hombres, sino como siervos de Cristo haciendo corazón la voluntad de Dios'.

'Los textos que anteceden (tomados de la traducción del P. Scio.) y otros muchos de que están llenas las escrituras sagradas, comprueban que la dominación sobre los esclavos no es un robo como atrevidamente dijo Sismondi citado por el periódico *Libertad y Orden* No. 50 de 14 de febrero próximo pasado. ¿Aconsejaría San Pablo a los esclavos que obedecieran a sus señores temporales con amor y con respeto como a Cristo si fueran ladrones? ¿No levantarían su voz, por el contrario, el santo apóstol y los demás autores sagrados, contra esa numerosa clase de malvados? ¿Por qué no hablaron, por qué guardaron silencio profundo sobre negocio tan importante? Provocamos que se nos conteste. Cítese un solo texto, una sola doctrina de un santo padre, o de algún moralista ilustrado

indirectamente del trabajo de los esclavos... En el momento de producirse la abolición definitiva (21 de mayo de 1851), había en la Nueva Granada 16.468 esclavos.»[20]

El latifundio obviamente se beneficiaba con la esclavitud, por eso la decisión de abolirla o golpearla, pues aunque la medida no lo atacaba de frente reduciendo su extensión, le quitaba base de mano de obra. Una carta de Joaquín Mosquera a Rufino Cuervo, fechada el 14 de enero de 1852, nos da cuenta de los trastornos producidos por la medida de emancipación. «Hasta hoy no ha producido desorden la libertad general de esclavos, pero preveo dificultades alarmantes porque algunos genios malévolos les aconsejan que no se concierten con sus antiguos amos, ni salgan de las tierras, para apoderarse de ese modo de las propiedades. Sé que el señor Arboleda (Manuel) ofreció a los suyos tres reales diarios para continuar trabajando en sus haciendas de caña, y no ha admitido uno solo tan ventajosa propuesta...» Y poco más tarde, el 7 de abril de 1852, le vuelve a escribir: «La libertad simultánea de

---

que apoye la temeraria e injuriosa opinión que la dominación sobre los esclavos es un robo. Estamos seguros que no se aducirá uno solo; y confiamos que el editor del ilustrado periódico *Libertad y Orden* reconocerá la temeridad, el agravio manifiesto que irrogó a un crecido número de ciudadanos honrados dueños de esclavos y a naciones enteras ilustradas que se sirven de ellos, cuando profirió que no tienen religión, ni piedad, ni pueden ser buenos cristianos los dueños de esclavos. Entre estas naciones contamos a los ilustrados norteamericanos que tienen más de un millón de esclavos y a las repúblicas de México, Perú, Chile y Buenos Aires, que respetando el derecho de propiedad sobre los esclavos, no han seguido el ruinoso y precipitado ejemplo de los legisladores colombianos, que decretaron la libertad de los partos sin ninguna indemnización'.
Cali, 6 de marzo de 1847.
'Los que suscribimos somos dueños de esclavos, tenemos religión, piedad y podemos ser buenos cristianos.
Vicente Borrero, José Antonio Borrero, Pbro. Gregorio Camacho, Juan de Dios Barrero, Jorge Enrique Isaza, Manuel M. Barona, José María Cuervo Caicedo, Vicente Holguín, Francisco Velilla, Juan A. Sánchez, Miguel José Espinoza, Blas Vergara, José M. González, Santos Martínez, Ramón Sinisterra, Paulino Córdoba, Tomás Fernández de Córdoba, Manuel José Caicedo, Francisco Caicedo, Pedro Ignacio Vergara. Impreso por Vicente Aragón, Cali, 12 de marzo, 1847.» Jaime Jaramillo Uribe, *op. cit.*, pp. 263-264.
20. Jaime Jaramillo Uribe, *op. cit.*, p. 240.

los esclavos ha hecho por allá (se refiere a Caloto) el efecto que hace un terremoto en una ciudad cuando la derriba.»[21]

Desamortización de bienes de manos muertas: La última medida dentro de la «reforma agraria» de mediados del siglo XIX la ejecutó Tomás Cipriano de Mosquera en el famoso decreto de 9 de septiembre de 1861 cuyo artículo primero decía: «Todas las propiedades rústicas y urbanas, derechos y acciones capitales de censos, usufructos, servidumbres u otros bienes, que tienen o administran como propietarios, o que pertenezcan a las corporaciones civiles o eclesiásticas y establecimientos de educación, beneficencia o caridad, en el territorio de los Estados Unidos (de Colombia) se adjudican en propiedad a la nación por el valor correspondiente a la renta neta que en la actualidad producen o pagan, calculada como rédito al 6 por ciento anual; y reconociéndose en renta sobre el Tesoro al 6 por 100.»

Durante siglos los fieles habían transferido a las comunidades religiosas gran cantidad de bienes o sus rentas para que éstos cumplieran determinadas tareas de beneficencia o de culto. Dichas propiedades, por estar destinadas al cumplimiento de ciertos fines, no podían enajenarse, ni motivaron un incremento del rendimiento por las comunidades que tenían su usufructo. Si a esto añadimos que según cálculos de la época el patrimonio territorial de las comunidades religiosas abarcaba la tercera parte de la propiedad raíz de la nación[22], nos daremos cuenta de cómo esa situación de «manos muertas» entorpecía el desarrollo agrícola del país.

La desamortización de bienes de la Iglesia fue una medida que tomaron las burguesías liberales de Europa y América para quebrar los rezagos aún vigentes de situaciones feudales e impulsar el capitalismo en el campo, al hacer negociables las tierras antes inmovilizadas. Bien es cierto que «la desamortización de bienes de manos muertas» fue en la intención de Mosquera un recurso fiscal extraordinario para aliviar al Tesoro Público en una época de crisis

---

21. Germán Colmenares, *Partidos políticos y clases sociales* (Bogotá, Ediciones Universidad de los Andes, 1968), p. 71.

22. Indalecio Liévano Aguirre, *El proceso de Mosquera ante el Senado* (Bogotá, Editorial Revista Colombiana, 1966), p. 49.

gravísima, y sólo secundariamente una medida contra el latifundio. El Estado tenía grandes deudas y era necesario pagarlas inmediatamente,[23] pero en el forcejeo posterior con los tenedores de la deuda pública que querían acaparar los bienes sacados a remate se fue afianzando en Mosquera y sus colaboradores la idea de hacer una parcelación de la propiedad que facilitara la creación de una serie de propietarios medios.

Como triunfaron los intereses de los comerciantes y de los generales liberales, la propiedad no se dividió y antes por el contrario el latifundio se afianzó trastocándose de religioso en seglar. Empero, la situación no fue la misma en todas las regiones del país y de la forma como fueron repartidos los bienes de manos muertas se derivaron consecuencias importantes para el rumbo que tomó la propiedad rural en Colombia según las regiones.

Observaba Diego Mendoza en 1897 que «la propiedad raíz está menos dividida en Boyacá y Cauca que en Antioquia y Santander. La causa de este fenómeno es, en nuestra opinión, que los bienes de manos muertas con un valor total de $2.558.885, pasaron, sin partirse de unas manos a otras en los dos primeros departamentos, a tiempo que en los otros dos, menos poblados, tales bienes no alcanzaron a sumar sino $1.259.003 y se remataron, dividiéndose. Esto de un lado; de otro, la esclavitud echó hondas raíces en el Cauca, y el reclutamiento diezma, en la paz y en la guerra, la población indígena en Boyacá.»[24] Aunque no fueron las únicas causas, es claro que las enumeradas por el autor contribuyeron a estructurar de manera diversa las formas de propiedad en el país. Razones históricas, como la extinción de la mano de obra indígena y la lejanía de los centros de mercado por carencia de vías de comunicación, que no permitieron la gran plantación esclavista, habían condicionado la proliferación de la mediana propiedad en Santander. Desde el período colonial en Antioquia, por ejemplo, como la Iglesia «era dependiente de las diócesis de Popayán y Cartagena, a donde fluían

---

23. Indalecio Liévano Aguirre, *Rafael Núñez* (Bogotá, Segundo Festival del Libro Colombiano), p. 88.
24. Diego Mendoza, *op. cit.*, p. 33.

hasta el fin del período colonial los diezmos percibidos en la provincia, se dificultó el florecimiento de los latifundios eclesiásticos.»[25]

Desde el momento en que los bienes expropiados fueron sacados a remate en forma indivisa es innegable que el beneficio fue para los acaudalados, especialmente los comerciantes liberales que se apoderaron en forma legal de los bienes eclesiásticos. La operación se facilitó en las regiones en las que la Iglesia tenía más bienes y en donde los gobiernos de los Estados siguieron siendo liberales: en los sitios en que no fue así, como en Antioquia, en donde durante gran parte del período de los Estados Unidos de Colombia hubo gobierno conservador, la situación fue diversa. «A fin de propiciar una mejor comprensión de este aspecto enunciado, nos permitimos señalar cómo en la distribución general de la propiedad colombiana, hubo de tener extraordinaria incidencia el efecto que produjo la desamortización de manos muertas que empezó a desarrollarse consumado el triunfo de la revolución del general Mosquera, y ello especialmente en los Estados que pasaron a tener una permanente composición política homogénea con el gobierno nacional, a partir de 1862, como el Cauca, Boyacá, Bolívar, Magdalena y Santander. Especialmente en los tres primeros ocurrió una monstruosa especulación de tales bienes a cambio de bonos depreciados de deuda pública, por parte de magnates u oligarcas políticos de entonces, a quienes fue fácil efectuar una desproporcionada concentración de tierras en sus manos, estableciendo con ello lo que luego Aníbal Galindo llamó la 'enfeudalización' del dominio agrario, enfeudalización que subsiste hoy en buena proporción de los departamentos del Cauca, Bolívar, Huila, Magdalena, Atlántico y alguna parte de Boyacá.»[26, 27]

En términos generales, con la desamortización la tenencia de tierra en Colombia no varió, simplemente se golpeó el latifundio

---

25. Alvaro López Toro, *Migración y cambio social en Antioquia durante el siglo XIX* (Bogotá, Centro de Estudios sobre Desarrollo Económico, Universidad de los Andes, 1968), p. 9.

26. Mardonio Salazar, *Proceso histórico de la propiedad en Colombia* (Bogotá, Editorial ABC, 1948), p. 345.

27. En Boyacá, por ejemplo, «parece que no hubo subdivisión de estas grandes propiedades», se vendieron así como se recibieron, y por lo tanto sólo los

clerical en beneficio del latifundio laico que se afianzó; más importantes quizá fueron las consecuencias en el ámbito político, en la
medida en que los comerciantes liberales que habían tomado actitudes radicales en 1849, se hicieron dueños de la tierra por remate,
lo que suprimió toda real o supuesta contradicción con los terratenientes conservadores, constituyéndose todos en una oligarquía comerciante-terrateniente que facilitó la entrada de Rafael Núñez al poder
como personero de una coalición que encarnaba los intereses de la
oligarquía conservadora con los intereses de un sector del liberalismo comerciante-terrateniente. Acá también quizás se encuentre
la clave de la conducta ulterior de un sector «oligárquico» del liberalismo y sobre todo su actuación ambigua en las guerras civiles.

Crítica de la «reforma». Los acontecimientos del medio siglo
no modificaron las estructuras agrarias. El latifundio subsistió y
aun se fortificó. Los indígenas arrojados de los resguardos se constituyeron en peones o agregados y los esclavos liberados también.
Es por eso de entera validez la evaluación que de la «reforma
agraria» de mediados del siglo XIX hace Nieto Arteta. «La reforma agraria iniciada en 1850 es una reforma parcial: no elimina
drásticamente el latifundio, lo deja subsistir y es una reforma compleja; impone algunas medidas legales o fiscales que favorecen también a los latifundistas, en cuanto eliminan las cargas fiscales y de otra
índole que gravitan sobre la propiedad territorial. A ese grupo
corresponden la eliminación de los diezmos y la redención de los censos.
De manera que no se podría decir, esquemática y unilateralmente,
que la reforma agraria de 1850 sea una reforma que tienda a la

---

pudientes las compraron. Así, una de las consecuencias de este decreto fue simplemente el aumento del número de latifundios y haciendas en propiedad absoluta. Tal fue el caso del Territorio Vásquez, por ejemplo, que incluía dos inmensas
capellanías de las iglesias llamadas Guaguaquí y Terán, vendidas a Lucrecio Salcedo y a José María Peralta en 1865 y 1866. «Estas inmensas haciendas que
incluían casi todo el espacio entre Santander y Cundinamarca sobre la vertiente
de los Andes llegando hasta el río Magdalena, fueron compradas más tarde por la
Texas Petroleum Company. Entonces, como hoy, estaban ocupadas por colonos,
es decir, por habitantes sin título legal.» Orlando Fals Borda, *El hombre y la
tierra en Boyacá*, p. 101.

destrucción revolucionaria del latifundio. Es una reforma compleja, como compleja y enmarañada era la economía agrícola que España había legado a la Nueva Granada. Fue que se temieron las consecuencias de una reforma agraria decididamente antilatifundista. Los hombres de 1850 no fueron revolucionarios ante el latifundio. Fueron pusilánimes y temerosos... Se limitaron los teóricos liberales a la supresión del latifundio confesional —desamortización de manos muertas— pero retrocedieron ante el latifundio laico.»[28]

LA COLONIZACIÓN ANTIOQUEÑA

La colonización antioqueña fue un acontecimiento fundamental para el desarrollo del país en la medida en que contribuyó a la acumulación de capital por parte de los comerciantes del café, a la ampliación del mercado y al suministro de mano de obra, elementos que propiciaron el surgimiento de la industria en el siglo XX. Con todo, se ha querido hacer una mistificación de este episodio y con una especie de chauvinismo parroquial se exaltan los valores de la «raza antioqueña», el espíritu emprendedor y el amor al trabajo de los antioqueños, etc., olvidando que éstos no son elementos naturales sino históricos y que en Antioquia hubo de pasarse de una situación de profundo atraso a un desarrollo relativo y que la práctica de amor al trabajo, por ejemplo, no alcanzó a ser observada en el siglo XVIII por los visitantes de la provincia que se quejaban de la abulia y de la vagancia de sus habitantes.

En Antioquia la agricultura durante la Colonia era un sector que seguía los pasos de la minería. Dondequiera se encontraba oro en cantidad se iniciaban los plantíos para la sustentación de la población minera y cuando el oro se acababa terminaba también el cultivo, puesto que el mercado de bienes agrícolas lo constituía la población minera trashumante o la de los centros mineros estables.[29]

---

28. Luis Eduardo Nieto Arteta, *op. cit.*, pp. 165-166.
29. «La minería y la agricultura fueron las ocupaciones predilectas en aquellos tiempos. La segunda de esas industrias seguía pasivamente el paso a la primera como corolario forzado a las explotaciones de minas, y al final de la lucha

Durante el siglo XVIII la propiedad de la tierra estaba sumamente concentrada en Antioquia.[29A] Se trataba especialmente de
grandes extensiones de terreno pobladas de selvas pero celosa-
mente retenidas por los propietarios, que impedían cualquier intro-
misión de campesinos en sus predios. En términos generales puede
decirse que latifundio no había, sino inmensas posesiones de selvas, pues la mano de obra tenía la posibilidad de dedicarse a la
minería, en forma libre e individual —mazamorreo, barequeo, etc.—
y prefería esta ocupación, aunque en veces no fuera muy lucrativa,
a laborar en forma más o menos servil en favor de un propietario
rico. En estas circunstancias y ante la carencia de toda industria,
la situación económica no era muy próspera. Juan Antonio Mon y
Velarde, visitador de Antioquia a finales del siglo XVIII, anotaba:
«No se reconoce industria en esta provincia; todo se introduce de
afuera a considerables costos; apenas se conoce artesano que viva
de su oficio pues unos más y otros menos, todos procuran sembrar
para ayuda de su manutención. De las cuatro partes de la provincia, se puede asegurar sin temeridad que las dos y media y aún las
tres se hallan incultas y casi despobladas; las comunes contiendas
que ocurren son de tierras y no sobrando otra cosa según lo expuesto, parece paradoja al asentar que por falta de tierras se hallan
reducidos estos habitantes al más infeliz estado.»[30]

---

contra la naturaleza rebelde el minero abandonaba sus conquistas al agricultor,
quien le daba fijeza a sus fundaciones, se internaba más y más en busca de nuevos veneros de oro.» Roberto Botero Saldarriaga, *General José María Córdoba,
1779-1829* (Medellín, Bedout, 1970), p. 24.

29A. Así por ejemplo, «la concesión de tierras hecha en 1763 a don Felipe de
Villegas comprendía una extensión donde se fundaron los municipios de Sonsón
y Abejorral, en la de don José María de Aranzazu se fundaron Salamina, Aranzazu, Neira y Manizales y en las de los señores Misas y Barrientos, Santa Rosa
de Osos y Yarumal, y sabemos que no hubo dificultad que no pusieran los concesionarios a los colonos.» Emilio Robledo, *Bosquejo biográfico del señor oidor
Juan Antonio Mon y Velarde, visitador de Antioquia,* 1785-1788 (Bogotá, Banco
de la República, 1954), T. I, p. 142.

30. Citado por Emilio Robledo, *op. cit.*, T. I. p. 73.

Alvaro López Toro, en magistral estudio sobre la colonización antioqueña[31], distingue dentro de este proceso tres tipos de colonización. El primero consiste en la ocupación, muchas veces violenta, de posesiones de terratenientes que derivaban sus títulos de concesiones realengas —colonización de Abejorral, Sonsón, Manizales, etc.—, que se hizo en la mayoría de las veces por familias de pocos o relativos recursos económicos. Otro tipo fue una especie de colonización dirigida sobre terrenos baldíos libremente cedidos por las autoridades; y un tercero el promovido por capitalistas especuladores con bonos agrarios, emitidos durante la administración de Santander.

La última modalidad fue utilizada por comerciantes negociadores con títulos de la deuda pública, que utilizando además los resortes del Estado promovieron la colonización dando en propiedad una parcela a los colonos que se comprometieron a trabajar gratuitamente durante algunos días, en caminos u otras obras. Al poblar en esta forma sus inmensas propiedades deshaciéndose de unas pocas hectáreas, los terratenientes valorizaban el predio entero y conseguían el sostenimiento gratuito para ellos, de las vías de acceso que también valorizaban sus posesiones.[32]

«Los especuladores antioqueños en bonos, en contraste con sus colegas del resto del país, movilizaron sus recursos con una men-

---

31. Alvaro López Toro, *op. cit.*, p. 28.

32. Al respecto Parsons nos trae un ejemplo. «Al sur del río San Juan están las tierras de Caramanta. La parte principal de estas tierras inhabitadas, hasta el sur, en la quebrada de Arquía, había sido dada en concesión en 1835 a tres ricos antioqueños, Juan Uribe, Gabriel Echeverri y Juan Santamaría, quienes obtuvieron sus títulos por compra de bonos de la joven República, financieramente apremiada. Los nuevos propietarios se ocuparon inmediatamente por la construcción de un camino de Santa Bárbara y Marmato, por el paso de Caramanta (La Pintada) y a través de sus nuevas concesiones. Se ofrecieron parcelas de tierra a los colonos que convinieran a trabajar tres días al año en el camino. Los primeros poblamientos se hicieron en las empinadas vertientes de la quebrada Arquía, en Nueva Caramanta. A pocas millas de distancia, el distrito minero de Supía-Marmato ofrecía un mercado para maíz y carne. Cuatro años más tarde (1839) el propio Gabriel Echeverri, siendo gobernador de la provincia de Antioquia firmó una ley que creaba a Caramanta como distrito independiente dentro del Cantón de Medellín.» Parsons, *La colonización antioqueña en el occidente de Colombia*, 2ª edición (Bogotá, Banco de la República, 1961), p. 128.

talidad ávida de lucros financieros tangibles y de pronta recuperación del propio capital. Esta motivación capitalista, en armonía con
el espíritu comerciante vernáculo de Antioquia, predominó sobre
otras consideraciones de prestigio social, influencia política y simple acumulación de propiedad raíz. En vista de las condiciones tan
favorables para la adquisición de la tierra, no resulta ningún miste-
rio que para promover las colonizaciones privadas de Antioquia se
hayan hecho ofertas muy ventajosas de tierras a los agricultores
pioneros y que utilizando las propias palancas del poder local, se
haya activado una legislación propicia para la creación de nuevos
distritos administrativos, para la asignación de fondos públicos a la
construcción de obras de infraestructura física que requería la colonización y para el desarrollo agropecuario en general. También es
claro que al terminar la primera mitad del siglo XIX, el sistema
social y político vigente en Antioquia había evolucionado hacia una
etapa en que el latifundio de por sí no era ya el símbolo tradicional
de riqueza y de poder. El excedente económico del ingreso total
generado dentro de la comunidad no fluía tanto hacia una clase de
rentistas como hacia una minoría de comerciantes que lo reinver-
tían en empresas de tipo capitalista, una de las cuales era la compra
y parcelación de tierras.»[33]

La especulación con tierras fue una nota característica de los
sectores comerciantes de Medellín, e indica una mentalidad distinta
con respecto a la tierra, pues ésta es tenida como objeto negociable
y valorizable por las mejoras, y no simplemente como receptáculo
de fortuna y base de prestigio social. Los capitalistas estaban a la
caza de oportunidades de invertir con ganancia, así fuera en tierras,
y ante la posibilidad de apertura de un camino, de construcción de un
puente o de cualquier obra pública que las valorizara, ya estaban listos
a acapararlas con el objeto de venderlas por un precio mayor. Por
ejemplo, a mediados del siglo XIX «en Medellín se firmó una sociedad por acciones con el intento de reunir un millón de pesos,
para invertirlos en la compra y colonización de tres millones de

---

33. Alvaro López Toro, *op. cit.*, p. 31.

hectáreas de tierras baldías entre el río Atrato, el golfo de Urabá y el mar Pacífico, en la previsión de que abriéndose en un futuro no muy distante, al través de ese territorio, el canal interoceánico, las tierras tomarían un valor inmenso.»[34]

Con la colonización antioqueña, que integró económicamente el occidente colombiano, se manifestó también una relativa parcelación de la propiedad y la proliferación de propiedades medianas y pequeñas. Con todo, la colonización habría terminado en clásico minifundio de autoabastecimiento si no se hubiera dado un cultivo comercial como el café, que vinculó las parcelas al mercado e implantó el predominio de la economía monetaria. Por ser el único producto de vertiente que contaba con un mercado exterior y con un precio suficientemente elevado como para compensar los altos costos de transporte desde las montañas hasta los puertos de exportación, el café salvó la colonización del estancamiento.[35]

Realmente esa era la situación de Antioquia hasta el momento en que la introducción del pasto «pará» y del café producido con destino a la exportación, quebraron la economía de subsistencia. En 1885 don Manuel Uribe Angel describía la situación de la agricultura en el Estado de Antioquia en los siguientes términos: «Los productos agrícolas del Estado bastan apenas para guardar equilibrio con un gasto natural, y aun así, no puede deducirse que la subsistencia sea barata. No hay sobrantes para la exportación, ni necesidad de ellos, porque la falta de vías de comunicación mata toda esperanza y todo incentivo de lucro. La rutina impide la adopción de instrumentos perfeccionados para la más pronta y conveniente preparación del suelo.»[36]

Pasada la mitad del siglo XIX tuvieron lugar la ocupación del Cauca antioqueño y del Quindío, la generalización del cultivo del

34. Salvador Camacho Roldán, *Memorias* (Bogotá, Biblioteca Popular de Cultura Colombiana, 1946), T. 2, p. 114.

35. Estanislao Zuleta, *La tierra en la economía colombiana* (Medellín, Centro de Investigaciones Económicas de la Univ. de Antioquia), p. 2.

36. Manuel Uribe Angel, *Geografía general y compendio histórico del Estado de Antioquia en Colombia* (París, Imprenta de Víctor Goupi y Jourdan, 1885), p. 476.

café y la siembra del pasto de engorde llamado pará. «El equilibrio estático en que yacían estas tierras se rompió debido a un acontecimiento nuevo, de fausta recordación en los anales antioqueños: la adaptabilidad del pasto de pará, para el engorde de los ganados en la explotación de estas tierras. Y entonces vino a tierra esa inmensa selva y surgieron dehesas que al fin del siglo pasado podían engordar 60.000 o más cabezas de ganado, y que se trabajan y manejan con 1.000 vaqueros pagados a jornal.»[37,38]

La siembra del café, sobre todo a partir de las dos últimas décadas del siglo XIX, fue determinante en la medida en que su comercialización quebró la economía cerrada, dio incentivo a la construcción de vías de comunicación, absorbió la mano de obra impidiendo la desocupación y elevó el nivel general de ingresos.

Con la apertura del ferrocarril del Pacífico entre Cali y Buenaventura declinó el intercambio que habían sostenido los comerciantes antioqueños con la región del Valle del Cauca. Para finales del siglo XIX ya no entraban a Antioquia los ganados del sur, circunstancia que contribuyó a crear un amplio mercado para las ganaderías antioqueñas y en menor escala para los ganados de Bolívar, cuya introducción se facilitó en 1911; año en que se bajó la tarifa del ferrocarril de Antioquia, «provocando con ello tales protestas que aún dura el vocerío de los interesados.»[39]

Ernst Rothlisberger fue un ciudadano suizo que estuvo en Colombia en el siglo pasado como profesor de la Universidad Nacional. En el año de 1884, en pleno período de colonización, pasó por el Quindío y nos describió sus impresiones de la siguiente manera: «Sus profesiones principales son la minería y las faenas del campo.

---

37. Alejandro López, *Problemas colombianos* (París, Editorial París-América, 1927. Editorial La Carreta, Medellín, 1976).

38. «Entre la época de la Independencia y 1880 las existencias de ganado vacuno en Antioquia se multiplicaron veinte veces. La disponibilidad de ganado vacuno local por habitante de esa época alcanzó niveles mucho más altos que los de épocas recientes y fue el fruto de un genuino proceso de acumulación de riqueza que no estuvo equiparado por ningún otro renglón de la economía antioqueña durante el mismo período.» Alvaro López Toro, *op. cit.*, p. 46.

39. Alejandro López, *op. cit.*, p. 62.

En cuanto a este último trabajo, el antioqueño es el perfecto granjero, que no omite esfuerzo alguno en la tala de la selva virgen, y que gusta, incluso, de esta tarea, pues ella le brinda la posibilidad de una nueva plantación. Y sigue incesantemente en busca de nuevas tierras. Es el 'yankee' de este país. Casi siempre se desplaza de un lado a otro; se ven familias enteras que a pie, tratan de dar con un lugar propicio donde establecerse... El antioqueño es un perfecto positivista; *ubi bene, ubi patria*, es su divisa. Pero siempre sigue siendo antioqueño y en lo posible conserva el estilo patriarcal. Su vida familiar es ejemplo de perfección y las mujeres son muy virtuosas; viven retiradas como monjas y trabajan incesantemente. En el campo las muchachas van descalzas, por lo cual sus pies son algo grandes; por lo demás todo su cuerpo presenta, en general, una bella armonía de proporciones. La familia antioqueña tiene muchos hijos, casi siempre unos doce, pero hay casos en que la prole asciende a treinta o aún más, de tal manera que a veces es difícil distinguir entre si la madre o la hija es mayor. En las sierras del Paso del Quindío viven más de 6.000 antioqueños. Después de haber talado el bosque y luego de plantar maíz, o sembrar trébol, levantan pequeñas casetas de bambú, que cubren con placas de madera de cedro o nogal. Crían vacas y de manera especial cerdos; hacen queso y melaza y llevan sus productos a los mercados de los lugares vecinos pertenecientes a otros Estados, que no podrían pasar sin ellos. En las casitas a que nos hemos referido, todo se halla muy limpio, pero su característica es también la suma sencillez.»[40]

La lectura del anterior cuadro bucólico no manifiesta las profundas luchas que hubieron de librarse entre colonos y latifundistas, ni las profundas diferencias de clase que se fueron ensanchando con el tiempo entre los colonizadores. Por ejemplo, para que los colonos de Manizales lograran el reconocimiento de sus asentamientos frente a los latifundistas, fue necesario un levantamiento popular que trajo como reacción la amenaza de incendio de la población por los latifundistas y la muerte de uno de éstos en 1850.

---

40. Ernst Rothlisberger, *El Dorado; estampas de viaje y cultura de la Colombia suramericana* (Bogotá, Banco de la República, 1963), pp. 347-348.

Con la colonización antioqueña se conoció un proceso de democratización de la propiedad nunca antes visto en el país. Proliferó la mediana y la pequeña propiedad y millares de personas sin tierra llegaron a tenerla. Pero no todo fue «equitativa distribución»; desde un comienzo hubo clases sociales y la polarización gran propiedad-minifundio se fue agravando con el tiempo a costa del segundo. Así por ejemplo, en la fundación de Manizales «ninguna narración hace mención de esclavos. Sin embargo, en el segundo censo del poblado levantado en 1851, aparecen treinta esclavos. Esto no es de extrañarse por cuanto la esclavitud todavía no había sido abolida y la mayoría de los 'veinte' (fundadores de Manizales), provenía de la ciudad de Abejorral, en donde existía una población esclava considerable, utilizada principalmente en minería. No es aventurado presumir que el censo de población de 1850 mostrara un número semejante de esclavos, pero allí no se declara la ocupación ni se discriminan las personas entre libres y esclavos. Además el censo de 1851 levantado muy rudimentariamente, da la impresión de incluir esclavos como sirvientes y en esta forma presenta disminuido el número de esclavos existentes.»[41,42]

---

41. José Fernando Ocampo, *Historia y dominio de clase en Manizales* (Medellín, Centro de Investigaciones Económicas de la Universidad de Antioquia, 1970), p. 26.

42. Alvaro López Toro anota: «Algunas pruebas históricas pueden ser aducidas para indicar que efectivamente en la colonización antioqueña se manifestaron fenómenos de considerable estratificación social, aunque en ningún caso comparables a los de la estructura tradicional del poblamiento rural en América Latina. Por ejemplo, Parsons encontró en un documento censal de comienzos del siglo XIX que en la colonia de Abejorral el número de familias agregadas era el triple de aquellas 'dueñas de posesión'. En épocas posteriores las autoridades de Medellín desplazaron hacia la frontera un número considerable de mendigos, vagos y criminales que ayudasen en obras de construcción y preparación de tierras. Ejemplos como éstos sugieren que el colono pionero lograba extraer de su tierra una cierta cantidad de renta y que su deseo de incrementar los ingresos de la parcela por concepto de su trabajo y del ascendente de los frutos de sus dependientes, no era del todo compatible con una situación de máxima retribución al factor mano de obra en condiciones de oferta ilimitada de tierras.» Alvaro López Toro, *op. cit.*, p. 40.

En el primer tipo de colonización descrito atrás, en que un grupo de campesinos se enfrentaba a los detentadores de los títulos de dominio, pueden distinguirse dos fases: una primera de intensa lucha entre los campesinos y los terratenientes que culminaba, como en Manizales, con un arreglo mediante el cual se daba tierras a los primeros. Luego venían otras olas migratorias que se encontraban con que la tierra estaba distribuida, circunstancia que no dejaba más posibilidad a los recién llegados que colocarse como asalariados, o internarse en el bosque a crear predios en tierras que no estuvieran ocupadas. Así, «lo que aparentemente parecía una lucha de clases entre los campesinos que invaden tierras comunes y los latifundistas que buscan recuperación de sus tierras, no viene a ser sino un forcejeo de intereses entre los antiguos latifundistas instaurados por el régimen colonial y los aspirantes a latifundistas que son favorecidos por el régimen de colonización espontánea.»[43]

La colonización dirigida con adjudicación de terrenos baldíos por el Estado contribuyó a crear propiedades de tamaño reducido, que derivaron en minifundio,[44] de suerte que al estructurarse el proceso de colonización en sus diferentes fases y formas se pudieron distinguir varios tipos de propiedad. La mediana, lograda por los primitivos fundadores de poblados y por los beneficiados por los empresarios de colonización capitalista, todos en trance de ensanchamiento de sus propiedades. Propiedades más reducidas, deriva-

---

43. José Fernando Ocampo, *op. cit.*, p. 5.

44. En Manizales «el minifundio nació con la repartición discriminatoria de tierras que hicieron los cabildos después de que Manizales hizo el contrato con la sociedad González, Salazar y Cía. Al mismo tiempo fue consecuencia de las reparticiones de tierras que hizo la Convención de Rionegro en 1863. A estos dos factores se añade la legislación sobre adjudicaciones de baldíos que trataba de detener el latifundio por medio de leyes, mientras que en la realidad celebraba contratos que lo perpetuaban como el que hizo Obando con los latifundistas de la concesión realenga de Aranzazu. Primero fue el minifundio frente al latifundio. Con la aparición del café en la economía manizaleña, viene a ser el minifundio frente a la empresa capitalista cafetera. La fuerza, el poder y los privilegios de la empresa capitalista van sometiendo a la propiedad minifundista a su desaparición.» (José Fernando Ocampo, Tesis de grado, capítulo sobre el campesino cafetero (copia a máquina).

das de adjudicaciones de baldíos y de ocupación de colonos en tierras no adjudicadas, presionados hacia el minifundio; y haciendas de mayor extensión con ocupación de mano de obra asalariada, de propiedad de ricos hacendados. Muchas de estas últimas propiedades se convirtieron en haciendas ganaderas, sobre todo en el Cauca antioqueño, con ganadería extensiva de poca mano de obra, en la que «la porción más feraz de ese territorio, y rodeada, por añadidura, de poblados en toda su superficie, está destinada al pastoreo; es decir, que aproximadamente cien mil hectáreas de las mejores tierras y mejor situadas con respecto a los mercados, están casi desiertas, y no absorben sino unas pocas unidades de miles de trabajadores alquilados.»[45] En el otro extremo, las propiedades menores destinadas a la producción de café, sufrían un proceso de concentración forzosa en manos de unos pocos, a través de mecanismos de usura que obran contra el productor. En 1936 «en algunos municipios donde se vende el café por anticipado, con precios menores hasta de un 50 por ciento o 55 por 100 a los de las propias plazas interiores, casi siempre se hacen escrituras registradas de promesa de venta, comprometiéndose el cultivador a pagar en caso de incumplimiento. Así, en el municipio de Belalcázar se verifican aproximadamente en el año 200 embargos de propiedades inmuebles por incumplimiento en la entrega del café.»[46]

LA MANO DE OBRA EN EL SIGLO XIX

El desarrollo de la agricultura requería la liberación de la mano de obra y por eso muchas de las medidas revolucionarias tomadas a mediados del siglo XIX iban en ese sentido. La población era suficiente pero estaba ligada de muchas maneras, por eso había que liberarla, especialmente de la tierra. Desde el momento en que se liquidaron los resguardos y en menor grado con la abolición de

---

45. Alejandro López, *op. cit.*, p. 55.
46. Antonio García, *Geografía económica de Caldas* (Bogotá, Imprenta Nacional, 1937), p. 300.

la esclavitud, hubo brazos libres suficientes para emprender la agricultura capitalista de exportación con el cultivo del tabaco en las nuevas tierras abiertas para el efecto en la región del Tolima. La economía del país se sacudió: «El propietario de la tierra vio elevarse los arriendos; el capitalista no tuvo bastante dinero para colocar; el joven pisaverde halló nuevos escritorios y colocaciones; el artesano tuvo que calzar, vestir y aperar al cosechero enriquecido; y el agricultor completar con carnes abundantes, papas, queso y legumbres, el apetito del nuevo sibarita que poco antes tenía de sobra con el plátano y el bagre.»[47] Era una sacudida capitalista a las estructuras coloniales y el empuje masivo y forzado hacia la proletarización de los campesinos colombianos. Una agricultura de exportación requería de muchos brazos libres.

Los peones eran escasos y los propietarios trataban de ligarlos, en calidad de arrendatarios, aparceros, etc., facultándoles el uso de una porción de tierra, y obteniendo en contraprestación mano de obra sin remuneración.[48] Una de nuestras primeras novelas, la *Manuela*, escrita por Eugenio Díaz en 1856 en forma de cuadros de costumbres, nos describe magistralmente, sin pretenderlo, la situación de los arrendatarios en las regiones de tierra caliente y la carencia de peones para las faenas de los trapiches por aquella época: «Como están escasos los peones, el amo de la tierra los recibe con los brazos abiertos; y no hay peones porque los mismos dueños de tierras desacreditan el matrimonio y la doctrina cristiana en que se sostiene, pagando los domingos hasta el medio día para que los peones no puedan ir a misa», según diálogo entre personajes de la obra.[49] Y en otra parte: «Dígame usted, señora, ¿todos los arrendatarios están tan miserables como usted?»

---

47. Miguel Samper, *La miseria en Bogotá y otros escritos* (Bogotá, Universidad Nacional, 1969), p. 36.

48. En las grandes haciendas de tierra caliente, constataba Medardo Rivas: «Y en fin, han despoblado tanto estas comarcas, y ha venido a suceder en tierra caliente lo que pasa ya en la Sabana de Bogotá: que los pobres no tienen dónde vivir, y los brazos escasean más cada día.» Medardo Rivas, *Los trabajadores de tierra caliente* (Bogotá, Biblioteca Popular de Cultura Colombiana, 1946), p. 81.

49. Eugenio Díaz, *Manuela* (Medellín, Bedout, 1968), p. 82.

«Hay algunos que tienen un palito de platanal, y hasta el completo de seis bestiecitas, pero éstos viven en guerra abierta con los patrones, porque no habiendo documento de arriendo, el dueño de la tierra aprieta por su lado y el arrendatario trata de escapar al abrigo de los montes, del secreto y de la astucia. La primera obligación es ir al trabajo el arrendatario, o mandar al hijo o a la hija; y los que se van hallando con platica se tratan de escapar mandando un jornalero, que no sirve de nada, y de esto resultan los pleitos, que son eternos. Mi comadre Estefanía y mi sobrina Patricia son tan pobres como yo y padecen como si fueran esclavos. ¿No conoce usted a Rosa? Pregúntele usted lo que es ser arrendataria, cuando la vaya a visitar.

«No obstante, un gobierno libre da protección...

«Bonita protección. A mi hermanito lo cogieron en el mercado para recluta y murió lleno de piojos en el hospital y las contribuciones que no vagan, ya del cabildo ya del gobierno grande de Bogotá. Muy buena me parece la protección. Y esta pata que me duele que es un primor. Madre mía y señora de la Salud.

«¿No hay educación gratuita en el distrito?

«No sé qué será lo que su merced dice.»[50]

Y Medardo Rivas, testigo presencial, anotaba sobre las actividades de los trabajadores de los trapiches de La Mesa y regiones cálidas de Cundinamarca: «Este servicio se hace por hombres cuyo salvajismo es una acusación vehemente contra el gobierno republicano y demócrata que hemos establecido, contra la religión del país, que ha abandonado su misión civilizadora, y contra la filantropía que debiera reinar en nuestra sociedad; o por mujeres hombrunas, que han perdido todos los atractivos y encantos de su sexo, y que viven en la más degradada situación, y atenidas sólo a sus fuerzas físicas para ganar el jornal.

«En un extremo de una enramada, como las calderas del diablo donde deben cocinarse los condenados, la miel se cocina y hierve a borbotones, y es agitada y descachazada por un hombre casi des-

---

50. *Ibid.*, p. 79.

nudo, enmelotonado, mugroso, que más parece un monstruo de la selva que un ser humano, y la descachaza por medio de una totuma agujereada y atada al extremo de una larga vara. Como Satanás, él pasea en medio de los fondos, envuelto en el humo y pisando el suelo encendido.

«Sentadas a uno y otro lado del trapiche, sobre masas de máquina ya inútiles, dos mujeres van metiendo en medio de las ruedas la caña para moler; y eternamente cantando algo triste, monótono, melancólico, que apena el corazón.

«El trapiche anda lenta y trabajosamente todo el día y gran parte de la noche...»[51]

Pero si la situación de los aparceros y arrendatarios no era muy halagüeña, los asalariados y en especial los del campo no estaban mejor. Ya veíamos atrás cómo en 1802 el virrey Mendinueta comentaba que no obstante el aumento en el costo de la vida, los salarios no se habían aumentado en 50 años. Los salarios bajos se mantuvieron durante todo el siglo. «Los pocos elementos de que se componía la clase media, militares y oficiales de bajo rango, pequeños comerciantes y artesanos, ganaban entre $150 y $700 al año. El bajo ingreso de los peones únicamente permitía el mínimo incentivo para la producción de una masa de productos de consumo.»[52]

El aumento en el costo de la vida, especialmente en los momentos de gran inflación, como a finales del siglo XIX y principios del presente, golpeaba duramente, entonces como ahora, a los sectores asalariados, mientras que las clases dominantes ampliaban su riqueza, con la valorización de su propiedad y el aumento de sus ingresos. En 1896, época de incubación de la Guerra de los Mil Días, Rafael Uribe Uribe denunciaba en la Cámara de Representantes la situación, tal como a principios del siglo lo había hecho el alto funcionario de la Corona. «Conozco prácticamente las condiciones de trabajo de Antioquia, Cauca, Cundinamarca y parte de

---

51. Medardo Rivas, *op. cit.*, p. 38.
52. Frank Safford, *Empresarios nacionales y extranjeros en Colombia durante el siglo XIX*. «Anuario Colombiano de Historia Social y de la Cultura.» Universidad Nacional, No. 4, 1969, p. 89.

Santander, y puedo condensar los efectos del papel moneda en esta fórmula: los salarios se han elevado al doble (de ningún modo al 175 por 100), pero su capacidad adquisitiva se ha disminuido en una tercera parte. Esto puede demostrarse estableciendo dos series paralelas: 1ª, la de los jornales de 1886, con el precio de los principales artículos de consumo y 2ª, la de esos jornales y esos precios en el tiempo presente.

«Los salarios de peones comunes eran en 1886 de 25 a 40 centavos diarios, alimentación inclusive; albañiles 60 a 80 centavos; carpinteros 50 centavos a $1; herreros $1 a $1.80.

«Entonces se mantenía un peón con diez o quince centavos máximo; la libra de carne valía de 10 a 20 centavos; la panela $2^{1/2}$ a 4 centavos; el maíz, de 60 a 80 centavos el almud. El arroz de 10 a 15 centavos la libra. Mientras que hoy un peón común gana de 50 a 80 centavos diarios, alimentación inclusive; un albañil de $1 a $2; un herrero o un carpintero de $1 a $2.40; pero, en cambio, la alimentación no cuesta menos de 30 a 60 centravos, y el almud de maíz, de 80 centavos a $1.50. Los alquileres han subido por lo menos en un 100 por 100 excepto el de las casas pequeñas; los materiales de construcción se han doblado y aun cuadruplicado de precio, y en cuanto a las telas de consumo popular, cuando el precio no se ha triplicado, es cuando la calidad ha descendido a la mitad de lo que antes era, de lo cual podría presentar numerosos ejemplos.»[53]

La situación de los asalariados al terminar el siglo era peor que al comenzar, si de base pueden servirnos los salarios de los obreros de Bogotá, cuyo salario real era mucho menor en 1910 que en el siglo XVIII.[54]

Es lógico entonces que las masas urbanas y rurales estuvieran en permanente agitación y que en múltiples ocasiones se rebelaran contra esa situación, privando del sosiego a las clases poseedoras tal como lo manifestaba en 1867 Miguel Samper cuando escribía que «la inseguridad ha llegado a tal punto, que se considera como

---

53. Citado por Gerardo Molina, *Las ideas liberales en Colombia 1849-1914* (Bogotá, Universidad Nacional, 1970), pp. 189-190.
54. Véase Miguel Urrutia, *op. cit.*, p. 78.

acto de hostilidad el ser llamado rico. Las ideas sobre la propiedad se hallan tan pervertidas, que desde el gobierno hasta el mendigo son sus enemigos... En muchos casos en los obreros de ciertos oficios, principalmente los de sastrería, zapatería y talabartería, predomina una fuerte antipatía contra las clases más acomodadas, a cuyo egoísmo atribuyen la penosa situación en que se encuentran.»[55]

Puede entonces sintetizarse la situación de la mano de obra en el campo en la siguiente forma: grandes masas de indígenas en los resguardos hasta mediados del siglo; esclavitud en la minería y en ciertas haciendas del Cauca, del Valle del Cauca y de la Costa, hasta la misma época; mano de obra asalariada sobre todo a partir de las reformas del medio siglo y vinculada a los cultivos de exportación; crecimiento de la población en las regiones de colonización en el occidente, con formas de trabajo que iban desde el asalariado hasta la producción del minifundista y el aparcero; ganadería extensiva con poca mano de obra asalariada en las regiones cálidas; y gran cantidad de campesinos ligados a la tierra por deudas con el propietario que laboraban como aparceros, arrendatarios concertados, mediasgueros, terrasgueros, etc. en todo el país. Es sintomático que todavía en 1926 Alejandro López pudiera escribir: «Considero uno de mis justos títulos de orgullo, como reformador, haber contribuido a que en la Asamblea de Antioquia se anulase la disposición de policía en virtud de la cual un obrero podía ser reclamado, por medio de la autoridad, para que fuese a pagarle al patrón, en trabajo, dineros o géneros que éste le había anticipado, lo que equivalía al servilismo forzado por medio de la ley. Mas no estoy seguro de que en todos los rincones de Colombia se haya logrado otro tanto, y hace muy poco tiempo que las haciendas del departamento de Bolívar se vendían incluyendo en el precio a los peones, a quienes se había servilizado por anticipo de dineros o géneros.»[56]

---

55. Miguel Samper, *op. cit.*, pp. 12-90.
56. Alejandro López, *op. cit.*, p. 100.

LAS GUERRAS CIVILES Y LOS PROBLEMAS DE TIERRA

Hasta el momento no se ha hecho un estudio serio sobre las guerras civiles en Colombia. Sus causas no han sido esclarecidas y sus consecuencias, duramente vividas, no han sido determinadas. Entre las razones que las produjeron, claras en ciertos casos, veladas en otros, pueden aventurarse, entre otras, las siguientes: en 1851, por ejemplo, la guerra fue motivada por un levantamiento de los terratenientes esclavistas contra la abolición de la institución. En otros casos se mezclaron un sinnúmero de elementos como las crisis económicas periódicas y las bajas en los precios de los productos de exportación, que desmejoraban la situación económica y creaban elementos de descontento propicios para el alzamiento. Problemas de reparto del botín burocrático también pueden señalarse como causas, sobre todo, si se observa que Estados como el Cauca y Santander eran escenario propicio para cada guerra y que en cambio en otros como en Antioquia, que tenían mayores fuentes de ingresos propios, la guerra no prosperó o no tuvo la magnitud de otras partes. La quiebra de fuentes de trabajo como las artesanías de Santander, contribuye entre otras razones a explicarnos el gran número de movimientos presentados allí, y la inflación, especialmente a fines del siglo XIX, nos suministra un elemento más para explicar la Guerra de los Mil Días. Por último, no puede olvidarse que ciertos sectores especuladores hacían negocios con la guerra y que por lo tanto estaban interesados en que ella se presentara.[57]

Sobre el problema de la tierra, que es el que nos ocupa, es evidente que las guerras civiles obraron en el sentido de concentrar el dominio de la propiedad territorial y de favorecer al latifundio. Con cada guerra venían las contribuciones forzosas que cada ban-

---

57. Por ejemplo, sobre la Guerra de los Mil Días escribe Eduardo Santa: «Puede decirse sin que en ello haya exageración, que la guerra de 1899 fue una guerra de especulación con el papel moneda. Tomadas a interés grandes cantidades de este papel, obtenidas con facilidad, porque ubérrima la litografía las proporcionaba para cubrir contratos sobre vestuarios, provisiones de bestias y ganados,

do imponía a sus adversarios y lo expropiado no iba en todos los casos a parar en las arcas de los ejércitos sino que en muchos casos, parte o todo se quedaba en manos de oficiales, políticos o intermediarios. Al mismo tiempo, para salvar los bienes de la contribución forzosa muchos los ponían en manos de extranjeros o de personas del bando dominante, que no siempre hacían la gestión de manera desinteresada sino por una comisión, o que no siempre procedían a devolver los bienes puestos en su cabeza. En la Guerra de los Mil Días, por ejemplo, y con el aparente propósito de impedir que los enemigos del gobierno salvasen sus bienes por este medio, se dictó una disposición que decía: «Decreto 483. Prohíbese a los registra-

---

raciones militares y demás gastos de la guerra, eran invertidas esas cantidades en bienes raíces, letras sobre el exterior, pagos y otros objetos, cuyo valor nominal en papel moneda subía diariamente como la espuma del jabón, de modo de dar con qué subir los intereses y asegurar cuantiosas ganancias...». Y citando a Rodríguez Piñeres continúa: «Apareció el Thernadier sombrío. En Bogotá se levantó una clase de gentes que negociaba la guerra, al contemplar que cuando viniera la paz con todos sus horrores se le acabarían los medios de enriquecerse con la sangre, los sufrimientos y la ignorancia de los demás. Estas gentes a quienes se les decoró con el título de revolucionarios urbanos, se encargaban de transmitir a las guerrillas falsas noticias alimentadoras de ilusiones, de pintar a unos imaginarios triunfos de los otros y de excitar a todos a continuar la revolución. Más aún: formáronse asociaciones entre algunos guerrilleros con jefes de las fuerzas del gobierno para repartirse porciones de botín en ágapes de buitres. Tuve en mis manos dos documentos en que constaban contratos de cuentas en participación, en cada uno de los cuales figuraba un extranjero como gestor y un revolucionario y un jefe gobiernista, para negociar en ganados, bestias, café, cueros y otros artículos. Por muerte de uno de los socios de una de estas diabólicas empresas, su viuda los llevó a mi oficina de abogado, mas hube de disuadirla de que emprendiera acción judicial, poniéndole de presente que con la sola presentación de tales documentos infamaría la memoria de su marido». Eduardo Santa, *Rafael Uribe Uribe: un hombre y una época* (Medellín, Bedout, 1968), pp. 240-241. Y el general Pedro Nel Ospina, ministro de Guerra durante la contienda, en carta dirigida al general Marceliano Vélez, el 3 de octubre de 1901 denunciaba las especulaciones de los gobernantes con la guerra: «Hay además vinculados a la guerra y su continuación, grandes y activos intereses, cuya influencia, de que podría suministrar información copiosa si no temiera alargarme demasiado, alcanza a hacerse sentir, más o menos disfrazadamente, en las altas esferas del gobierno. No de otro modo se explica el que el señor Marroquín haya dos veces hecho frustrar, como he dicho antes, las operaciones que se proyectaban por mí sobre

dores de instrumentos públicos y privados registrar escrituras y documentos de cualquier clase, sin que proceda para cada caso la correspondiente venia por escrito del ministro de Gobierno.»[58] Y en la misma guerra, el general liberal Antonio Suárez Lacroix, el día antes de ser fusilado pedía a sus hermanas en carta testamentaria, entenderse con el depositario de sus bienes en «lo poco que resta de mi fortuna, que se halla en poder del doctor Carlos Martínez Silva», prestante abogado conservador y quien durante el período de la revolución fue ministro de Gobierno combatido por el fusilado.[59]

En cada guerra se aumentaban las penurias del gobierno y éste procedía entonces a expedir bonos de la deuda pública, exigibles en tierras que, junto con las bonificaciones a los generales vencedores, eran la fuente de concentración de miles de hectáreas en manos de unos pocos. «Las numerosas guerras civiles del siglo XIX, al mantener el tesoro de la nueva República en un estado de permanente escasez, sólo estimularon la venta de bonos de baldíos a precios bajísimos. De las ventas hechas en Antioquia, la de 102.717 hectáreas concedidas en la región de Caramanta en 1835, es la mayor que se registra. Otras que variaban de 250 a 25.000 hectáreas se concentraron especialmente en el norte de Antioquia y hacia el río Magdalena, como aconteció en los municipios de Yolombó, Yarumal, Cáceres, Ituango. En Caldas, Tolima y Valle fueron en menor número. Las dos porciones de 10.000 hectáreas adjudicadas

---

regiones de Viotá y Cunday, que son centro actualmente de guerra y de complicadas especulaciones basadas en la guerra y en la inseguridad... Detalle interesante: prohibida del modo más absoluto la salida de mulas del departamento de Cundinamarca y en ocasión en que por causa, entre otras, de esa misma prohibición y de medidas análogas adoptadas en el Cauca y en el Tolima, la diferencia entre el precio de éstas aquí y en Antioquia era como de $400 a $500 en cada mula, algún amigo íntimo del señor Concha, y caballero muy honorable, en las pocas semanas anteriores a mi llegada obtenía permiso para sacar de aquí y conducir allá, varios centenares de aquéllas, que representaban una utilidad de más de $100.000.» Emilio Robledo, *La vida del general Pedro Nel Ospina* (Medellín, Imprenta Departamental, 1959), p. 202.

58. Joaquín Tamayo, *La revolución de 1889* (Bogotá, Editorial Cromos, 1938), p. 62.

59. Joaquín Tamayo, *op. cit.*, p. 204.

en las montañas detrás de Ansermanuevo (1873-1880), fueron de las más grandes»,[60] para ilustrar con un caso de Antioquia.

Por las contribuciones forzosas, por los premios al vencedor y por el despojo violento con cada guerra civil se concentraba la propiedad sobre la tierra y crecía el latifundio a costa de los campesinos pobres, que eran la carne de cañón en los ejércitos de ambos bandos y que al finalizar la contienda se encontraban con que si al comienzo de la guerra todavía tenían pequeñas parcelas, al finalizar ésta su predio ya estaba anexado a una gran propiedad o sus sembrados se habían perdido.

Las masas del país no sabían por qué luchaban, iban a la guerra en la mayoría de las veces en forma forzosa, para combatir en favor de una élite comerciante y terrateniente que luchaba por ideas políticas que sí conocía y de paso para ganar poder político y económico. Poco antes de la Guerra de los Mil Días se calculaba en 4.000 el número de labriegos retirados de sus labores para ir a los cuarteles.[61]

En la guerra de 1860, don Angel Cuervo, uno de sus protagonistas, consignó lo que veía en un interesante libro que revela la real situación de las masas y la posición de la clase dominante. «El gobierno contaba con el desinterés de los acaudalados que le entregaban voluntariamente sus riquezas, y muchos de ellos como don Pedro Dávila, don Pedro Rivera, don José M. Vieco abandonaron sus propiedades y se alistaron con sus hijos en el ejército.»[62] «En los combates de Tunja se vio una vez más lo que valen los civiles armados en defensa de sus opiniones, y así no es aventurado decir lo que el jefe de la tropa del gobierno de Tunja debió a don Pedro Dávila: este ciudadano digno de un Senado romano por su entereza, energía y patriotismo, deja familia, riqueza y todo; por *defender la causa de sus principios va a Tunja con su distinguido hijo don Pedro, que manda un escuadrón formado de sus arrendatarios*, y ambos combaten hasta lo último sin tregua y

---

60. James J. Parsons, *op. cit.*, p. 147.
61. Gerardo Molina, *op. cit.*, p. 190.
62. Angel Cuervo, *Cómo se evapora un ejército* (Bogotá, Librería Nueva, 1901), p. 166.

sin flaquear, procurando *infundir bríos a los asustados.*»[63] (El subrayado es nuestro).

Don Pedro y su hijo luchaban por «la causa de sus principios» e intereses, pero los arrendatarios de don Pedro sabían que éstos no eran los suyos y por esa razón les faltaban «bríos» y estaban «asustados». Eran en suma seres inteligentes que no daban el pellejo por defender los intereses de sus amos. El pueblo ponía los muertos, pero no tenía interés en luchar porque desconocía la causa por la cual lo hacía; por eso las deserciones eran frecuentes y las medidas que tomaban los oficiales para impedirlas eran drásticas. A riesgo de alargar, transcribo la narración sobre la ejecución de un recluta durante la guerra del 60, porque nos da una idea de la situación de los campesinos combatientes: «Excelentes eran los soldados de la sexta división, pero hubo algunos que no pudieron sacudir el desaliento y comenzaron a desertar: para moralizar a los impacientes, fue preciso hacer un escarmiento, y al efecto el primer desertor apresado por las autoridades civiles de los pueblos vecinos, fue condenado a muerte. Pertenecía al escuadrón de Húsares y era un mocetón sabanero lleno de vida y lozanía. El juicio fue rápido como las circunstancias lo requerían y lo hacía esperar la actividad de nuestro auditor de guerra... En la plaza de Duitama iba a verificarse la ejecución y tanto el capellán de la división como el cura del lugar, nos dijeron: 'conforme a la ordenanza es justo que muera; pero la desgracia quiere que la sentencia se cumpla en un alma inocente, es un mozo de vida ejemplar hijo único de una viuda a quien sostiene'... Infeliz criatura víctima de nuestras pasiones políticas. Cuánto mejor fuera que hubiese hallado la muerte en el campo de honor... Pero nosotros no estábamos para aguardar otro desertor menos virtuoso y se llevó adelante la ejecución. Formada la tropa en la plaza, el condenado salió con impavidez entre el cura y el capellán y separado de ellos, comenzó la ceremonia solemne que debe preceder al fusilamiento de un militar: arrodillado al pie de la bandera que había abandonado, pide perdón por su delito, es

---

63. Angel Cuervo, *op. cit.*, p. 109.

degradado y conducido luego por el frente de su escuadrón con redoble de tambores y cornetas hasta el asiento que sirve de banquillo en el centro de la plaza; los eclesiásticos lo reciben, le auxilian y le abren las puertas de la eternidad. Entre tanto las campanas de la iglesia tocan a muerte. Con una descarga no más hubo para que muriera. Gutiérrez Lee arengó a la tropa en presencia del cadáver, luego desfiló ella por frente al patíbulo y tornó a sus cuarteles profundamente conmovida...»[64] Durante la misma campaña: «De la ciudad nos enviaban a menudo las señoras platos exquisitos con vinos, que nos llenaban de contento y nos hacían brindar por nuestras preciosas copartidarias.»[65,66]

LA CONCENTRACIÓN TERRITORIAL EN EL SIGLO XIX

En la primera mitad del siglo, «¿las propiedades en tierra caliente se medían? No, quién iba a medirlas. Se extendían de cordillera a cordillera o de río a río; se transmitían de tarde en tarde (generalmente al concluir una generación), y su valor estaba representado sólo por el principal que se reconocía a alguna iglesia o monasterio de Bogotá, cuyo rédito anual había que pagar al cinco por ciento, y por esto se abandonaban con frecuencia. Los trapiches por el valor de los fondos de cobre que poseyera el establecimiento, o el de la cuadrilla de negros con que era cultivada su caña y el de las mulas con que se molía.»[67]

---

64. Angel Cuervo, *op. cit.*, pp. 92-93.

65. Angel Cuervo, *op. cit.*, p. 153.

66. «Cuántas veces el jefe revolucionario sale a pronunciarse con sus mismos terratenientes como soldados. Ese estado de cosas ha producido la abyección entre las clases bajas de Boyacá, y una rebeldía tan temible en el Tolima, que sólo podríamos apreciarla los que asistimos de cerca a la guerra de guerrilleros de 1900. Si la República hubiese tratado a las pobres gentes del Tolima, que viven en suelo extraño, siquiera como los franceses manejaban a sus conquistadores de Argelia con medidas tan sabias como las de Lyauty, la guerra de 1900 no habría durado la tercera parte del tiempo, ni habría quedado el país tan desolado.» Alejandro López, *op. cit.*, pp. 59-60.

67. Medardo Rivas, *op. cit.*, p. 27.

Por todos los medios descritos hasta acá el dominio sobre la tierra se concentró durante el siglo XIX en un reducido número de personas. No ya por miles sino por cientos de miles y por millones se contaron las hectáreas adjudicadas a empresas o individuos, por lo regular siempre los mismos, en las últimas décadas del siglo. Bien es cierto que muchas veces la concesión de títulos se hacía sobre selvas, pero los propietarios que no necesitaban disponer del dinero invertido, que en realidad era relativamente poco, podían esperar tranquilamente a que el trabajo de los colonos, o las obras públicas, les valorizaran sus extensos predios.

La gran mayoría de la población colombiana vivía en el campo y la inversión fuerte estaba representada allí, tal como nos lo indica en calidad de ejemplo, la situación del Estado de Cundinamarca en el año de 1868. «Puede notarse en este cuadro la particularidad de que la población urbana, 114.000 habitantes, equivale al 26% de la población del Estado; y que el valor de las fincas urbanas, $14.800.000, es también el 27 por ciento del valor de toda propiedad territorial de Cundinamarca; lo que indica el equilibrio entre la condición general de las poblaciones urbana y rural.»[68]

Como incentivo para la apertura de caminos u otra obra pública, el Estado se deshacía en favor de los empresarios de vastas proporciones de tierra que se valorizaban con la misma obra, si es que acaso ésta se llevaba a cabo. Así por ejemplo, por Decreto 17, de febrero de 1832, se concedió a los ciudadanos José María González y Juan Clímaco Ordóñez, el privilegio exclusivo para abrir un camino desde la ciudad de Girón hasta el río Sogamoso y se les adjudicaron, además, 15.000 fanegadas de tierra con la condición de que repartiera 5.000 entre los pobladores[69], y en Antioquia «dos concesiones se hicieron, en total 300.000 hectáreas en baldíos, en la provincia de 1872 a 1886, a fin de desarrollar la colonización y la inmigración en las tierras entre Frontino y el río Atrato; pero muy poca porción de tierra se distribuyó entre los colonos. Algunas fue-

---

68. Salvador Camacho Roldán, *Escritos varios* (Bogotá, Librería Colombiana, 1892), p. 597.

69. Mardonio Salazar, *op. cit.*, p. 265.

ron para el contratista inglés que construía el camino de Pavarandocito, por entonces teatro de gran actividad en explotación de bosques por el cedro nativo... Los contratistas del notable puente colgante de 940 pies a través del río Cauca, cerca de la ciudad de Antioquia, recibieron 10.000 hectáreas más.»[70]

Por su parte, la Ley 97 de 1870 adjudicó 200.000 hectáreas de baldíos a la empresa Canal Interoceánico de Panamá.[71]

En la década del 80, se habían concedido unos tres millones de hectáreas de baldíos y según Aníbal Galindo, con base en las estadísticas que levantó en 1874 como jefe de la Oficina de Estadística Nacional, para la fecha se habían emitido títulos de concesión por 3.318.500 hectáreas y aprobado adjudicaciones en el terreno por 1.159.502 hectáreas.[72]

En las guerras de finales del siglo y con el cambio de gobierno y su ejercicio hegemónico, la danza de las concesiones se avivó y no ya por miles sino por millones. Los validos del régimen continuaron la obra de sus predecesores en el mando, agregando a sus antiguas posesiones, las nuevas concedidas por millones de hectáreas. «Hasta 1886, año en el cual una coalición de derecha (liberales y conservadores) llegó al gobierno, hubo un período de desequilibrio institucional. De esta fecha hasta el fin del siglo la represión tuvo como resultado 170.000 muertos, uno por cada 20 habitantes, tomando en consideración la población de la época (3.500.000). Tal fue el resultado de esa formidable y atroz etapa de violencia. En la década de 1870-1880 se emitieron títulos de concesión territorial sobre 3.3 millones de hectáreas. De ellos solamente un 8% fue dado a los campesinos; el resto se lo distribuyeron los latifundistas, es decir, el 92%. Pero esto fue poco comparado con lo que sucedió después del triunfo de la llamada Regeneración. Entre 1885 y 1895 se adjudicaron entre los validos del régimen 4.6 millones de hectáreas. Y a comienzos del presente siglo, por méritos de guerra, por compra de títulos de deuda pública o por otros

---

70. James J. Parsons, *op. cit.*, p. 138.
71. Mardonio Salazar, *op. cit.,* p. 267.
72. Mardonio Salazar, *op. cit.*, p. 336.

conceptos se hicieron muchos señores feudales (sic), o se fortale-
cieron otros con el suculento manjar de 10 millones de hectáreas»[73],
según escribe Francisco Posada.

Así estaba conformada la fisonomía de la República a finales del
siglo XIX, con millones de campesinos sin tierra, que trabajaban
como peones mal pagados o como semisiervos, mientras las tierras
cultivadas y cultivables quedaron en manos de los terratenientes en
espera de una valorización o de un ensanche, por saqueo, violencia,
especulación o méritos de guerra. Al terminar el siglo (1897) la faz
del país se presentaba a los ojos de un extranjero de esta forma:
«Hay en toda esta gente, que sólo parece estar ahí para que se
puedan añadir ceros a las cifras de las estadísticas, una masa in-
numerable que no cuenta, que nada posee, cuyos medios de subsistencia me parecen problemáticos y que llena con su desamparado
farniente los arrabales mal definidos que confinan con el campo.
Todos los negocios, toda la política, todo el arte, en una palabra,
toda la vida de la Bogotá que piensa y que actúa, como sucede en
varias repúblicas suramericanas —por fuerzas oligárquicas— se
concentra entre las manos de unas cincuenta familias conservado-
ras que arrebataron esa misión directiva a otras tantas familias
liberales, y que, en espera de los designios de la Providencia, representan al país ante él mismo y ante el extranjero y constituyen
la fachada de Colombia.»[74] De entonces para acá las cosas han
variado... las familias son veinte y bipartidistas.

---

73. Francisco Posada, *Colombia: violencia y subdesarrollo* (Bogotá, Universidad Nacional, 1969), p. 30.
74. Pierre D'Espagnat, *Recuerdos de la Nueva Granada* (Bogotá, Biblioteca
Popular de Cultura Colombiana, 1942), p. 79.

12

LA COLONIZACIÓN ANTIOQUEÑA

Entre los hechos económicos y sociales más importantes en el desarrollo de la historia de Colombia, debe destacarse la colonización antioqueña como uno de los más señalados, por las consecuencias definitivas que tuvo. El occidente, y más particularmente Antioquia, que durante la Colonia llamaba la atención por su aislamiento, atraso y pobreza —hasta el punto de que los viajeros que la visitaban la comparaban con las colonias de Africa— después de la colonización superó lo anterior y llegó a ser la región más desarrollada del país, asiento de una porción elevada de la industria nacional. «Como resultado de este proceso se fundaron casi tantas ciudades nuevas como se habían fundado en el primer siglo de la conquista y colonización españolas. Se aportaron a la economía nacional millares de hectáreas de tierras nuevas cultivadas. El café se transformó en una gran industria de exportación, que brindó una nueva posibilidad de formación de capitales, que luego derivaron hacia el comercio y la industria. La gran fecundidad y la energía genética del pueblo antioqueño encontraron un amplio campo vital que permitió a este grupo pasar de una exigua población de menos de 50.000 habitantes que tenía la provincia de Antioquia a fines del siglo XVIII, a una de varios millones de habitantes, con lo cual la proporción demográfica entre el oriente y el occidente colombiano se invirtió a favor de este último y el potencial humano de una nación despoblada creció más en un siglo que en toda su historia anterior. Además surgió una sociedad más fluida y democrática, formada por numerosos propietarios rurales, donde el latifundio fue la excepción, donde las oportunidades de ascenso fueron mayores y donde las distancias y diferencias sociales fueron menores que en otras zonas del país.»[1]

Sólo el estudio de las condiciones económicas, geográficas y sociales de Antioquia en la Colonia nos da la clave de la migración que tuvo su apogeo en el siglo XIX. Acá, y a diferencia de otras regiones, no se creó una aristocracia parasitaria que viviera del trabajo de los aborígenes. Por no existir en su suelo grandes civilizaciones indígenas, y sobre todo porque los que fueron sometidos bien pronto se extinguieron con el duro trabajo de las minas, la institución de la encomienda no se desarrolló, pronto desapareció con la consecuencia de que la agricultura tuvo que ser trabajada directamente por los españoles y sus descendientes, pues los esclavos fueron dedicados preferencialmente a la minería. De todas las regiones colombianas era la más aislada del exterior y su comercio de exportación, con excepción del oro, era prácticamente nulo, lo cual incidía en la pobreza casi general. Las tierras habitadas eran escarpadas y estériles, y la propiedad estaba concentrada en unos pocos, lo que daba origen a una contradicción entre el creciente número de habitantes que pedían tierras para cultivarlas y subsistir y los detentadores de títulos de propiedad que preferían mantenerlas incultas.

Por último, a finales del siglo XVIII se presentó una baja en la extracción de oro, que era el principal y casi único artículo producido y los campesinos del oriente antioqueño, acosados por la falta de trabajo en la minería y sin posibilidades de dedicarse a la agricultura en tierras tan estériles y concentradas en su propiedad por

---

1. Jaime Jaramillo Uribe y otros, *Historia de Pereira* (Pereira, Club Rotario, 1963), p. 351.

unos pocos, no tuvieron más que emigrar a regiones más propicias para su subsistencia y expansión.

Después de la primera fase de la colonización siguió un proceso autogenerado, consistente en que la parcela primeramente desmontada servía por un tiempo para albergar y dar trabajo a la familia, pero luego, al crecer ésta, se tornaba insuficiente y algunos hijos se marchaban cada vez más hacia el sur a construir su unidad económica y familiar, para volverse a repetir el proceso. La búsqueda de oro, y en especial de las guacas, fue una causa de la colonización, pero no la determinante, como algunos han creído.

En una forma esquemática puede determinarse el rumbo y la cronología de esta expansión en la forma siguiente:

COLONIZACIÓN DEL SUR

A finales del siglo XVIII, un grupo de aventureros del oriente del departamento inició su migración hacia el sur, en tierras concedidas por la Corona a Felipe Villegas, las cuales comprendían el territorio situado entre el río Aures y la quebrada de Arma. Primero fue fundado Sonsón en 1797, luego Abejorral en 1808 y Aguadas en 1814. Allí los colonizadores se tropezaron con el inconveniente de otra vasta concesión, la de Aranzazu, que incluía todas las tierras al oriente del río Cauca, entre la quebrada de Arma y la de Chinchiná, y se entabló una feroz lucha en la que hubo incendios y asesinatos entre los emigrantes y la compañía de González y Salazar, que era la sucesora de los títulos de Aranzazu. «Las tierras comprometidas incluían todo lo perteneciente a los municipios caldenses de Salamina, Neira, Aranzazu, Filadelfia y Manizales, con una zona de topografía excepcionalmente escarpada, aproximadamente de 60 kilómetros de longitud por 40 de ancho.»[2]

---

2. James J. Parsons, *La colonización antioqueña en el occidente colombiano* (2ª edición, Bogotá, Archivo de la Economía Nacional, Banco de la República, 1961), p. 111.

En 1825 fue fundada Salamina, en 1843 Neira, en 1844 Santa Rosa de Cabal y en 1848 Manizales. Pereira fue fundada en 1863 por algunas familias de Cartago, pero fueron inmigrantes antioqueños quienes le infundieron vitalidad desde un comienzo.

COLONIZACIÓN DEL QUINDÍO

«El prolongado fervor de las gentes montañeras del norte, deseosas de colonizar estas tierras, parece haberse intensificado aquí por cuatro atractivos a lo menos, a saber: caucho, oro, alto precio de los cerdos, y las ventajas de la región como refugio para librarse de las guerras civiles que desolaban a la República.»[3]

Filandia fue fundada en 1878, Armenia en 1889, Circasia en 1889, Montenegro en 1892, Sevilla en 1903 y Tebaida y Caicedonia en 1905.

A diferencia de la colonización anterior, producto de campesinos pobres y en la que se consolidó la pequeña propiedad, en la del Quindío se lucraron, en la mayoría de los casos, ricos propietarios que burlaban a través de terceras personas las leyes sobre límite a las adjudicaciones, y la propiedad en aquella región fue la de superior extensión y mayor concentración.

Los colonos del Quindío tuvieron que enfrentarse también con una compañía terrateniente, la de Burila, que reivindicaba derechos sobre el territorio en forma de paralelogramo, que comprendía desde Bugalagrande en el Valle, hasta la cresta de la cordillera central detrás de Calarcá, y que incluía todos o parte de los actuales municipios de Calarcá, Armenia, Génova, Pijao, Sevilla, Caicedonia y Zarzal.

COLONIZACIÓN DEL SUROESTE

No ya campesinos de oriente, sino familias de Envigado y Medellín, iniciaron a finales del siglo XVIII la migración hacia el suroeste del departamento. En 1788 se habían instalado algunas

---

3. Parsons, *op. cit.*, p. 119.

familias de Amagá, y con el descubrimiento de las minas de Titiribí en 1800, se consolidó la población del mismo nombre. En 1829 ya existía Fredonia. Concordia se estableció en 1848, y sus pobladores fueron alentados por las adjudicaciones de tierras hechas con base en la legislatura de Antioquia en 1834, para promover la colonización. En 1852 se distribuyeron las tierras para la población de Andes. En 1865 fueron fundadas Valparaíso, Támesis, Andes, Bolívar, Jericó y Jardín por colonos venidos de Sonsón, Abejorral, Pácora, Fredonia y Medellín. Quinchía fue establecida en 1886 y Mocatán en 1890. Pueblo Rico lo fue en 1884 y ya en este siglo fue fundado Balboa como municipio, en 1907.

COLONIZACIÓN DEL TOLIMA

Algunos de los grupos que habían colonizado regiones de Caldas continuaron, a partir de 1850, su avance hacia el oriente en el departamento del Tolima. Fueron fundados Fresno (1856), Soledad (1860), Santo Domingo (1866), El Líbano (1860), Murillo (1860), Manzanares (1860). En 1866 familias de Sonsón y Aguadas fundaron a Pensilvania. Ya en este siglo fue fundada Cajamarca en 1916.

Por último, hay que anotar que hacia el occidente y el norte de Antioquia, así como hacia el río Magdalena siguiendo la ruta del ferrocarril de Antioquia, hubo también migración, pero no de tanta significación como las relatadas.

CONSECUENCIAS

Para el desarrollo del país las consecuencias de la colonización antioqueña fueron trascendentales. Sintéticamente las podemos enumerar así:

1. Creación de la pequeña propiedad campesina en la etapa de colonización. Los colonos, que no contaban con más brazos de trabajo que los de su familia, tenían que adecuar la dimensión del territorio que pretendían colonizar a la limitación que esta circunstancia

les imponía. Si no había mano de obra asalariada, de nada valía pretender el dominio sobre una vasta extensión que no se podía laborar. Además, la legislación limitaba la cabida de los predios adjudicables. De este hecho se derivaron consecuencias importantes en el orden económico y social.

a) En general, no se formaron grandes haciendas ni grandes masas de campesinos asalariados y sin tierra como en otras regiones del país, y en consecuencia la sociedad fue más igualitaria, lo cual se tradujo en la actitud liberal y progresista de sus habitantes.

b) El núcleo familiar se acentuó, lo cual tuvo como consecuencia el rígido patriarcalismo antioqueño. Para una sociedad en la que la mano de obra la suministraban los hijos, era un imperativo la proliferación. De allí lo numeroso de las familias antioqueñas. Luego, cuando la parcela no era suficiente, los hijos emigraban y se iniciaba de nuevo el proceso anterior.

c) En el orden económico la consecuencia más importante fue el aumento de capacidad adquisitiva. Una sociedad en la que todos trabajaban, en la que el beneficio se distribuía y en la que no se presentaban las vastas masas de asalariados con una capacidad de compra limitada por un salario —que por lo regular era escaso—, tenía en conjunto mayor capacidad de compra. Ya veremos cómo el cultivo elegido —el café—, por sus peculiaridades, llegó a ampliar aún más esa capacidad adquisitiva y cómo, precisamente en el occidente, epicentro de la migración, fue donde se desarrolló la industria, porque había allí la acumulación del capital obtenida a través del comercio del oro, del tabaco y del café, y porque allí las masas tenían más dinero para comprar sus productos que los asalariados o semisiervos de las otras regiones del país.

2. Unificación geográfica del occidente colombiano, no sólo porque se unieron económicamente las altiplanicies habitadas desde los tiempos de la Colonia con las llanuras cálidas, sino porque a través de ella Antioquia y la región del Valle del Cauca quedaron integradas en la economía al descuajarse la selva que los separaba.

3. Ampliación de las vías de comunicación, para conectar los nuevos centros poblados entre sí, y a la región con el mar y el Magdalena, por medio de caminos y ferrocarriles. A esto contribuyó

también el café, que fue el principal producto de la zona, puesto que para su exportación no bastaban las trochas que sí eran suficientes para transportar el oro, sino que requería buenos caminos y ferrocarriles. En la exposición hecha por Francisco Javier Cisneros sobre las ventajas de la construcción del Ferrocarril de Antioquia, se ve muy clara la vinculación existente entre la obra y el aumento en la producción cafetera.[4]

4. Preponderancia económica y política del occidente colombiano. En 1835 el grupo antioqueño representaba el 10% de los habitantes del país; para 1938 era el 26%. Además, la industria surgió y se desarrolló principalmente en el occidente colombiano y a partir del siglo XX fueron hombres del occidente los que capitalizaron la dirección política del país, así como en el siglo XIX lo habían sido los originarios de Popayán y Santander.[5]

---

4. «En el resumen que precede, el café apenas ocupa el 9° lugar en el orden de producción y en el de valores el 10°. La producción general y su avalúo no pasa de 0.33% del valor total. Sin embargo, es uno de los frutos destinados a cambiar la faz del suelo antioqueño, porque hay abundancia de terrenos inmejorables para su cultivo, sobre todo en los que debe atravesar el ferrocarril, regados por numerosas caídas de agua que pueden convertirse en motores de pequeñas máquinas de reducido precio, para limpiar el grano, despojándolo de su orujo. La acogida que hace algunos años obtuvieron en Europa varias muestras de café antioqueño, le aseguran un lugar preferente en todos los mercados del mundo.» Francisco Javier Cisneros, *Memoria sobre la construcción de un ferrocarril de Puerto Berrío a Barbosa* (Estado de Antioquia). (Nueva York, Imprenta y Librería de N. Ponce de León, 1880), p. 41.

5. Ver sobre esto último: Luis Eduardo Nieto Arteta, *El café en la sociedad colombiana*. Breviarios de Orientación Colombiana, Bogotá, No. 1, 1958.

13

EL COMERCIO EN EL SIGLO XIX

El comercio exterior de Colombia no fue muy floreciente en el siglo XIX. Hasta 1850 continuó el oro casi como único renglón de venta. Luego vino la exportación de productos agrícolas: tabaco, quina, añil, algodón y café, todos de vida efímera con excepción del último. «A pesar de su población relativamente numerosa y densa, Colombia siempre fue comercialmente pobre. El valor de su comercio exterior entre los años 1821 y 1880 habitualmente estaba por debajo del séptimo u octavo lugar entre los países de Latinoamérica. A fines de la década de 1870 las exportaciones de Colombia fueron oficialmente avaluadas en sólo 11.000.000 de dólares, mientras que Brasil exportaba casi 90.000.000, Perú y Argentina exportaban casi 45.000.000 y México y Chile más de 30.000.000 de dólares... Los ingresos combinados del gobierno nacional y los gobiernos estatales ascendían más o menos a unos 10.000.000 a finales de 1870, en contra de 50.000.000 en Brasil, más de 65.000.000 en el Perú y más de 16.000.000 en las repúblicas de Chile, Argentina y México.»[1]

---

1. Frank R. Safford, «Empresarios nacionales y extranjeros en Colombia durante el siglo XIX». *Anuario Colombiano de Historia Social y de la Cultura*, Universidad Nacional de Colombia, No. 4, p. 89.

La primera mitad del siglo XIX quedó marcada por condiciones muy estrechas en el comercio exterior que favorecieron la concentración monopolista en unos pocos comerciantes, especialmente antioqueños. Como la navegación a vapor por el río Magdalena no se había estabilizado, los comerciantes tenían que hacer compras muy grandes que les permitieran fletar un barco para el efecto, pues en el viaje de regreso éste tenía que devolverse sin carga. Además, por la ausencia de comisionistas que conocieran nuestras realidades y gustos de consumo, el comerciante debía ir personalmente a los centros de aprovisionamiento (especialmente Jamaica), lo que determinaba una especialización en la profesión. La carencia de mecanismos desarrollados de crédito exigía que el comerciante transportara el oro para las compras, lo que a su vez aumentaba los riesgos; pero sobre todo lo demorado de los viajes y las dificultades que imponían largos plazos desde el momento de la inversión inicial hasta la realización de la mercancía, condicionaban una lenta rotación del capital comercial y un fuerte aumento en los precios de los bienes importados. «Los gastos de transporte eran crecidísimos y la duración de una operación comercial, desde que se recogían las onzas para comprar hasta que se volvían a recoger después de la venta, era asunto de varios años... (con la navegación a vapor) las operaciones de importación, que duraban, para sólo el transporte, cerca de dos años, se hallan reducidas a seis meses.»[2] Hasta cuando se consolidó la navegación a vapor por el río Magdalena, tales condiciones eran una protección superior para las manufacturas nacionales que cualquier arancel proteccionista.

La carencia de vías de comunicación en el interior del país fue un obstáculo tremendo para el desarrollo de un comercio interno. En este campo hubo una cierta especialización regional, dentro de ámbitos reducidos, motivada frecuentemente por las diferencias de climas para la producción agropecuaria. En la cuarta década del siglo XIX, por ejemplo, «productos tales como azúcar, tabaco,

---

2. Miguel Samper, *La miseria en Bogotá y otros escritos* (Bogotá, Universidad Nacional, 1969), p. 33.

cacao, arroz y muchos frutos podían obtenerse en la Sabana (de Bogotá) únicamente por medio del intercambio comercial. Así, pues, se estableció un sistema comercial en el que Bogotá enviaba trigo, harina, papas, carnes, cebadas, vestidos, linos, etc., a sitios como La Mesa y Facatativá, donde se adquirían azúcares de la región templada, cacao y ganado flaco de Neiva, tabaco, arroz y ganado de Mariquita y Honda.»[3] En la misma época se calculaba que los antioqueños enviaban anualmente $200.000 en oro, para invertirlos casi por completo en textiles socorranos y una gran parte de los $300.000 que los caucanos gastaban cada año en Bogotá tenían el mismo destino.[4]

A mediados del siglo se daban activas relaciones comerciales entre el grupo caucano y los comerciantes antioqueños, quienes expendían mercancías aun hasta Pasto y Quito y compraban cerdos, mulas, tejidos del país y cacao. En Tocausán, Magangué y Mompox se celebraban ferias muy concurridas.[5]

Los malos caminos encarecían el transporte de mercancías. «En las carreteras de montaña el costo del transporte de carga durante la mayor parte del siglo XIX tenía un valor promedio de treinta a cincuenta centavos de dólar por tonelada milla en la época seca o verano, y setenta centavos más o menos durante la época de las lluvias.»[6] Los caminos se construían en línea recta, sin bordear las cordilleras, de manera que se iba de la cima a las hondonadas para luego tornar a subir en línea recta. Como para los pocos caminos no había un adecuado sostenimiento, en invierno éstos se hacían intransitables, aun para las mulas, y sólo los andaban cargados peones expertos en el oficio que recibieron el nombre de cargueros. Así por ejemplo, en la cuarta década del siglo XIX, entre Cartago e Ibagué, «los cargueros recorrían los 100 kilómetros del camino en seis o siete días, mientras que las mulas gastaban el doble y eran

---

3. Jorge Orlando Melo, *El segundo gobierno de Santander*, tesis de grado (copia a máquina).
4. *Ibidem*.
5. Luis Ospina Vásquez, *Industria y protección en Colombia 1810-1930*, p. 221.
6. Frank R. Safford, *op. cit.*, p. 90.

evitadas por los viajeros por el frecuente riesgo de despeñarse.»[7]
A lomo de carguero se transportaban no solamente personas sino
toda clase de equipos y artículos de lujo. En el año de 1845, Mariano Ospina Rodríguez se encontró con «cuatro indios de Chía, en
la flor de la edad, que bajaban cargando tres enormes fardos, que
según nos dijeron era un piano que conducían de Bogotá para Cali.
Uno de los bultos pesaba seis arrobas y el mayor de ellos nueve;
este enorme peso lo trasladaba un joven de Bogotá a La Mesa en
seis días; ocupación detestable que ha costado la vida a millares de
robustos muiscas.»[8] Todavía en la última década del siglo XIX era
más barato traer un bulto de mercancía de Londres a Medellín que
de Bogotá a esta otra ciudad del país.[9] Si en 1867 la municipalidad
de Bogotá no permitía el tránsito de carros por las calles de la ciudad,
«temerosa de que se rompieran los atenores de barro cocido en las
cañerías»[10], ¿qué podría decirse de los caminos del país?

«Tales condiciones de transporte inhibían naturalmente el desarrollo de un mercado nacional. A pesar de esto, hasta la mitad del
siglo XIX algunos artículos durables y semidurables, así como algunos alimentos de producción regional, eran negociados y enviados a grandes distancias. Las partes altas de la faja oriental (Bogotá,
Tunja) enviaban harina de trigo, papas, telas de lana y algodón, y
algunos productos de hierro a las provincias del occidente (Antioquia, Valle del Cauca), a una distancia de más de 300 millas, así
como a algunos consumidores de las cercanas regiones cálidas,
productores de azúcar. El cacao, cultivado en el Valle del Cauca
y en la provincia de Santander, era transportado para su venta en
Bogotá. El ganado que se criaba en los Llanos Orientales era llevado al valle del Magdalena para su engorde y sacrificio luego en
las altiplanicies. La mayor parte de los productos básicos —maíz,
plátano, yuca y subproductos del azúcar— eran transportados y

---

7. Jorge Orlando Melo, *op. cit.*
8. Mariano Ospina Rodríguez, *Escritos sobre economía y política*, p. 202.
9. Luis Ospina Vásquez, *op. cit.*, p. 283.
10. Miguel Samper, *op. cit.*, p. 101.

negociados a cortas distancias, ya que podían cultivarse prácticamente en cualquier parte del país. Pero para los productos manufacturados y algunos alimentos, las provincias del interior del país ofrecían un mercado que contaba con 1.500.000 a 2.000.000 de personas.

«La existencia de un mercado nacional, por lo menos para algunos artículos manufacturados, se debió al hecho de que hasta finales de 1840 las diferentes provincias de la Nueva Granada estaban tan aisladas del resto del mundo como entre sí.»[11]

PRODUCTOS DE EXPORTACIÓN

El tabaco

Desde mediados del siglo XIX las divisas nacionales son obtenidas principalmente a través de la venta al exterior de un producto agrícola. Esto tiene una importancia especial para comprender nuestra estructura y desarrollo, pues significa que nuestra agricultura, y en cada caso el producto de turno, va a estar supeditada al mercado capitalista mundial, y en consecuencia sometida a los vaivenes y fluctuaciones de precios en él, o lo que es lo mismo, que el control de la producción a través del mercado no ha estado dentro del país, sino en el exterior, en Bremen, en Londres, en París o en Nueva York, según se trate de la quina, el tabaco, el añil, el algodón o el café.

El tabaco fue el primer artículo agrícola de exportación con significación en nuestra balanza comercial. Como ya se dijo, el estanco del tabaco era un arbitrio fiscal por medio del cual la Corona controlaba la cantidad y ubicación de las siembras, y al constituirse en único comprador y vendedor, obtenía un beneficio con la diferencia entre los precios de las dos transacciones. La Ley 23, de mayo de 1848, declaró libre el cultivo del tabaco a partir del 1° de enero de 1850. Inmediatamente se desarrolló la producción y miles

---

11. Frank R. Safford, *op. cit.*, p. 90.

de hectáreas en tierras cálidas, principalmente en Ambalema y regiones aledañas, en el Carmen de Bolívar y en Palmira, fueron habilitadas para su cultivo.

El desarrollo de la producción de tabaco con destino a la exportación debe explicarse en condiciones históricas muy concretas. Precisamente en la década del 50 la rica y grande producción de oro de California y Australia rebaja el valor de producción de este metal y Colombia se ve relegada a un lugar secundario en el contexto de la producción mundial. A su vez, como el oro era prácticamente el único producto de exportación, la clase comerciante se vio abocada a buscar fuentes de divisas en otros sectores como el tabaco. Es claro que muchos comerciantes, como los hermanos Samper, vincularon sus capitales y esperanzas a este nuevo renglón agrícola de exportación. Las posibilidades del mercado mundial y el abaratamiento de los costos de transporte, causados por la misma siembra del tabaco que hizo económica la navegación a vapor en el río Magdalena, permitieron en este momento el crecimiento de la producción tabacalera. Pero además, la ideología liberal del sector comerciante permitió dar el paso, en realidad atrevido, de suprimir el estanco del tabaco para avivar la producción. Sólo unos hombres que tuvieran una particular concepción del Estado en el sentido de que éste debía actuar lo menos posible y tener el mínimo de funciones podía privarlo de una renta tan fuerte como la que le proporcionaba el estanco del tabaco. Los intereses de los comerciantes angustiados por obtener mayores fuentes de divisas para ampliar el mercado de importación y su ideología liberal no intervencionista —expresión también de sus intereses— hicieron posible este paso radical que fue la supresión del estanco del tabaco. Esta extensión del cultivo fue de gran trascendencia para la economía nacional y sus consecuencias pueden sintetizarse así:

1. Se estabilizó la navegación a vapor por el río Magdalena, al encontrar los buques carga suficiente en el trayecto de bajada, pues hasta esa época sólo la obtenían en la subida con las mercancías de importación. Como consecuencia de esa estabilización, el puerto de Barranquilla se fue consolidando hasta llegar a ser una de las ciudades más importantes del país.

2. Una gran migración hacia las tierras cálidas que coincidió con el despoblamiento de los resguardos de tierra fría. Por causa de la demanda de brazos en las labores tabacaleras, subieron los salarios, lo que indirectamente incidió desfavorablemente en contra de las manufacturas. Asimismo, se elevó el precio de la propiedad inmueble en las regiones destinadas al cultivo del tabaco.

3. Al decrecer la producción tabacalera quedaron abiertas grandes extensiones de terreno que se dedicaron a la ganadería extensiva.

4. Una consecuencia que no se ha destacado lo suficiente hasta el momento, fue la apreciable acumulación de capital de unos pocos, en su mayoría antioqueños, que continuó el ciclo marcado a través del oro, y después del tabaco, por el café, hasta obtener el excedente que luego invirtieron en la industria.

«Parece que el gobierno granadino cedió el monopolio de la producción del tabaco en Ambalema a Francisco Montoya, porque ya era el capitalista más grande y más seguro del país. Después de la abolición del monopolio en 1850 los antioqueños también desplegaron su poder capitalista. Los datos disponibles indican que en 1852 tres compañías antioqueñas controlaron más de las dos terceras partes de las exportaciones de Ambalema. (El 18% estuvo en manos de una compañía inglesa y tres compañías bogotanas quedaron con los restos). En épocas posteriores, los exportadores antioqueños, sobre todo los Uribe y Posada Muñoz y Cía., eran los únicos que podían competir con los recursos grandes de la 'casa inglesa' Fruhlings & Goschen. El poder económico de los antioqueños se notó no sólo en las casas exportadoras, sino también en los grandes préstamos que hicieron los capitalistas de Medellín a los exportadores antioqueños. Los exportadores en Ambalema —Montoya, Sáenz y Cía., Posada Muñoz y Cía., Andrés Toro— (todos antioqueños), así como varios exportadores extranjeros dependían del refortalecimiento de préstamos que les dieron Vicente B. Villa y otros capitalistas de Medellín. Y en Bogotá todos los negocios quedaron suspendidos hasta cuando el oro antioqueño vino a Ambalema para comprar tabaco y hacer avances para la próxima cosecha; con la cosecha, los capitalistas antioqueños vinieron, el cambio sobre el extranjero en Bogotá bajó notablemente, y todos los negocios de repente se animaron. Se puede decir que el oro antioqueño sirvió de base crediticia a la mayor parte de la industria tabacalera y a la vez de gran parte de las importaciones de Europa a mediados del siglo XIX».[12]

Luis Eduardo Nieto Arteta nos trae los siguientes datos estadísticos sobre la exportación del producto:[13]

EXPORTACIÓN DE TABACO

Año	Valor		Peso
1834-35	18.400	Arrobas	2.942
1835-36	191.309	qq	6.420
1836-37	158.594	«	6.929
1837-38	39.631	Arrobas	10.705
1838-39	25.200	qq	40
1841-42	19.130	«	20
1843-44	200.999	«	6.505
1844-45	116.596	«	4.538
1851-52	-	«	36.816
1854-55	934.300	kilos	1.720.049
1855-56	1.459.780	«	2.688.710
1856-57	3.092.204	«	5.106.023
1857-58	1.567.157	«	2.800.931
1858-59	1.580.243	«	2.860.434
1864-65	2.457.697	«	3.913.612
1866-67	2.816.945	«	5.696.717
1867-68	2.695.899	«	5.251.192
1868-69	3.019.931	«	5.722.811
1869-70	2.370.712	«	5.382.252
1870-71	1.498.752	«	4.833.432
1871-72	1.521.685	«	4.479.720
1872-73	2.044.255	«	5.732.927
1873-74	2.360.883	«	5.966.794

Continúa

12. Frank Safford, *Significación de los antioqueños en el desarrollo económico colombiano. Un examen crítico de las tesis de Everett Hagen*. «Anuario Colombiano de Historia Social y de la Cultura», Universidad Nacional de Colombia, No. 3, 1965, p. 66.

13. Luis Eduardo Nieto Arteta, *Economía y cultura en la historia de Colombia* (Bogotá, Ediciones Tercer Mundo, 1962), p. 266.

Continuación

Año	Valor		Peso
1874-75	2.727.522	«	7.825.520
1875-76	2.129.945	«	5.797.589
1876-77	1.373.825	«	3.952.343
1877-78	564.097	«	1.865.763
1878-79	907.656	«	2.729.155
1879-80	1.286.466	«	3.630.771
1880-81	1.095.588	«	3.176.116
1888	678.795	«	-
1889	798.029	«	-
1890	1.820.757	«	-
1891	1.491.934	«	-
1905	400.095	«	2.429.132

«...El ascenso de la exportación y producción de tabaco se inicia hacia 1854-55. El año 1868-69 es el de mayor exportación. En 1877-78 hay una acentuada baja de las exportaciones, efecto natural de la crisis que se había iniciado hacia 1875-76. En los años anteriores al de 1877-78 había descensos, pero la exportación volvía a adquirir su ritmo normal. Es lo que puede observarse entre los años de 1868-69 y 1875-76. En 1876-77 comienza la baja definitiva de las exportaciones. Los datos estadísticos reproducidos están demostrando que la libertad de cultivo del tabaco permitió una gigantesca ampliación de la producción de la hoja o condujo a ella...»[14]

El principal mercado lo constituyó Alemania, sobre todo la ciudad de Bremen, y también se cotizaba el producto en Inglaterra y Francia.

Decadencia

Las causas de la decadencia del tabaco colombiano tras unos pocos lustros se han resumido así:

1. Deterioro de la calidad, sobre todo del de Ambalema.

2. Competencia del producto de Java, que con igual calidad tenía un menor precio.

---

14. *Ibid.*, p. 267.

3. Competencia del tabaco ordinario del Brasil, de menor calidad y más bajo precio. Salvador Camacho Roldán dice al respecto:

«Resumiendo, las causas de la decadencia de esta producción pueden reducirse a tres:

1. La repetición de la siembra con las mismas semillas en los mismos terrenos, sin preparación especial del suelo y sin abonos;

2. La competencia del tabaco de las islas holandesas de Java y Sumatra, en terrenos nuevos, y

3. Los altos derechos impuestos en Alemania al tabaco americano.»[15]

La quina

Desde la época de la Colonia se había ensayado su exportación, pero sólo a partir de la segunda mitad del siglo XIX cobró alguna significación económica.

Nieto Arteta nos da los datos sobre su exportación[16]:

EXPORTACIÓN DE QUINA

Año	Valor		Peso
1834-35	$ 80	Arrobas	22
1835-36	1.415	Quintales	102
1836-37	160	«	4
1838-39	1.500	«	-
1840-41	10	Libras	250
1843-44	50	Quintales	1
1844-45	518	«	58
1851-52	-	«	11.511
1854-55	730.475	Kilos	1.423.985
1855-56	858.747	«	1.830.217
1856-57	508.874	«	1.830.217
1857-58	383.672	«	925.343
1858-59	164.130	«	290.456

Continúa

---

15. Salvador Camacho Roldán, *Memorias*, T. II (Bogotá, Biblioteca Popular de Cultura Colombiana, 1946), p. 32.

16. Nieto Arteta, *op. cit.*, pp. 282, 283.

Continuación

Año	Valor		Peso
1864-65	437.885	«	888.508
1866-67	202.514	«	589.900
1867-68	227.319	«	557.465
1868-69	438.041	«	1.224.630
1869-70	425.614	«	1.204.204
1870-71	900.273	«	2.347.883
1871-72	1.297.786	«	3.309.281
1872-73	1.752.619	«	4.149.582
1873-74	1.794.259	«	4.060.620
1874-75	1.511.736	«	3.456.869
1875-76	2.038.003	«	3.507.600
1876-77	847.745	«	1.109.292
1877-78	2.470.245	«	3.182.338
1878-79	2.660.933	«	3.550.082
1879-80	3.349.322	«	4.282.989
1880-81	5.123.814	«	5.839.476
1888	139.188	«	-
1889	46.103	«	-
1890	4.880	«	-
1891	2.250	«	-

El añil

De mucho menor cuantía y más efímera producción fue la exportación de añil, la cual se verificó casi exclusivamente hacia Inglaterra y Francia y decayó por la falta de técnica en el cultivo y de una adecuada inversión para mejorarlo. Pero sobre todo la competencia de colorantes artificiales, determinó su ruina. «Grandes extensiones de terreno fueron plantadas de añil, el vegetal origen de esa sustancia y que tan especial esmero exige. Un día se inventó el azul de Prusia; los colores artificiales de anilina desplazaron a los naturales, y los productos colombianos, encarecidos a causa de los costos de transporte por el Magdalena, no pudieron ya competir. Las pérdidas fueron de millones.»[17]

---

17. Ernst Rothlisberger, *El Dorado* (Bogotá, Banco de la República, 1963), p. 186.

Los datos sobre explotación de añil son los siguientes:

Año		Peso	Valor
1834-35	Libras	230	$ 460
1836-37	«	30	30
1838-39	Quintales	5	375
1854-55	«	-	1.255
1857-58	«	115	184
1864-65	«	3.621	3.384
1866-67	«	5.446	5.381
1867-68	«	36.126	31.291
1869-70	«	65.505	141.954
1870-71	«	182.199	528.575
1871-72	«	168.582	492.302
1872-73	«	123.856	390.120
1873-74	«	71.297	186.923
1874-75	«	24.548	64.485
1875-76	«	27.348	62.992
1876-77	«	6.035	18.650
1877-78	«	10.709	36.080
1878-79	«	5.535	16.400
1879-80	«	5.885	17.100
1880-81	«	7.210	7.785[17b]

El algodón

Con motivo de los trastornos causados por la Guerra de Secesión norteamericana, la exportación colombiana del producto se vio animada momentáneamente, para decaer tan pronto cesó la contienda.

Las exportaciones de algodón fueron:

Año	Valor		Peso
1834-35	$ 113.230	Quintales	12.594
1835-36	100.230	«	16.369
1836-37	92.155	«	9.718
1837-38	167.423	«	21.675
1837-38	167.423	«	21.675
1838-39	189.149	«	22.611
1841-42	102.785	«	15.698

Continúa

17B. Luis Eduardo Nieto Arteta, *op. cit.*, p. 288.

Continuación

Año	Valor		Peso
1843-44	48.108	«	7.952
1844-45	7.868	«	1.716
1854-55	7.078	Kilos	107.970
1855-56	9.652	«	97.320
1856-57	3.874	«	107.509
1857-58	7.563	«	70.936
1858-59	5.532	«	51.776
1864-65	319.595	«	529.613
1866-67	566.139	«	1.382.580
1867-68	354.210	«	1.507.458
1868-69	309.250	«	1.068.656
1869-70	509.723	«	2.130.594
1870-71	290.275	«	1.272.432
1871-72	253.858	«	843.246
1872-73	262.534	«	807.438
1873-74	249.048	«	1.082.990
1874-75	141.589	«	554.325
1875-76	201.115	«	820.793
1876-77	120.532	«	618.007
187778	139.133	«	684.416
1878-79	97.507	«	538.439
1879-80	76.943	«	399.792
1880-81	36.578	«	213.313
1888	75.694	«	-
1889	96.176	«	-
1890	304.351	«	-
1891	321.650	«	-[18]

En el siglo pasado son la quina y el tabaco los principales productos agrícolas de exportación de Colombia. El añil, el algodón y el cacao se exportaron en virtud de circunstancias ocasionales.

El oro

El oro, que durante la Colonia había constituido el 85% de nuestras exportaciones, siguió siendo durante el siglo XIX un elemento importante de las mismas, ya fuera que se exportase en polvo, en barras o amonedado.

---

18. *Ibid.*, p. 290.

Si la región del Cauca había sido la principal productora de oro durante la Colonia, a partir del siglo XIX Antioquia vino a ocupar esta posición. Como se vio atrás (capítulo sobre oro y moneda en la Colonia), la minería caucana se hacía casi exclusivamente con mano de obra esclava, motivo por el cual las guerras de Independencia y la quiebra y abolición de la esclavitud minaron las bases de producción de esa región. Durante las guerras de la Independencia, la producción nacional de oro rebajó en un 40% y en el Chocó su producción, que al principio del siglo XIX ascendía a 1.000.000 de pesos, en 1885 no pasaba de 300.000 pesos.[19]

En Antioquia, donde había gran cantidad de mineros libres y la producción esclavista no era tan significativa, la abolición de la esclavitud no tuvo consecuencias tan fuertes en la productividad y una serie de medidas nuevas, como la vuelta a la minería de veta y las técnicas que se introdujeron al proceso de laboreo, elevaron la producción. Precisamente la carencia de mano de obra esclava y libre, fue un incentivo para la introducción de maquinaria.

En Antioquia en 1760, «los conocimientos industriales se hallaban en sumo atraso. En minería se ignoraban en absoluto la geometría subterránea, la metalurgia y la mecánica; no se conocían bombas ni otra máquina para levantar las aguas; no se hacía uso del taladro y de la pólvora para romper las rocas, ni había más elemento dinámico que la fuerza humana. Los instrumentos de trabajo estaban reducidos a la barreta, el barretón, el almocafre, la batea y los cachos, que eran dos placas curvas de madera que reemplazaban la pala. No había quién pudiera ensayar un mineral, construir una máquina o edificar un horno de fundición.»

«La primera rueda hidráulica y el primer bocarte fueron construidos por el ingeniero inglés señor Tyrrel Moore, en la mina de Luisbrán, en Santa Rosa, el año de 1830; el mismo sujeto hizo el primer arrastre en la mina 'La Constancia' en Anorí, en 1833, y algunos años después el primer horno de fundición en Sitioviejo, en Titiribí.»[20] La

---

19. Vicente Restrepo, *Estudio sobre las minas de oro y plata de Colombia*, p. 211.

20. Mariano Ospina Rodríguez, *op. cit.*, p. 119.

explotación de los filones, durante la Colonia, presentaba múltiples dificultades por falta de técnica. Como no se utilizaban bombas, los trabajos no podían pasar de cierta profundidad y era preciso construir extensas y costosas galerías de desagüe. El transporte de las minas se hacía a espaldas de hombres por entre socavones. No había adecuados métodos de explotación. Estas fallas técnicas determinaron una explotación superficial y que sólo se pudieran beneficiar los filones más ricos a costa de un gran desperdicio.[21]

En 1800 ya se explotaban en Antioquia algunas minas de veta en Titiribí (El Zancudo, Los Chorros), en Amagá (Las Cruces y Las Animas). Hasta entonces no se había establecido en Antioquia ningún molino, ni se había usado azogue. Se seguía moliendo a mano.[22]

A los pocos años de haberse instalado el primer molino (1830) se desarrolló por toda la provincia de Antioquia la minería de veta con base en la aplicación de esta mejora técnica. Se montaron explotaciones en Amalfi (La Clara, Vetilla, San Jorge); en Remedios (Bolivia, Cristales y San Nicolás); en Santa Rosa (La Trinidad, Las Cruces, etc.); en Titiribí (El Zancudo, Otramina, etc.); en Concepción (El Criadero, etc.); en Santo Domingo, San Pedro, Abejorral, Sonsón y en Frontino, donde la mina estuvo produciendo a partir de 1833, 24 libras de oro al mes, con un molino de pocos pisones.[23] 1850 marca el principio de una nueva era para la minería, que a partir de entonces conoció un desarrollo constante durante el siglo XIX. La vinculación de una serie de ingenieros de minas europeos, que aplicaron sus conocimientos técnicos, condujo a la introducción de métodos modernos de producción. En los entables capitalistas que funcionaron en Antioquia para la producción de oro, a los que se vincularon fuertes capitales, se aplicó la maquinaria y la técnica, se concentraron cientos de trabajadores asalariados y se desarrollaron por primera vez en el país técnicas de administración capitalista. De allí surgieron empresarios que acumularon experiencias administrativas de mucha importancia cuando

---

21. Vicente Restrepo, *op. cit.*, p. 226.
22. *Ibid.*, p. 50.
23. *Ibid.*, p. 53.

en el siglo XX, en esta misma región, se dieron los primeros pasos de desarrollo industrial.

El oro fue fundamental para la conformación característica de la región antioqueña. La circunstancia de que los comerciantes de allí controlaban el oro, les permitió una fuerte acumulación de capital y que pudieran manejar el comercio externo de la nación. Magnus Morner, ciudadano sueco que dirigió a su gobierno, alrededor de 1830, un memorial sobre el comercio de la Nueva Granada con Jamaica, anotaba cómo los antioqueños, al contar con oro para hacer sus pagos de contado, controlaban el comercio del país en momentos en que no existían instituciones eficientes de crédito. «La masa está formada por los comerciantes criollos de los puertos o por capitalistas del interior. Están principalmente compuestos por ricos habitantes de la provincia aurífera de Antioquia, cuyas operaciones se extienden hasta Bogotá, y a todo el interior del país, hasta Popayán y Quito. Hacen siempre el pago en oro, en onzas o en polvo, que hacen salir de contrabando, a pesar de todos los obstáculos puestos por las autoridades. La naturaleza de las comunicaciones de dicha provincia montañosa, pero cruzada por valles ricos en cereales, no le permite ni le permitirá otro medio de pago con el extranjero; medio de pago que es actualmente el de casi todo el país, porque aunque es capaz de suministrar los más valiosos productos de las tierras tropicales, los emplea casi todos en el consumo interno.»[24] La circunstancia de que hubiera minas como «La Constancia» en Anorí, que en 1836 tenía 250 peones, ocho molinos de a ocho pisones cada uno, un arrastre para amalgamar, dos fraguas, carpinterías, etc.,[25] que en 1885 en la explotación de minerales de Remedios trabajaran diariamente por lo menos 2.000 obreros,[26] que en la mina de «El Zancudo» (la empresa más impor-

24. Magnus Morner, *Memorial resumido sobre las relaciones comerciales de las provincias interiores...* «Anuario Colombiano de Historia Social y de la Cultura», Universidad Nacional de Colombia, Vol. I, No. 2, 1964, p. 323.

25. Vicente Restrepo, *op. cit.*, p. 52.

26. Manuel Uribe Angel, *Geografía general y compendio histórico del Estado de Antioquia, en Colombia* (París, Imprenta de Víctor Goupy y Jourdan, 1885), p. 181.

tante del país en la segunda mitad del siglo XIX) para 1890, en las explotaciones de hulla y en las operaciones metalúrgicas para la reducción de los minerales se emplearan ordinariamente 530 operarios, los que sumados a los 820 trabajadores en la mina daban un total de 1.350 como personal normal de la empresa,[27] nos está indicando una producción capitalista no sólo por la inversión fuerte de capital a la empresa, por las técnicas desarrolladas, por la producción para el mercado y por los métodos de administración, sino también por el gran número de trabajadores y las condiciones de prestación de servicios a través de formas salariales. A su vez, en los talleres de reparación y construcción de maquinaria para la minería, los trabajadores nativos aprendieron a construir máquinas, y el gran número de asalariados con altos jornales, implicó un mercado amplio y propicio, que sirvió de base para que en la región surgiera una industria productora de bienes de consumo. En síntesis, la producción de oro en Antioquia creó condiciones propicias para que con otros elementos se diera una industria. El mercado se amplió, se adquirieron experiencias técnicas y de administración y los comerciantes lograron fuerte acumulación de capital. Sobre este último tópico, anota acertadamente Frank Safford: «El oro fue importante, no porque creó un nivel alto de vida en Antioquia, sino porque facilitó la acumulación de capitales grandes en las manos de unos pocos, permitiéndoles emprender negocios mayores en Antioquia, a través de la nación (a mediados del siglo XIX) o en el extranjero. Seguramente los mazamorreros no se volvieron ricos, tal vez también la gran mayoría de las empresas de minas perdieron, o no ganaron mucho. Los que sí ganaron fueron los comerciantes, los 'rescatantes' de Medellín y Rionegro que proveyeron las regiones mineras con los artículos de consumo. Hay que recordar que los comerciantes en Antioquia tenían trato no sólo con las minas de Antioquia, sino también con las provincias del Cauca y del Chocó. Hasta finales del siglo XIX, cuando Cali al fin logró comunicaciones regulares con Buenaventura, Medellín tuvo casi un monopolio del comercio de importación al oriente. Así, los comerciantes de la

---

27. Vicente Restrepo, *op. cit.*, p. 265.

capital antioqueña sacaban provecho de las regiones produciendo más del 90% del oro colombiano... En el comercio del interior el oro antioqueño también hizo un papel importantísimo, porque dio a los capitalistas de Medellín la fuente más importante del crédito doméstico. Prácticamente no existían instituciones de crédito en Colombia antes de 1870. Las primeras Cajas de Ahorro se establecieron desde 1844, pero nunca controlaron capitales grandes. En la época de mayor importancia, en 1858-1859, sus depósitos totales no llegaron a más de 400.000 pesos.»[28]

Inversiones extranjeras en minería

Con la independencia Colombia quedó libre, entre otras cosas, para la inversión y el comercio de los ingleses. No nos habíamos consolidado todavía como república independiente cuando ya el país estaba endeudado con los capitalistas ingleses, y como el pago de los empréstitos tenía que hacerse en oro, los prestamistas se interesaron en la asistencia técnica de la minería, para que se les pudiera cumplir con las cuotas. La casa Goldschmidt tomó en arrendamiento del gobierno, en 1825, varias minas de oro, de filón y aluvión, y de plata en vena, en Marmato y Supía. El mismo año llegó a la Vega de Supía M. Juan S. Boussingault, quien compró por cuenta de la «Asociación Colombiana de Minas», de Londres, seis minas de filón de oro y plata en Marmato, cinco de filón de oro en Quiebralombo y una de aluvión en el Llano de Supía por $57.042.[29] En 1824 el gobierno arrendó las minas de plata de Santa Ana y La Manta, a los otros prestamistas, la casa Herring, Graham Powels, por cuenta de la Asociación Colombiana de Minas, con sede en Londres. El contrato fue prorrogado a sociedades inglesas en 1853 y 1871.[30]

Florentino González, abogado del libre cambio en la Nueva Granada y obsecuente servidor del imperialismo inglés, compró en

28. Frank Safford, *op. cit.*, p. 64.
29. Vicente Restrepo, *op. cit.*, p. 93.
30. *Ibid.*, p. 135.

1852, por cuenta de una compañía de esa nacionalidad, la mina de Frontino en el distrito de este nombre y varias minas de filón denominadas de Bolivia, en el distrito de Remedios. En estas minas que aún pertenecen al trust norteamericano que controla la producción de oro en Colombia, se aplicó la primera máquina de vapor destinada a dar movimiento a un molino y en ella, entre 1891 y 1893, la compañía inglesa obtuvo una producción en oro de 293.000 libras esterlinas, fuera del valor de las jaguas exportadas, que pasó de 70.000 libras.[31]

«Capital inglés (casa Goldschmidt) toma en 1825 en arrendamiento minas de plata y oro en Supía y Marmato; capital inglés establece el primer monitor de la América del Sur en la mina Malpaso (Mariquita); capital inglés crea una fundición en Titiribí destinada a la fusión de piritas auroargentíferas; Western Andes Mining Company Ltd. adquiere las continuaciones de Echandía y Loaiza (Marmato) a fines del siglo XIX; The Colombian Mining & Exploration Company Ltd. ejerce un crudo monopolio de veinte años sobre las exploraciones nacionales de Marmato y sobre la antigua provincia de Riosucio, suspendiendo las explotaciones siete años, por un pleito, y recibiendo en 1930 una indemnización del gobierno de 300.000 libras esterlinas»[32], y en Caldas, particularmente en la tercera década del siglo XX, es la compañía inglesa The Dorada Railway Ltd. la que controla los transportes, construyendo la entonces (1922) principal vía de importación y exportación (el cable aéreo de Mariquita), y son firmas inglesas las que controlan los mercados de seguros (London & Scotch Assurance C. Ltd. - United British Co. Ltd., Commercial Union Assurance Co. Ltd. - Liga de los más poderosos bancos ingleses, Royal Insurance Company Ltd.) y es inglesa la Jacks & Co., que se introduce en las plazas de café.

«La penetración máxima se verifica cuando la Colombian Mining logra obtener el monopolio para la explotación de minas en toda la antigua provincia de Riosucio, monopolio que hasta el tercer decenio

---

31. *Ibid.*, p. 57.
32. Antonio García, *Geografía económica de Colombia, Caldas* (Bogotá, Imprenta Nacional, 1937), p. 114.

del siglo aplasta la minería nacional. Después de un interregno que duró cerca de siete años y en el que se abandonaron maquinarias y canalizaciones comienza la era de los arrendatarios nacionales.»[33]

El capital norteamericano en la minería se vinculó a finales del siglo XIX, especialmente a la región del Chocó. En 1880 en los Estados Unidos se organizó una compañía con 500.000 pesos de capital para explotar por medio de dragas al Atrato, entre los ríos Negua y Andágueda.[34] En la misma región en 1866-1867 una compañía norteamericana extrajo veinte quintales de oro (20.000 libras) en la mina de Gargazón.[35] En el Tolima en 1886 la mina de Cristo de las Lajas pertenecía a una compañía norteamericana.[36] Desde finales del siglo XIX el capital norteamericano se fusionó con el inglés para la producción monopolista del oro, la plata y el platino en Colombia. «En nuestro ejemplo del Cauca, la costa del Pacífico, el río Cauca y el Patía, son dominados por capitales ingleses desde el siglo XIX y actualmente por ingleses y saxoamericanos; en 1899, Timbiquí Gold Mines Company Limited adquiere una propiedad costanera de 650 kilómetros cuadrados; en 1905 la reemplaza la New Timbiquí Gold Mines Limited, con un capital autorizado de 200.000 libras esterlinas e inversiones en montajes, etc., de 17.567 libras esterlinas (1921) y un producido que alcanza en el período 1919-1921 a 122.552 libras esterlinas; en 1921 Colombian Propietary Gold Mines Limited, con un capital suscrito de 200.000 libras esterlinas, posee 33 millas cuadradas en Guapí para explotar minas auríferas de aluvión; así continúa la tradición inglesa hasta rematar en la sociedad minera Colombian Mining, explotadora del lecho del Patía desde Juntas hasta la desembocadura del Sajandí y minas de aluvión riberanas e introducirse la firma americana Asnazú Gold Mine sobre 15 kilómetros del río Cauca.»[37]

---

33. *Ibid.*, p. 132.
34. Vicente Restrepo, *op. cit.*, p. 98.
35. *Ibid.*, p. 99.
36. *Ibid.*, p. 138.
37. Antonio García, *op. cit.*, p. 150, y Fred J. Rippy en su obra *El capital norteamericano y la penetración imperialista en Colombia* (Medellín, Oveja Negra, 1970), p. 67, anota lo siguiente: «En cuanto a las actividades mineras el

En el siglo XIX, al lado del capital extranjero, la mayor parte de la producción de oro se hacía por los nacionales, en forma individual, o por capitalistas nativos a través de grandes empresas. Ya en el siglo XX hubo decaimiento de este sector, lo cual derivó en la situación actual, en la que un monopolio extranjero prácticamente controla toda la producción del país. En declaración para *El Espectador*, el sábado 6 de diciembre de 1969, el ministro de Minas y Petróleos de Colombia dijo: «En Colombia solamente hay un gran minero: el señor Harter, quien está dirigiendo la política del oro en Colombia»; este señor es el supremo director de las siete compañías mineras internacionales establecidas en Colombia, las cuales según el ministro son una sola. De acuerdo con las declaraciones del ministro, quien tiene por qué saberlo, esas compañías tienen el 66% de la producción nacional de oro, el 75% de la de plata y el 89% de la de platino, y en el fondo no son más que una sola empresa: la International Mine, que evade impuestos no sólo por el metal que sale de contrabando sino además porque a través de gastos recíprocos de administración entre ellas, que se elevan desmesuradamente, dan un balance de ganancias notablemente reducido. Además, las compañías Frontino Gold Mines y la Pato Consolidate dominan extensos territorios nacionales. La primera de ellas posee actualmente unas treinta mil hectáreas y la segunda ciento treinta mil, de las cuales la Frontino sólo explota el 5.9% y

---

investigador está obligado a confiar en las alusiones casuales de los cónsules. En 1903 Henry Granger calculaba en $500.000 las inversiones mineras de los norteamericanos en el Chocó. Menciona la Boston and Colombia Gold Dredging Company y la American and the Gold Dredging Company y otros grupos de Filadelfia. En 1905, otro cónsul anotaba que 'una cantidad de norteamericanos' estaba 'dedicada a la minería en Antioquia' y que 'si algunos informes... eran confiables, podían esperarse ganancias considerables'. En 1908 informaba otro cónsul que 'muchas compañías norteamericanas' funcionaban en la región de Guamocó del mismo departamento y poco después, en el mismo año, se supo que una compañía de Nueva York adelantaba investigaciones en las regiones mineras del Chocó, en donde proyectaba hacer inversiones. Es probable que algunos de los intereses mineros estuvieran dedicados también a la agricultura. En todo caso, lo cierto es que varios ciudadanos y compañías norteamericanas eran propietarios de plantaciones colombianas.»

mantiene improductivas y en reservas el resto, y la Pato sólo beneficia el 3%[38]

La producción nacional de oro entre 1537 y 1927 fue la siguiente:

Período	Cantidad	Promedio anual Producción	Porcentaje de producción
1537-1600	4.115.295	64.301	17.91
1601-1700	11.252.760	112.528	39.01
1701-1800	15.110.849	151.108	24.69
1801-1810	1.607.537	160.764	27.47
1811-1820	964.522	96.542	25.28
1821-1830	1.028.824	102.882	21.96
1831-1840	1.069.974	106.097	6.38
1841-1850	1.093.125	109.313	1.76
1851-1855	562.638	112.528	1.73
1856-1860	562.638	112.528	1.80
1861-1865	562.640	112.528	1.99
1871-1875	902.663	180.533	3.19
1876-1880	874.817	174.817	3.52
1881-1885	751.265	150.253	2.74
1886-1890	755.730	151.146	1.93
1891-1895	465.629	93.126	0.75
1896-1900	609.853	121.971	0.78
1901-1905	746.118	149.224	0.70
1906-1910	930.878	186.176	0.82
1911-1915	1.401.613	280.323	1.48
1916-1920	1.015.025	203.005	1.17
1921-1925	71.658	0.37	
1926	-	71.658	0.37[39]
1927	72.563	72.563	

Con la aparición del tabaco y los otros productos agrícolas, el oro rebajó en el porcentaje de nuestras exportaciones, pero siguió siendo por lo menos la segunda y a veces la primera de ellas durante el siglo XIX.

---

38. «Mr. Harter, único dueño de minas colombianas.» *El Espectador*, diciembre 6, 1969, p. 1-A.

39. Abel Cruz Santos, *Economía y hacienda pública*, en «Historia Extensa de Colombia», T. XV, p. 141.

Guillermo Torres García trae el siguiente cuadro de exportaciones entre 1867 y 1878:

Oro, plata y numerario	$ 28.677.045.85
Tabaco	22.307.481.23
Quina	13.703.645.03
Café	11.749.543.75
Cueros	4.348.958.46
Algodón	2.824.269.21
Sombreros	2.782.008.45
Caucho	2.301.966.66
Añil	1.997.677.13
Tagua	1.524.563.68
Minerales	1.356.007.35
Dividivi	847.282.49
Palomora	449.891.34
Azúcar	189.351.80
Bálsamo	151.969.30
Semillas de algodón	146.763.80
Panela	78.038.12
Cocos	54.580.00[40]

El mismo autor hace este análisis:

«De las cifras anteriores pueden hacerse, entre otras, las siguientes importantes deducciones:

1. Que el oro, la plata y el numerario constituían lo más valioso de nuestra exportación.

2. Que el tabaco, la quina y el café eran los productos que mayores recursos nos proporcionaban en letras o giros sobre el exterior, para pagar las importaciones.

3. Que el café apenas representaba en aquella época un producto de cuarto orden en nuestro movimiento de exportaciones.

4. Que en tiempos anteriores al papel moneda y cuando el café aún no había llegado a ser nuestro principal producto de exportación, no era la quina, como erradamente se ha creído, sino el taba-

---

40. *Historia de la moneda colombiana* (Bogotá, Imprenta del Banco de la República, 1945), p. 204.

co, el artículo más importante de nuestras ventas al exterior, excepción hecha del oro.

5. Que al añil nunca llegó a tener la importancia que generalmente se le ha atribuido, puesto que artículos como los cueros, el algodón, los sombreros y el caucho, representaban valores muy superiores a aquél.»[41]

A lo anterior debe agregarse que el oro fue de exportación continua durante todo el siglo, mientras que los otros productos agrícolas, con excepción del café, decrecieron o desaparecieron después de unas décadas o lustros de auge.

Debe tenerse en cuenta también, cuando se hable de la exportación de oro, que mucha parte se hacía bajo la forma de numerario, para saldar el déficit de nuestra balanza comercial. Así, por ejemplo, entre 1867 y 1888, año en el cual se estableció el papel moneda, se exportaron $12.091.628 en numerario, lo cual era especialmente grave si consideramos que en ese mismo lapso la amonedación de oro y plata había sido de $10.923.586, o sea que en el período «no solamente exportamos todo el numerario acuñado en la Casa de Moneda, sino también la suma adicional de $1.167.942 en moneda de oro y plata.»[42]

Otras exportaciones

Fuera de los productos ya mencionados y del café, al cual dedicaremos un capítulo aparte, y cuya importancia mayor la vino a tener sólo en las dos últimas décadas del siglo pasado y principalmente en este siglo, el país hacía otras exportaciones menores: los sombreros de jipijapa llegaron a constituir un mercado de relativa importancia en Venezuela, en las Antillas y en Europa. Se exportaba también en menor cantidad el «marfil vegetal», o tagua, palo de brasil, cueros, bálsamos, caucho, etc.

---

41. *Ibid.*, p. 201.
42. *Ibid.*, p. 206.

Las importaciones

Nuestros proveedores eran Inglaterra principalmente y también Francia, Estados Unidos y Alemania. De allí importábamos toda clase de bienes de consumo. Al observar la lista de importaciones, aparecen las telas e hilos de algodón como principal objeto de nuestro consumo. Se importaban también licores y comestibles, sombreros de fieltro, libros y papelería, drogas, objetos de arte, etc.[43]

Análisis general

Para las exportaciones de tabaco, Alemania fue nuestro principal comprador. Pero fueron Inglaterra y los Estados Unidos, además de Francia, los principales mercados para nuestros productos. Inglaterra como principal suministrador de textiles fue nuestro abastecedor casi hegemónico. Francia y los Estados Unidos también nos vendían productos por sumas de consideración. En cuanto a los bienes exportados, todos los agrícolas tuvieron un auge efímero y el del tabaco, que fue el de mayor duración, sólo se mantuvo por unas tres décadas. El oro se exportó continuamente durante todo el siglo, y en conjunto siguió siendo como en la Colonia nuestro principal producto de salida al exterior, aunque en un porcentaje ya no tan elevado como en la época anterior.

Con relación a las cifras obtenidas hasta el presente para el comercio exterior, es bueno tener en cuenta lo que ya anotaba el secretario de Hacienda de la administración de Julián Trujillo, en la Memoria de 1879, sobre lo aproximado de ellas, pues los comerciantes nacionales, para figurar en buena posición en la plaza, tendían a aumentar el valor de las exportaciones que hacían, y con el objeto de mermar los impuestos de aduana, subfacturaban las mercancías que introducían al país.

_____

43. Nieto Arteta trae datos discriminados para varios años, *op. cit.*, pp. 347 y 353.

Con la anterior advertencia trancribimos los datos sobre comercio exterior entre 1831 y 1926.

CUADRO DE EXPORTACIONES
E IMPORTACIONES EN COLOMBIA

Año	Exportaciones	Importaciones	Balanza
1834-35	$ 2.566.208	$ 3.292.625	$ 726.417 D
1835-36	2.827.544	4.142.460	1.314.916 D
1836-37	2.562.607	2.717.003	154.401 D
1837-38	2.153.571	3.170.930	1.017.359 D
1838-39	3.070.958	3.173.736	112.359 D
1840-41	284.665	545.362	260.697 D
1841-42	1.503.673	2.330.432	826.759 D
1842-43	2.283.709	4.279.110	1.295.401 D
1843-44	2.652.075	4.102.584	1.477.509 D
1844-45	2.337.600	-	-
1854-55	3.393.251	2.391.262	1.001.089 F
1855-56	5.296.323	4.168.468	1.127.855 F
1856-57	7.064.574	3.555.842	3.808.742 F
1857-58	5.513.164	1.987.732	3.525.432 F
1858-59	3.326.488	2.446.446	880.042 F
1864-65	5.042.691	5.965.181	922.490 D
1865-66	6.772.017	7.897.206	1.125.189 D
1866-67	5.494.259	5.525.773	32.514 D
1867-68	7.376.997	6.392.866	948.131 F
1868-69	8.137.000	7.255.092	881.908 F
1869-70	8.077.153	5.843.446	2.233.707 F
1870-71	7.597.757	5.862.711	2.385.106 F
1871-72	8.253.806	8.427.175	173.369 D
1872-73	10.477.631	12.515.639	2.038.008 D
1873-74	10.189.852	11.218.844	1.028.992 D
1874-75	9.984.386	6.449.028	3.035.558 F
1875-76	14.477.897	7.328.928	7.148.969 F
1876-77	10.049.071	6.709.109	3.339.962 F
1877-78	11.111.196	8.808.797	2.404.399 F
1878-79	13.785.511	10.787.654	2.923.857 F
1879-80	13.804.981	10.387.003	3.417.978 F
1880-81	15.836.943	12.071.480	3.765.463 F
1881-82	18.514.116	12.355.555	6.158.561 F
1882-83	14.965.170	11.524.071	3.441.099 F
1883-84	13.501.178	9.926.486	3.574.692 F
1885-86	14.171.241	6.879.541	7.291.700 F

Continúa

Continuación

Año	Exportaciones	Importaciones	Balanza
1887	14.128.162	8.714.143	5.414.019 F
1888	17.607.368	10.657.521	6.949.847 F
1889	16.241.147	11.811.997	4.429.150 F
1890	20.968.704	13.228.114	7.740.590 F
1891	26.949.953	14.883.473	12.066.480 F
1892	16.209.059	12.476.523	3.732.536 F
1893	14.630.331	13.403.298	1.227.033 F
1894	-	10.711.207	
1895	15.088.406	11.528.365	
1896	18.597.352	16.947.113	
1897	16.820.411	18.136.598	
1898	19.921.227	11.090.251	
1899	16.400.374	9.629.103	
1905	22.314.916	12.281.720	
1906	14.613.918	10.608.394	
1907	14.480.546	12.088.563	
1908	14.988.744	13.513.891	
1909	15.829.041	11.117.927	
1910	17.786.806	17.385.039	
1911	22.375.899	18.108.863	
1912	32.221.746	23.964.623	
1913	34.315.251	28.535.779	
1914	32.632.844	20.979.228	
1915	31.579.131	17.840.619	
1916	36.006.821	29.660.206	
1917	36.739.882	34.751.209	
1918	37.443.991	21.783.002	
1919	79.010.983	47.415.724	
1920	71.017.729	101.397.906	
1921	63.042.132	33.078.317	
1922	53.731.477	44.148.024	
1923	60.257.172	61.106.897	
1924	85.780.541	52.347.914	
1925	84.363.382	85.829.707	
1926	111.717.450	111.440.641	

Fuentes: Luis Eduardo Nieto Arteta, *op. cit.* pp. 331, 332, y Diego Monsalve, *Colombia cafetera...,* p. 774.

14

ARTESANÍA, MANUFACTURA Y ENSAYOS
INDUSTRIALES EN LA COLONIA Y EN EL SIGLO XIX

La producción manufacturera en la Colonia, que se reducía a
textiles ordinarios de lana y algodón, se localizó en lo que actualmente es el norte de Cundinamarca, Boyacá, Santander, parte de
los Llanos de Casanare y en el sur en el sector de Pasto, que
formaba parte de una próspera zona manufacturera que se exten-
día desde Quito. Ya en el siglo XVI era Tunja un activo centro de
producción y distribución de textiles. «Para los años de 1560 los
comerciantes de Tunja comerciaban 'bastimentos y ropas de mantas y otras cosas' con la ciudad de Popayán, por valor de '80.000
pesos de buen oro', cada año.»[1] En las zonas mencionadas contaron los españoles con densas poblaciones indígenas para desempe-
ñar las labores artesanales. En los obrajes, que eran talleres de
producción en los que se reunían varias decenas de indígenas, se
fabricaban mantas de lana y algodón. En un comienzo los indígenas
debían prestar este servicio bajo la obligación de la mita, y luego se
generalizó su funcionamiento por una especie de contrato en el que
los indígenas ponían su trabajo y recibían un salario o participación

---

1. Luis Ospina Vásquez, *Industria y protección en Colombia, 1810-1930*
(Medellín, Editorial Santa Fe), p. 62.

en especie. De todas maneras, y sobre ello abundan documentos, la situación de los indígenas que laboraban en los obrajes era sumamente mala por las condiciones de trabajo, las jornadas intensas y lo reducido de la paga. Los obrajes florecieron en la Nueva Granada hasta el siglo XVIII y especialmente en la región de Tunja, Pasto y Casanare.

En el siglo XVIII la producción de manufacturas se desplazó desde Tunja a las regiones más cálidas del Socorro. Asimismo, con la expulsión de los jesuitas, en la segunda mitad del siglo XVIII, la producción manufacturera de Casanare (Morocoto, Támara, Manaure), que había sido de las más prósperas del país, inició un proceso acelerado de decadencia. Al lado de la producción textil se dio en la región manufacturera del norte cierta elaboración del cuero (zapatería, talabartería) y la de pita o fique para la producción de alpargatas, costales y cordelería.[2]

En Bogotá se establecieron una fábrica de pólvora y una locería que producía vasijas para transportar la pólvora sin que se humedeciera. Poseía además Bogotá molinos de trigo que empleaban fuerza hidráulica. En Sogamoso y Tunja se construyeron nitrerías.[3] En Antioquia, en donde realmente surgió la industria en el siglo XX, la producción artesanal y manufacturera prácticamente no existía. En Medellín apenas se pueden relacionar en 1798 dos intentos fallidos de producción industrial, uno de locería y el otro de una tenería.[4]

En la Nueva Granada, como en toda la América hispana, las labores artesanales estuvieron fuertemente reglamentadas y se les quiso dar una organización en gremios a la manera como habían funcionado en la Europa medieval. En el año de 1777 se promulgó en el Nuevo Reino de Granada la «Instrucción General para los Gremios», que pretendía someter a los artesanos a un estricto control y avivar la producción artesanal en decadencia.[5]

---

2. *Ibid.*, p. 71.

3. *Ibid.*, p. 72.

4. Luis Latorre Mendoza, *Historia e historias de Medellín. Siglos XVII-XVIII-XIX* (Medellín, Imprenta Oficial, 1934), p. 95.

5. Indalecio Liévano Aguirre, *Los grandes conflictos sociales y económicos de nuestra historia* (Bogotá, Nueva Prensa, s. f.), T. III, p. 92.

En los gremios de la Nueva Granada la edad de iniciación profesional comenzaba entre los 10 y los 12 años. El aprendiz, quien debía vivir en la casa del maestro, se vinculaba por un contrato firmado por su padre o tutor y el maestro. Entre las obligaciones del aprendiz figuraba la de respetar al maestro, dejarse corregir por éste, asistir a misa los días de precepto «sin que ningún pretexto los excuse para semejante asistencia, y sólo la indisposición corporal pueda eximirles», y aprender a leer y a escribir. Por su parte el maestro se lucraba del trabajo del aprendiz, y debía enseñarle a éste su oficio, recibiendo una paga estipulada en el contrato. «Los hospicios, por medio de sus administradores o directores, celebraban igualmente tales contratos de aprendizaje para que sus pupilos fueran útiles a la sociedad. Tal fue el ejemplo que dio el hospicio de Santa Fe de Bogotá. Este había sido fundado por el virrey Flórez en 1777... Más tarde, dado el gran número de huérfanos y ociosos que pululaban por las calles de Bogotá, la Cámara de Provincia dictó un decreto el 27 de septiembre de 1833, y aprobado en 1834 por el Congreso, para la creación de una Casa de Refugio. Esta tenía como objeto recoger a todos los expósitos y vagos de la ciudad. Inicialmente se llevó a un maestro tejedor, y más tarde se contrataron maestros de carpintería y de zapatería. Pero las constantes luchas políticas hicieron que la Casa de Refugio languideciera poco después.»[6]

Cumplido el aprendizaje, los candidatos solicitaban ser recibidos a examen, el que en su parte práctica consistía en la ejecución de una obra. Para ejercer el oficio era necesario tener licencia, lo mismo que para abrir tienda de maestro. Los artesanos foráneos debían demostrar las razones por las cuales habían venido al lugar, y presentar las demás pruebas sobre el oficio que debían ejercer; de lo contrario tenían que salir de la ciudad. En ocasiones ocurrió que los artesanos locales impidieron el ejercicio del oficio a los recién llegados. Los gremios contaban con poder de vigilancia y ejecución en manos de funcionarios especiales que eran elegidos por perío-

---

6. Humberto Triana y Antorveza, *El aprendizaje en los gremios neogranadinos.* «Boletín Cultural y Bibliográfico», Banco de la República, 8 (5), 1965, p. 740.

dos fijos. Su elección se hacía por los maestros reunidos en junta gremial, por el Cabildo, según lo ordenado por el virrey Flórez, o por elección de los maestros del gremio, confirmada luego por el Cabildo. A partir de la Independencia, la elección se hizo por votación democrática entre los agremiados.[7]

La gran cantidad de fiestas religiosas acostumbradas en la Colonia iba en contra del mismo trabajador, pues reducía sus días laborales. Además los artesanos se veían obligados a contribuir con sumas enormes para las celebraciones religiosas. Cada oficio tenía su patrono, a quien el gremio le celebraba fastuosamente la fiesta religiosa. Fue costumbre que los artesanos tuvieran altar propio en las iglesias, tal como sucedió con los zapateros de Bogotá, cuyos patronos, San Crispín y San Cipriano, se veneraban en la iglesia de San Francisco.[8]

Los gremios poseyeron una solidaridad horizontal con grupos semejantes en la sociedad colonial. Además desarrollaron mecanismos de ayuda mutua para que sus miembros pudieran hacer frente a las vicisitudes económicas. Durante la Colonia constituyeron parte de la organización estatal.[9]

En la fundación de las ciudades en América la escasez de artesanos fue enorme. En el siglo XVIII, debido al florecimiento de las artes, en algunas ciudades como Santa Fe, algunos gremios conocieron un gran desarrollo, pero precisamente la estricta reglamentación para el aprendizaje motivó su decadencia a finales del siglo XVIII. Ya en la época republicana y con la aplicación del liberalismo, los gremios se disolvieron a partir de 1850. Asimismo, el núcleo de comerciantes importadores del Nuevo Reino inició un ataque

───────────

7. Humberto Triana y Antorveza, *Exámenes, licencias, fianzas y elecciones artesanales*. «Boletín Cultural y Bibliográfico», Banco de la República, 9 (1), 1966, p. 71.

8. Humberto Triana y Antorveza, *El aspecto religioso en los gremios neogranadinos*. «Boletín Cultural y Bibliográfico», Banco de la República, 9 (2), pp. 269 y ss.

9. Humberto Triana y Antorveza, *La protección social en los gremios de artesanos neogranadinos*. «Boletín Cultural y Bibliográfico», Banco de la República, 9 (3), 66, p. 432.

frontal contra la organización gremial de la artesanía y la pequeña manufactura.[10] «Un documento de 1761 de los artesanos de Santafé, nos señala la existencia específica de los gremios de oribes, talabarteros, zapateros y sastres. Los censos de artesanos de Cartagena en 1780, traen además de los anteriores oficios los siguientes: pintores, faroleros, confiteros, tintoreros, torneros, tabaqueros, enfardeladores, panaderos, plumeros, pulperos, paileros, músicos, cafeteros y aserradores. Algunos de éstos es posible que existieran en otras ciudades pero sin tener el número suficiente de miembros para formar gremios y quizás pertenecían a cofradías diversas. El 'Expediente para que todos los maestros mayores de todos los gremios manifiesten lista de los oficiales de cada uno' a las autoridades de Medellín, del 23 de junio de 1817, además de constituir palpable demostración de la no interrupción de la vida gremial durante la Independencia, presenta datos sobre los gremios de platería, carpintería, sastrería, zapatería, herrería y fundición, y alarifes. Del artesanado de Pasto, igualmente consigna algunas brevísimas noticias. A finales del siglo XVIII, la ciudad estaba constituida por diferentes clases sociales. Entre éstas figuraba 'el pueblo, o sea la masa que desempeñaba los trabajos serviles, divididos en gremios, que eran los de mercaderes, sastres, freneros, albañiles, canteros, plateros, pintores, escultores, músicos, zapateros, fundidores, tejedores, barberos, silleros, etc.'»[11]

Con respecto a los artesanos había dos costumbres en la Nueva Granada: la distancia y la demarcación. Por la primera se les obligaba a no establecer taller junto a otro similar. La demarcación implicaba que los artesanos de un mismo oficio debían establecerse en una misma calle o barrio.

En síntesis, se puede afirmar que la producción artesanal reglamentada y la manufactura incipiente eran suficientes para abastecer el consumo de las clases populares. Acá se producía casi todo lo que se consumía en materia de textiles ordinarios de algodón y

---

10. Indalecio Liévano Aguirre, *op. cit.*, T. III, p. 95.

11. Humberto Triana y Antorveza, *Los artesanos en las ciudades neogranadinas*. «Boletín Cultural y Bibliográfico», Banco de la República, 10 (2), 1967, p. 332.

de lana; la importación era para las clases poseedoras, cuyos gustos de consumo obraban como elementos de diferenciación social con el pueblo, y las manufacturas se mantenían no sólo por el proteccionismo arancelario sino especialmente por la protección geográfica que les brindaba la carestía del transporte con el exterior.

Siglo XIX

En 1827, en lo que se llamó la Gran Colombia, había 610.000 individuos ocupados en la manufactura (Boyacá 150.000; Cundinamarca 200.000; Cauca 50.000; Ecuador 150.000; Azuay 50.000; Guayaquil 10.000).[12] Esas personas abastecían el consumo popular sobre todo de textiles.

En el período comprendido entre 1830 y 1850, al lado de la producción artesanal, se dio en Colombia un interesante experimento fallido de producción industrial en el sentido cabal del término. Ricos hacendados fundaron una serie de establecimientos industriales en la Sabana de Bogotá, con las técnicas más modernas hasta entonces conocidas. La base de funcionamiento estaba en el privilegio, ensayado desde los primeros albores republicanos y por el cual quien lo obtenía quedaba con derecho exclusivo a aplicar a la producción un procedimiento técnico, por cierto tiempo y en un territorio determinado, lo cual no implicaba obstáculos a la producción del mismo artículo con otros procedimientos.

Los privilegios otorgados fueron para fundar fábricas de loza fina e incluso de porcelana (1832); para la fabricación de papel en las provincias de Bogotá, Mariquita, Tunja, el Socorro y Vélez (1834); para la fabricación de vidrios y cristales (1834); para montar una o varias fábricas de tejidos de algodón (1837); para la fabricación y venta de paños de fieltro (1841); para establecer ferrerías en la provincia de Antioquia (1844).[13]

---

12. Luis Ospina Vásquez, *op. cit.*, p. 131.
13. *Ibid.*, pp. 161 y ss.

En febrero de 1832, se fundó en Bogotá la «Sociedad de Industria Bogotana» con el objeto de montar una fábrica de loza fina. Don Joaquín Acosta viajó a Europa y allí consiguió la maquinaria necesaria, que trajo a Bogotá junto con dos técnicos ingleses.[14] En 1837 la fábrica ocupaba 61 operarios del país y cuatro extranjeros y a pesar de los tropiezos que tuvo, entre ellos el de un incendio en 1834, duró en producción hasta principios de este siglo.[15]

Las fábricas de vidrio y de papel que se fundaron en el período no alcanzaron éxito y pronto tuvieron que cerrarse. En el año de 1839, que marca el punto más alto de aquel periodo, había en Bogotá, además de la fábrica de vidrio, fábricas de tejidos de algodón, de loza y de papel, y funcionaba además la ferrería de Pacho.[16]

Quienes hicieron estos intentos de industrialización fueron personas vinculadas a la propiedad territorial. «Márquez, Cuervo, Pedro Alcántara Herrán, Alejandro Osorio, Juan Antonio Marroquín, Joaquín Acosta y otros ricos propietarios de la región participaron en los esfuerzos industriales de los treinta a pesar de que su riqueza estaba formada por propiedades inmuebles de difícil conversión en capital. Los comerciantes nacionales más ricos residentes en Bogotá eran antioqueños que estaban vinculados a la industria minera y por lo tanto a los negocios de importación, y no es extraño que no mostraran ningún interés por las dudosas actividades de los improvisados industriales de la capital.»[17]

Ante esta circunstancia surge la pregunta de por qué fueron sectores terratenientes los que vincularon el capital a las labores industriales y no los comerciantes u otras clases. De la producción manufacturera no podía salir la industria entre otras razones porque no contaba con suficiente capital para la inversión en maquinaria. Por el contrario, el antecedente de la industria en Colombia no puede

---

14. Pedro M. Ibáñez, *Las crónicas de Bogotá y de sus inmediaciones* (Bogotá, Imprenta de La Luz, 1891), p. 332.

15. Luis Ospina Vásquez, *op. cit.*, p. 175.

16. *Ibid.*, p. 180.

17. Jorge Orlando Melo, *Segundo gobierno de Santander* (tesis de grado), copia a máquina.

verse en la manufactura. Los comerciantes, sobre todo los antioqueños, contaban con el capital, pero aparte de que su negocio
consistía precisamente en importar, hubo ciertas razones específicas para que no se embarcaran en la aventura industrial, así como
lo hicieron los terratenientes con su excedente. Como lo anotamos
en otra parte (ver capítulo sobre el comercio en la República), las
características del comercio exterior colombiano en la primera mitad
del siglo XIX exigían condiciones especiales: fuerte inversión que
llegara hasta poder fletar un barco, especialización en el trabajo
porque se debía hacer personalmente el largo viaje para las compras, y mucho dinero vinculado al negocio puesto que la rotación
del capital era sumamente lenta, dos años según Miguel Samper.
En estas condiciones y ante un comercio que ya controlaban en
forma monopolística con grandes ganancias, los comerciantes posiblemente no podían distraer parte del capital que tanto necesitaban, ni además por la misma vinculación personal al comercio, con
prolongadas ausencias, podían iniciar un entable industrial. Por otra
parte, los sectores terratenientes que no encontraban suficientemente lucrativa la inversión en tierras (la exportación significativa
de producción agrícola sólo se inició con el tabaco a partir de 1850)
y que además no hallaban la posibilidad de vincularse al comercio
exterior porque éste estaba controlado monopolísticamente y sobre
todo porque implicaba dedicación a esta actividad, ensayaron una
salida lucrativa a su dinero en el experimento industrial. Por lo demás,
su intento descabellado no lo era tanto si consideramos la protección del mercado interior motivada por la carencia de adecuadas
vías de comunicación desde el exterior.

En México también ese proteccionismo geográfico había facilitado no sólo la supervivencia de la manufactura sino también la
implantación de un sector industrial que pudo sostenerse porque, a
diferencia de lo que ocurrió en Colombia, se desarrollaron vías de
comunicación que integraron el mercado interior. El robo de Texas y
California había creado «la conciencia de que la sobrevivencia del
país dependía de su integración y llevó al gobierno mexicano a
promover una política de construcción de una importante red de
transportes y a eliminar las barreras internas que fragmentaban

tradicionalmente el mercado nacional. Las condiciones particulares del territorio mexicano, que dificultaban el acceso a la mesa central de los productos venidos del extranjero por el mar, habían permitido la creación de un conjunto de industrias textiles desde la primera mitad del siglo XIX. Sin embargo, las barreras aduaneras internas habían obstaculizado el desarrollo de esas industrias, en beneficio de la sobrevivencia de la artesanía local, de antigua tradición en el país. Al unificarse el mercado nacional con las línes del ferrocarril y la eliminación de las barreras, el núcleo manufacturero ya existente pudo expandirse con rapidez. En esta forma, a diferencia de Argentina y Brasil, la primera fase de la industrialización mexicana aproxímase al modelo clásico: parte de una experiencia artesanal, que es superada por la introducción de nuevas técnicas, y que absorbe mercados anteriormente satisfechos en gran medida por la oferta artesanal.»[18]

Precisamente la carencia de vías de comunicación en el interior, al mismo tiempo que permitía la supervivencia de las manufacturas impedía la ampliación de un mercado que fuera adecuado para la inversión industrial (véase capítulo sobre el comercio de la República). El costo de los transportes de mercancías extranjeras hasta el interior era muy elevado y sólo lo podían resistir los artículos de lujo consumidos por las clases poderosas. «Con botes de pértiga costaba más del doble traer artículos del Caribe para Honda, río arriba, que transportarlos por tierra de Bogotá hasta Honda. Este hecho elimina de manera efectiva a Cartagena y otros puntos del litoral Caribe del mercado nacional. Pero esta circunstancia también hizo posible que los empresarios del interior pensaran en competir con los artículos europeos en las provincias interiores, por pobres y montañosas que fueran.»[19] Posiblemente contando con este mercado se hicieron las inversiones industriales, pero de todas maneras éste era tan reducido, tan local y tan circunscrito en

---

18. Celso Furtado, *Formación económica del Brasil* (México, Fondo de Cultura Económica, 1962), p. 102.

19. Frank Safford, *Empresarios nacionales y extranjeros en Colombia durante el siglo XIX*. «Anuario Colombiano de Historia Social y de la Cultura. Universidad Nacional de Colombia» No. 4, 1969, p. 91.

algunos casos a los gustos de ciertas clases que las manufacturas les podían hacer competencia. El mercado era además muy reducido por lo bajo de los ingresos de la población y el aumento que de éstos se logró con la exportación apareció cuando ya los experimentos industriales habían fracasado. La empresa de navegación a vapor de Juan B. Elbert, antes de la exportación de tabaco, fracasó no sólo por razones políticas y por las innovaciones técnicas que era preciso introducir para la navegación en el río Magdalena, sino especialmente porque el volumen de carga y pasajeros de la época no podía soportar más de un barco navegando y no siempre había carga suficiente para la ruta de bajada. Asimismo, la fábrica de sombreros de John Stewart y una fábrica de peinillas para señoras, fracasaron «porque las clases alta y media que podían consumir tales productos eran muy poco numerosas.»[20] En la producción de hierro se daba un amplio mercado potencial en herramientas para la agricultura, pero los altos costos de introducción durante la Colonia habían acostumbrado a los agricultores a usar implementos de madera y «como el algodón era cosechado en el Socorro, mientras que para llevarlo a Bogotá había que recorrer unas 200 millas, los tejedores del Socorro podían fácilmente defenderse de la pequeña fábrica de la capital.»[21] Todos estos elementos explican la pronta decadencia de este primer ensayo propiamente industrial.

A partir de 1850 se presentó una serie de elementos que golpearon duramente la producción manufacturera que había subsistido sobre todo gracias al proteccionismo geográfico y que no obstante la dura competencia de las mercancías inglesas sobrevivió en forma incipiente durante todo el siglo XIX, especialmente en la región de Santander. La revolución industrial que implicó la introducción definitiva de la maquinaria al proceso productivo, rebaja los costos de producción en los países en que se produjo. La primera hilandería movida a vapor se construyó en Inglaterra en el año de 1785, y en Manchester lo fue la primera en 1789. Entre 1785 y 1800, se habían construido 82 máquinas de vapor para

---

20. *Ibid.*, p. 99.
21. *Ibid.*, p. 102.

factorías de algodón, 55 de las cuales para Lancashire. La primera fábrica de tejidos movida a vapor fue construida en Manchester en 1806; en 1835 existían ya 16.800 telares mecánicos en la Gran Bretaña, todos —salvo un seis por ciento— sirviendo a la industria algodonera.[22] La misma introducción del vapor al proceso de navegación abarató los costos de transporte. La burguesía inglesa comenzó ávidamente a buscar mercados de exportación y para su logro contó con el interés de los comerciantes latinoamericanos, en deuda ya por las «ayudas» recibidas para la independencia. En 1814 Inglaterra exportaba cuatro metros de algodón por cada tres consumidos en ella; en 1850 trece por cada ocho. En 1820, abierta Europa de nuevo a las exportaciones británicas por la conclusión de las guerras napoleónicas, consumió 128 millones de metros de algodones ingleses y Latinoamérica consumió 200 millones.[23] Las manufacturas de algodón representaron entre el 40 y el 50 por ciento del valor de todas las exportaciones inglesas entre 1816 y 1848.[24]

Como fruto de las transformaciones de 1850 se inició la exportación de tabaco, que amplió considerablemente los ingresos de un sector importante de la población. Esto hubiera facilitado la supervivencia y aun el desarrollo de la producción manufacturera si no se hubiera dado la circunstancia de que precisamente la carga de exportación hizo antieconómica la navegación a vapor por el río Magdalena, lo cual quebró la protección geográfica con que había contado la producción nacional. Dentro de las transformaciones de mediados del siglo XIX la burguesía comerciante liquidó los aranceles proteccionistas, lo cual contribuyó a darles el golpe de gracia a las manufacturas nacionales, pero más importante que esto fue la rebaja en los costos de transporte que introdujo la navegación a vapor por el río Magdalena.«Estas mejoras en el transporte hicieron más barato traer mercancías de Liverpool a las provincias

22. Frederick Clairmonte, *Liberalismo económico y subdesarrollo; historia de la desintegración de una ideología* (Bogotá, Tercer Mundo, 1963), p. 46.

23. Erick J. Hobsbawn, *Las revoluciones burguesas; Europa 1789-1848* (Madrid, Ediciones Guadarrama, 1964), p. 56.

24. *Ibid.*, p. 60.

occidentales, que traerlas de Bogotá. En esta forma, el mercado nacional de la Nueva Granada se fragmentó, y cada segmento del interior sostuvo sus principales operaciones económicas con Europa.»[25] En 1885 todavía era más barato el transporte de una mercancía entre un puerto inglés y Medellín que entre esta ciudad y Bogotá. La exportación de tabaco amplió la capacidad importadora que fortificó a la burguesía comerciante e hizo posible la navegación a vapor por el río Magdalena, lo cual a su vez rebajó los costos para la introducción de mercancías y golpeó la producción manufacturera nacional. De contera, ese fortalecimiento de los comerciantes, y el peligro para los artesanos, crearon la instancia política para que la burguesía comerciante pudiera movilizar a esta clase social en el proceso revolucionario de mediados del siglo XIX.

Con posterioridad se dieron otros experimentos industriales, sobre todo en las últimas décadas del siglo. Pedro Barragán estableció en 1875 una polvorería cerca a Pacho, que llegó a tener cierta importancia. En la misma época funcionaban en Bogotá fábricas de loza y de paño. En 1870 se estableció la fábrica de cerillas (Rey y Borda) y una fábrica de sulfato de quina que fracasó por falta de ácido sulfúrico. En 1877 se fundó una empresa para la fabricación de chocolate con maquinaria moderna.[26] Ya en 1869 se había iniciado la instalación de una cámara de plomo para la producción de ácido sulfúrico en la Casa de Moneda de Medellín. Con base en un contrato con el gobierno nacional, se organizó en el año de 1874 y con destino a la producción de ácido sulfúrico, la «Compañía Fabricante de Cundinamarca». «El producto se podía vender por menor precio del importado... La empresa se vio pronto en dificultades. Estaba en capacidad de producir bastante y en buenas condiciones pero el producto no tenía otro comprador que el gobierno.»[27] La empresa hubo de liquidarse prontamente.

Algo que debe destacarse con mención aparte son los variados intentos que durante todo el siglo XIX se hicieron para crear las

---

25. Frank Safford, *op. cit.*, p. 92.
26. Luis Ospina Vásquez, *op. cit.*, p. 265.
27. *Ibid.*, p. 269.

bases de una industria siderúrgica nacional. Por decreto de 21 de agosto de 1827 el Congreso otorgó privilegio exclusivo a un grupo franco colombiano (Egal-Daste y Compañía) para el establecimiento de ferrerías de Cundinamarca y Boyacá. El privilegio duraría 15 años y no excluía la importación de hierro extranjero. Esta empresa adquirió un modesto montaje que había instalado Jacobo Wiesner en Pacho en el año de 1824, y en 1830, una vez acreditadas las condiciones para ejercer el monopolio de producción, la empresa tomó el nombre de «Sociedad Anónima Franco-Colombiana para la explotación de las minas de fierro de Cundinamarca y Boyacá.» La empresa emprendió la labor de mejorar el equipo aumentando el capital y trayendo técnicos franceses, y su objeto era producir 500 quintales mensuales. En 1839 el horno alto que tenía treinta pies de altura produjo entre los meses de agosto y diciembre 3.339 quintales de hierro colado, de los cuales más de 300 fueron fundidos en piezas como balcones, yunques, bigornias, pisones de molinos, etc.[28] La empresa duró hasta finales del siglo.

Por el año de 1855 dos ex empleados de la ferrería de Pacho iniciaron un montaje para beneficiar el hierro en Samacá, Estado de Boyacá. La falta de capital obró desfavorablemente contra este intento hasta que en el año de 1878, el gobierno de Boyacá presidido por José Eusebio Otálora subvencionó a la empresa comprometiéndose a comprarle hasta 4.000 toneladas de rieles a $80 cada una y a fines del mismo año el Estado de Boyacá compró la empresa y formó una sociedad para explotarla.[29] En 1882 se hizo la primera fundición con tan mal éxito que el horno quedó completamente averiado. La empresa fracasó por completo.

Con el objeto de explotar yacimientos de hierro a unos cuantos kilómetros al norte de Subachoque en Cundinamarca, se asociaron en 1855 algunos individuos que montaron un entable con un horno que producía mazas y fondos para trapiches. Además de las dificultades técnicas y económicas contó el intento con la decidida oposición del clero católico, porque algunos de los propietarios eran

---

28. *Ibid.*, p. 179.
29. *Ibid.*, p. 271.

protestantes. Nuevos empresarios acometieron otra vez la producción en el año de 1877, con operarios norteamericanos, construyendo un horno al cual adaptaron como combustible leña y no carbón de coque. En 1880 la empresa estaba en producción. El gobierno quiso también subvencionarla y para ello celebró en el año de 1881 un contrato por el cual se obligaba a tomar 3.000 toneladas de hierro maleable en rieles a $150 la tonelada pagadera en documentos del tesoro y 500 toneladas a razón de $100 la tonelada.[30]

En Antioquia en 1844 se dio un privilegio para el montaje de una ferrería. En 1864 se concedió nuevo privilegio y con base en él se organizó una sociedad anónima para la explotación en el municipio de Amagá. A pesar de las múltiples dificultades la empresa supervivió y se dedicó a la producción de maquinaria agrícola y minera rudimentaria.[31]

No sólo dificultades técnicas y financieras terminaron con los interesantes intentos de crear una industria siderúrgica en Colombia. A ellos se agregaron sobre todo, los intereses de sectores importadores y la acción imperialista de Inglaterra y Norteamérica, interesadas como las otras potencias en conservar el monopolio de la industria pesada y en ampliar su mercado de material férreo a través de la construcción de ferrocarriles. El presidente José Eusebio Otálora, quien trató por todos los medios de impulsar la industria siderúrgica nacional, así lo denunciaba en 1881:

«Basado en la autorización que concede al poder ejecutivo el artículo de la Ley CCXVI que autoriza suscribir al Estado en varias empresas industriales, expedí el decreto número 318 sobre el establecimiento de una ferrería en grande escala en el Estado, que consideré como el complemento de todas las empresas iniciadas y también como el principal elemento de todas las que pueden emprenderse en el porvenir.»

«Este ha sido el secreto del colosal desarrollo de la riqueza de Inglaterra y los Estados Unidos...»

---

30. *Ibid.*, p. 273.
31. *Ibid.*, p. 274.

«Los partidarios del sistema de rutina, que no consulta el espíritu sino la letra de las leyes, han censurado el procedimiento empleado por el gobierno para romper la cadena de vicisitudes eslabonadas con contrariedades y obstáculos continuos que han venido oprimiendo la empresa *como si fuesen, según parece, agentes misteriosos venidos de Europa o los Estados Unidos a trabajar por la destrucción de este establecimiento en su cuna para evitar la rivalidad o competencia que sus productos puedan establecer a los que de allí nos remiten a cambio de una ingente riqueza que debía quedar en el país con destino a la industria colombiana.*»[32]

---

32. Citado por Luis Corsi Otálora, *Autarquía y desarrollo; el rechazo de la exportación a las naciones proletarias* (Bogotá, Tercer Mundo, 1966), p. 66. El subrayado es nuestro.

15

EL CAFÉ

Ningún producto agrícola ha tenido tanta importancia para la economía nacional como el café. Es el único cuya exportación significativa se ha mantenido por casi un siglo. Además, las características mismas de su siembra y cultivo, así como su vinculación con la colonización en el occidente del país, contribuyeron en forma definitiva al surgimiento de la industria liviana nacional.

Es evidente que las laderas colombianas, por razones climáticas y de suelos, son sumamente propicias para su siembra, y que tal vez ningún otro cultivo es tan adecuado para ello. Mas en su difusión, con ser éste un factor importante, hubo otros de carácter socioeconómico más esenciales y definitivos. La ampliación del mercado mundial del café fue causa importantísima y sobre todo el hecho de que Estados Unidos, el principal comprador del grano, no podía producirlo en su suelo, y al no poseer colonias directamente vino a desarrollarse la producción latinoamericana. En la primera mitad del siglo XIX Cuba, Puerto Rico, las Antillas y Venezuela, eran grandes productores de café, pero al dedicarse los primeros al cultivo de la caña de azúcar y la última al petróleo, en este siglo dejaron el campo libre a los cafés brasileño, colombiano, centroamericano, etc., motivando su expansión.

El café en Colombia se produjo primero en la faja oriental, primordialmente en los valles cercanos a Cúcuta; luego fue desarrollándose su cultivo hacia el sur, y de 1850 en adelante en las haciendas de Cundinamarca, en donde originó el establecimiento de nuevas haciendas hacia el río Magdalena; pero mientras en esta región su producción se dio en grandes extensiones, en el occidente se produjo en pequeños predios, como se verá. Hasta 1913 Santander y Cundinamarca fueron los principales productores. Con la colonización en el occidente y con el cultivo del café se dio una conjunción de circunstancias determinantes para el rumbo posterior de la economía nacional. El café no se plantó inmediatamente después de la colonización; primero fueron el maíz y los pastos. Las características de su cultivo así lo determinaban. Los colonos que no poseían ningún capital, tenían que sembrar primero productos de rápida cosecha como el maíz, y sólo después, cuando ya conocían la tierra y tenían otros productos asegurados, sembraron el café, que sólo a los 4 o 5 años venía a dar su fruto.[1] Con el café y la colonización, se combinaron la pequeña propiedad familiar y la producción para el mercado mundial.

La extensión del área colonizada y sobre todo el gran número de personas vinculadas a la agricultura, hacían imposible que ésta fuera comercializada con base en cultivos internos. Para el desarrollo era necesaria una demanda exterior, la cual se presentó con el café. Se dio entonces un hecho desconocido hasta el momento en el país: el surgimiento de un gran número de pequeños propietarios, trabajadores ellos mismos de sus parcelas y productores para el mercado mundial. Antes los otros productos agrícolas de exportación habían beneficiado a unos pocos solamente. El tabaco, el algodón o el añil, por ejemplo, se habían explotado en beneficio de un reducido número de terratenientes, y al pasar su auge sólo quedaron grandes dehesas para ganado y una vasta masa de asalariados que habían consumido lo ganado en jornales. Con la producción cafetera en las

---

1. Parsons, *La colonización antioqueña en el occidente de Colombia*, 2ª ed., p. 208.

condiciones del occidente se aumentaron la capacidad adquisitiva
y el mercado, pues no sólo creció la ocupación, sino que la distribución del excedente producido fue más democrática.

DATOS SOBRE SU EXPORTACIÓN

De la obra *Colombia cafetera*[2] tomamos la siguiente relación
de cifras sobre exportación cafetera entre 1835 y 1926:

Año	Sacos	Kilogramos	Valor según manifiesto
1835	2.326	155.500	$ 18.013
1836	29	1.855	450
1837	3.755	234.700	35.640
1838	5.249	329.100	35.550
1839	7.445	465.300	54.534
1841	29	1.800	-
1842	10.566	660.412	67.334
1843	18.264	1.142.500	86.910
1844	19.670	1.229.450	98.543
1845	22.958	1.434.886	105.643
1855	33.016	2.063.558	287.574
1856	34.103	2.131.458	325.619
1857	38.137	2.483.594	434.100
1858	45.774	2.860.921	430.048
1859	52.564	3.285.275	469.066
1860	62.149	3.884.342	488.500
1865	6.519	407.691	99.099
1866	74.677	4.667.350	769.160
1867	65.591	4.099.391	609.989
1868	99.205	6.203.126	693.623
1869	60.840	3.802.560	607.721
1870	63.855	3.990.994	813.668
1871	104.071	6.404.475	974.015
1872	126.546	8.009.181	1.264.122

Continúa

2. Diego Monsalve, *Colombia cafetera. Información histórica, política, civil...
de la República de Colombia*, pp. 628-629.

Continuación

Año	Sacos	Kilogramos	Valor según manifiesto
1873	116.228	7.364.353	1.930.730
1874	165.776	10.359.052	1.957.357
1875	72.810	4.560.636	1.168.824
1876	54.862	3.428.832	1.168.824
1877	35.511	2.219.966	752.873
1878	72.134	4.608.399	1.504.074
1879	74.547	4.659.247	1.529.285
1880	103.280	6.455.350	1.896.825
1887	196.431	6.651.980	2.303.200
1894	324.217	20.263.587	7.857.750
1895	344.006	21.500.433	8.503.212
1896	456.342	28.251.410	10.474.372
1897	441.041	27.564.103	8.799.129
1898	510.179	31.886.212	8.579.358
1899	371.495	23.232.448	5.230.760
1905	487.794	30.485.715	5.036.240
1906	610.742	38.160.293	6.131.760
1907	545.642	34.102.670	5.338.273
1908	582.470	36.404.939	5.549.064
1909	678.739	42.421.218	6.346.952
1910	548.000	34.200.661	5.517.408
1911	606.391	37.968	9.475.448
1912	895.833	55.993.293	16.770.908
1913	979.721	61.232.559	18.369.768
1914	990.657	61.916.097	16.098.185
1915	1.083.178	67.778.034	16.247.672
1916	1.162.471	72.654.457	19.336.646
1917	1.005.300	62.831.248	15.707.812
1918	1.102.667	68.916.745	20.675.023
1919	1.616.423	101.026.495	54.291.638
1920	1.375.916	86.619.774	36.328.333
1921	2.251.327	140.707.992	41.945.052
1922	1.711.913	105.668.763	36.291.812
1923	1.978.230	123.639.678	43.387.760
1924	2.127.361	132.949.612	68.793.353
1925	1.948.366	116.901.944	66.579.916
1926	2.454.251	147.255.065	84.517.256

CONSECUENCIAS DEL CULTIVO DEL CAFÉ

Pueden resumirse así:

1. Ampliación de la capacidad adquisitiva de las masas. Para ello se unieron varias circunstancias: la producción en pequeñas parcelas y la gran cantidad de mano de obra requerida en su cultivo y beneficio. En la actualidad aproximadamente el 75% de los productores de café son propietarios de la parcela, y la producción está concentrada en predios de menos de cinco hectáreas.[3]

Se debe advertir que los predios de extensión mayor, sólo ocupan una porción reducida en el cultivo del café, y el resto en otros productos agrícolas o en ganadería.

En relación a la mano de obra hay que considerar que desde la siembra en el almácigo hasta el transporte a la ciudad, contribuye una gran cantidad de personas y que prácticamente toda la familia tiene una función que cumplir en el beneficio del grano, desyerbando, podando o transportándolo los hombres mayores, recolectándolo las mujeres adultas, «chapoleras», separando los granos buenos de los malos, en la «secada», los niños, etc. «Por otra parte, la técnica del cultivo en Colombia exige almácigos, transplante, poda, desyerbe, sombrío, selección de la cereza en la recolección, lo que determina la aplicación del trabajo familiar...»[4]

CUADRO SOBRE EL NÚMERO Y EXTENSIÓN
DE LOS PREDIOS CAFETEROS EN COLOMBIA

Tamaño de las explotaciones (hect.)			Total explotaciones informantes	Superficie de las plantaciones (hect.)
Menores de 1/2 hectárea			28.509	5.660
De	1/2 a - de	1	38.045	17.128
De	1 a - de	2	62.676	48.325
De	2 a - de	3	41.181	45.131
De	3 a - de	4	36.695	53.187

Continúa

---

3. Véase cuadro.

4. Diego Montaña Cuéllar, *Colombia, país formal y país real* (Buenos Aires, Editorial Platina), p. 79.

Continuación

Tamaño de las explotaciones (hect.)			Total explotaciones informantes	Superficie de las plantaciones (hect.)
De	4 a - de	5	23.902	40.000
De	5 a - de	10	76.991	178.689
De	10 a - de	20	54.626	190.271
De	20 a - de	30	19.173	89.516
De	30 a - de	40	10.692	62.076
De	40 a - de	50	5.940	36.923
De 50 a - de 100		12.202	92.501	
De	100 a - de	200	5.102	52.993
De	200 a - de	500	2.359	35.124
De	500 a - de	1.000	565	13.934
De	1.000 a - de	1.500	185	6.008
De	2.500 y más		52	853
			417.867	968.218

Tomado de: Anteo Quimbaya, *El problema de la tierra en Colombia* (Bogotá, Ediciones Suramérica Ltda., 1967), p. 122.

Al considerar la ampliación de la capacidad adquisitiva de las masas vinculadas a la producción cafetera, debe tenerse en cuenta la ubicación de ésta en el occidente colombiano, en las condiciones de colonización ya descritas, por dos razones: la primera, porque la distribución del excedente obtenido era más homogénea, pues a diferencia de la producción cafetera de Cundinamarca en Colombia, o la del Brasil, los productores por lo general eran los mismos propietarios, mientras que en otros casos la producción se desarrolló en grandes haciendas trabajadas por asalariados. Y la segunda, consecuencia de lo anterior, porque si son los propietarios los mismos productores, es el conglomerado el que eleva su capacidad de compra y no unos pocos. Cuando la producción se da en tierras de pocos dueños y a través del peonaje asalariado, la capacidad adquisitiva general no aumenta porque los peones apenas obtienen lo necesario para supervivir y los propietarios parasitarios son más dados al derroche y al lujo suntuario, que a la compra de productos nacionales.

En el occidente, que a partir de las primeras décadas del siglo XIX vio crecer la producción cafetera en pequeñas parcelas, fue donde primero se desarrolló la industria nacional, porque la producción industrial creciente tuvo un mercado suficiente para sus productos.

2. Creación de un burguesía nacional como premisa para la aparición de la industria. A través del comercio del café se formó una burguesía que obtuvo o acrecentó el excedente apropiado, el cual invirtió más tarde en la industria nacional. En esto también hubo una particularidad en Colombia, que hizo posible el surgimiento de ese excedente y su ulterior inversión en la industria liviana, lo que no ocurrió en otros países —ejemplo: Venezuela— en los que el principal producto de exportación no estaba en manos nacionales. El café colombiano se produce, se procesa y se exporta por nacionales, mientras que el petróleo venezolano, por ejemplo, se beneficia por extranjeros. En esta circunstancia se hizo posible el afianzamiento de nuestra burguesía. En Venezuela el mismo acontecimiento externo —la crisis— no hizo posible la aparición de esa industria porque no existía burguesía nacional, que dispusiera de capital para hacer la inversión.

3. Desarrollo de las vías de comunicación. Ya observábamos cómo la producción cafetera exige mejores vías de comunicación por su volumen. Una cantidad valiosa de oro podía transportarse por una trocha sin requerir más. El tabaco se dio principalmente a la orilla del Magdalena y con esta vía se bastó, y la quina, el algodón y el añil, por lo fugaz de su auge no contribuyeron a la creación de vías de importancia. Pero para trasladar el café desde las montañas a los centros poblados y de allí hacia el exterior, se hicieron necesarias vías permanentes y con especificaciones adecuadas. Los ferrocarriles de Antioquia, el de Caldas hacia La Dorada, o el del Pacífico, tuvieron mucho que ver con las necesidades de exportación del grano.

4. Unificación económica del país. Con el café y la ampliación del mercado de él derivada, el país dio un paso hacia la unificación económica. Las mercancías producidas en Colombia tenían mayor demanda y las más numerosas vías de comunicación facilitaban el mercado.

5. Desarrollo del occidente colombiano. Con la colonización antioqueña y su cultivo principal, el café, el occidente del país cobró la preponderancia que no había tenido en otras épocas. La industria nació y creció al occidente, y Antioquia, Caldas y Valle llegaron a ser la tierra de los dirigentes políticos nacionales y de los financistas rectores de la economía del país.[5]

5. Luis E. Nieto Arteta, *El café en la sociedad colombiana*, Bogotá, Breviarios de Orientación Colombiana, No. 1, 1958.

16

LOS FERROCARRILES

En el siglo XIX nuestro país tuvo una preferencia marcada por los ferrocarriles, con primacía sobre las otras vías de comunicación. El fenómeno no era típicamente nacional, puesto que en toda América, y en general en todos los países dependientes, se vivió el mismo proceso. Para ello había un interés imperialista y de allí el auge de los ferrocarriles.

A través de los ferrocarriles en Colombia —al igual que en muchas regiones atrasadas del mundo— Inglaterra derivó muchísimas ventajas. En primer lugar volvieron a afluir los empréstitos con este fin. En segundo, el pedido en hierro y en general de material férreo, contribuyó poderosamente al desarrollo de la industria pesada de los países avanzados. Más tarde el interés general lo revelaba el mismo trazado de las vías. En esta forma se abarataban las comunicaciones entre el país imperialista y los dependientes, y en consecuencia las mercancías del primero podían competir más ventajosamente con las de los segundos y así también se facilitaba la exportación de materias primas hacia la metrópoli, con el consiguiente abaratamiento de los costos de producción industrial en ella. «Por ejemplo, los ferrocarriles construidos con ayuda de capitalistas extranjeros en América Latina al término del siglo pasado tenían como objetivo principal conectar con los puertos las regiones en donde estaban establecidas las industrias de exportación. En consecuencia, dieron lugar a un poderoso crecimiento de las exportaciones y de las actividades externas, pero no contribuyeron directamente a la expansión del mercado interno ni al crecimiento de industrias engranadas a ese mercado.»[1]

Al observar los ferrocarriles trazados en Colombia, claramente se nota que cumplían esta función y que en ellos no había el propósito de integrar el mercado nacional. Todos estaban trazados hacia el mar o hacia el Magdalena, pero no entre ciudades importantes del interior para unir al país económicamente.

No es del caso relatar acá en detalle la serie de incidentes y estafas que se presentaron en la construcción de los ferrocarriles nacionales, contratados casi en su totalidad con casas extranjeras. Basta para señalar la penetración del capital foráneo en este renglón, transcribir el cuadro que nos trae Francisco Posada:

Nombre de la empresa	Capital social en libras esterlinas	Bonos emitidos	Interés
The Barranquilla Railway & Pier Company Limited	200.000	100.000	5%
The Colombian Railway & Navegation Company Limited	1.500.000	—	
The Dorada Railway Extention Company Limited	350.000	350.000	6%
En depósito	350.000	—	
The Colombian National Railway Company Limited	900.000	1.500.000	6%
The Colombian National Railway Company Limited	150.000	180.000	5%
The Colombian Central Railway Company Limited	—	80.000	5%

Continúa

---

1. Comisión Económica para América Latina, *El financiamiento externo de América Latina* (Nueva York, Naciones Unidas, 1964).

Continuación

Nombre de la empresa	Capital social en libras esterlinas	Bonos emitidos	Interés
The Great Northern Central Railway Limited	—	192.000	6%
The Santa Marta Railway Company Limited	600.000	200.000	6%
Emitidas	359.160	—	
The Manizales Rope Way Limited	200.000	—	[2]

El siglo XIX fue escenario de la inversión inglesa en los ferrocarriles, en el siglo XX se presentó el proceso de nacionalización y en la etapa 1922-1926, se dio un salto grandísimo en la construcción de vías férreas.

En 1886 la red ferroviaria del país era como sigue:

Ferrocarril	Longitud-kms.
Panamá a través del Istmo	80
Bolívar, Puerto Salgar a Barranquilla	27
Santa Marta, en construcción	12
Cúcuta al río Zulia, en obra	54
Girardot, en obra	39
Cauca, Cali a Buenaventura, en obra	$25^{1/2}$
Medellín a Puerto Berrío	$37^{1/2}$
La Dorada, en obra	15
Puerto Wilches a Bucaramanga	4
Suma	294[3]

Según Diego Monsalve[4] el desenvolvimiento de los ferrocarriles entre 1885 y el 7 de agosto de 1927, fue el siguiente:

---

2. Francisco Posada Díaz, *Colombia: violencia y subdesarrollo* (Bogotá, Universidad Nacional de Colombia, 1969), p. 76. Véase además, Luis Ospina Vásquez, *op. cit.*, p. 352.

3. Francisco Posada, *op. cit.*, p. 75.

4. *Colombia cafetera*, p. 831.

GRÁFICA DEL DESARROLLO FERROVIARIO
DE COLOMBIA DE 1885 A 1927

En:	1885	236 kilómetros	1915	1.114 kilómetros
	1898	513 kilómetros	1920	1.318 kilómetros
	1910	875 kilómetros	1927 [7 Ag.]	2.281 kilómetros

En 1930 las líneas férreas en explotación medían un poco más de 2.700 kilómetros. En cuanto a las carreteras, las nacionales medían 2.642 kilómetros y las departamentales 3.101, o sea un total de 5.743 kilómetros de carreteras.[5]

_____

5. Luis Ospina Vásquez, *op. cit.*, p. 352.

17

SIGLO XX: 1900-1930; EMPRÉSTITOS EXTRANJEROS, BANCO DE LA REPÚBLICA

En el proceso de surgimiento de la industria liviana en Colombia obraron causas externas e internas. La crisis del capitalismo de los años treintas fue la exterior, pero si dentro del país no hubiesen existido ciertas condiciones ya dadas, la coyuntura externa no hubiera bastado para que se produjera el fenómeno.

Entre las condiciones internas hemos mencionado algunas: acumulación de capital a través del comercio del oro, del tabaco y sobre todo del café; y afianzamiento de una burguesía nacional. Ampliación de la capacidad adquisitiva de las masas, sobre todo en occidente, motivada por la colonización antioqueña y el desarrollo en la producción cafetera. Unificación del mercado nacional, como consecuencia de la unificación geográfica, del desarrollo del comercio interno y del crecimiento de las vías de comunicación, que permitían para 1930 el transporte relativamente económico y en condiciones de competencia de la manufactura nacional. A lo anterior debemos agregar la política proteccionista que había renacido sobre todo a partir del gobierno de Reyes, y los incipientes ensayos de industria que se estaban dando, alentados parcialmente por la coyuntura —favorable para nuestra economía— de la Primera Guerra Mundial.[1]

EMPRÉSTITOS EXTRANJEROS

Durante la tercera década del siglo XIX afluyeron los empréstitos ingleses a Colombia, mas por la incapacidad de pago de nuestro país, temporalmente no se volvieron a repetir. Vinieron luego las inversiones de otro tipo, sobre todo en los ferrocarriles y en las minas, e inclusive a finales del siglo se contrataron otros empréstitos, pero ellos no tuvieron la magnitud de los efectuados en los principios del siglo ni fueron en la cuantía en que se presentaron a otros países americanos como Argentina, Brasil, etc. En el siglo XX hay un cambio en la dependencia colombiana. Estados Unidos suplanta a Inglaterra e inicia su penetración sobre Colombia, directamente con el robo de Panamá en 1903, e indirectamente a través de las inversiones y de los empréstitos.

La mejoría en la situación fiscal permitió recurrir al crédito extranjero. En 1906, 1911, 1913, 1916 y 1920 se habían contraído empréstitos en libras esterlinas, por cantidas relativamente pequeñas... (2.577.538 libras esterlinas en total). El 1º de enero de 1914, el saldo de la deuda interna era de pesos (Col.) 10.157.000 y el de la externa era de $22.892.000 (total $33.049.000). En 1922 se obtuvo un empréstito en dólares de US$ 5.000.000 rápidamente amortizado (saldo en 1º de enero de 1927: 5.000); otro del mismo año, muy pequeño (US$ 375.000), de la Balldwin Locomotive Works, se acabó de amortizar en 1930. De 1922 a 1926, se operó una gran rebaja en la deuda pública nacional, que a mediados del último año llegó a su punto más bajo en muchos años. Pero de 1927 en adelante se usó del crédito externo con perfecta inconsciencia. Desde 1924 los departamentos y los municipios, y ciertos bancos contrajeron

---

1. Luis Ospina Vásquez, *Industria y protección en Colombia*, pp. 386-402, nos trae una lista muy completa y detallada de las fábricas que funcionaban en Colombia en las tres primeras décadas del siglo XX.

empréstitos en el exterior por cantidades mayores a las prestadas por la nación.»[2]

Como «indemnización» por el robo de Panamá, Colombia recibió la suma de US$ 25.000.000; además, el crédito norteamericano creció enormemente. En total se recibieron US$ 197.807.740 entre 1923 y 1928, discriminados así:

1923	Indemnización americana	US$ 10.000.000
1924	Indemnización americana	5.000.000
	Empréstitos municipales	5.250.000
1925	Indemnización americana	5.000.000
	Empréstitos departamentales	2.490.000
	Empréstitos municipales	865.000
1926	Indemnización americana	5.000.000
	Empréstitos departamentales	18.187.500
	Empréstitos municipales	2.990.000
	Empréstitos bancarios	7.830.000
1927	Empréstitos nacionales	22.795.000
	Empréstitos departamentales	11.182.000
	Empréstitos municipales	4.015.000
	Empréstitos bancarios	21.022.740
1928	Empréstitos nacionales	32.755.000
	Empréstitos departamentales	21.990.000
	Empréstitos municipales	9.091.000
	Empréstitos bancarios	12.344.500
	Total	US$ 197.807.740[3]

Por causa de los empréstitos el presupuesto nacional se pudo equilibrar y se inició un período de auge sin precedentes en las obras públicas. El país gastaba desordenadamente lo que obtenía en crédito, hasta que la crisis vino a romper el ritmo artificial de inversión. Con razón motejó Alfonso López Pumarejo con el nombre de «prosperidad a debe» el fenómeno descrito. Lo observado por Abel Cruz Santos[4] sobre la destinación que se dio a la «indemnización» de

---

2. *Ibid*, pp. 349-350.

3. Guillermo Torres García, *Historia de la moneda en Colombia*, p. 353.

4. Cruz S., Abel, *Economía y hacienda pública,* p. 173.

Panamá, es válido para lo obtenido por empréstitos: «Aquel ingreso extraordinario de 25 millones de dólares estimuló los apetitos regionales. Lo indicado hubiera sido concentrar esos recursos en unos pocos objetivos básicos para el desarrollo del país, en vez de iniciar de manera simultánea muchas obras públicas, que no pudieron concluirse, y de algunas de las cuales forzoso fue prescindir en el futuro, porque no se justificaban ni técnica ni económicamente.»

Los empréstitos no fueron invertidos directamente en la industria: sólo el 15% de la inversión industrial inicial era de fuente extranjera, pero indirectamente sí contribuyeron a crear condiciones propicias para su surgimiento, puesto que fueron dedicados a obras públicas, elevaron la capacidad de compra y causaron un desplazamiento masivo de los campesinos hacia la ciudad.

LAS INSTITUCIONES BANCARIAS
Y EL BANCO DE LA REPÚBLICA

Durante el primer gobierno del general Mosquera se expidió en el año de 1847 una ley por la cual se autorizaba la constitución de un banco nacional de carácter semioficial. Empero, la iniciativa no se llevó a cabo. En el año de 1854 algunos comerciantes de la provincia de Antioquia crearon la casa «Restrepo y Cía», la cual tenía como función financiar operaciones comerciales y mineras, y en 1859 se estableció en la ciudad de Antioquia la firma «Botero, Arango e hijos», con el carácter de banco y la facultad de emitir billetes.

En 1865 se estableció en Bogotá el primer banco que con carácter de tal existió en el país: sucursal del «Banco de Londres, México y Sur América», el cual cerró en 1867.

Con apoyo oficial abrió operaciones el 2 de enero de 1871 el Banco de Bogotá. «Por esta época se fundaron en Medellín otros varios establecimientos cuya vida fue más o menos efímera; el Banco de Antioquia en 1873 y luego el Banco Minero y el Banco Agrícola; en Bucaramanga, el Banco de Santander y el Banco Prendario de Soto; en Popayán, el Banco del Cauca y en Cartagena, el Banco de Bolívar. En 1877 el Banco Popular de Bogotá, el cual subsidió hasta 1886, año en que fue clausurado 'por la mala ventura de no haber escogido un cajero digno de confianza'. En Medellín, un grupo de antioqueños fundó en 1878 el Banco Colombiano de Guatemala, el cual subsistió hasta bien entrado ya el siglo XX.»[5]

La Ley 39, de junio de 1880, facultó al Poder Ejecutivo para establecer una institución bancaria de carácter mixto, mas como los particulares no aportaron dinero, quedó convertida en organismo oficial. El 1º de enero de 1881 estipulaba que «los billetes del Banco Nacional continuarán siendo la moneda legal de la República, de forzoso recibo en el pago de todas las rentas y contribuciones públicas, así como en las transacciones particulares, subsistiendo la prohibición de estipular cualquier otra especie de moneda en los contratos de contado o a plazo.». Es decir, se estableció el curso forzoso. La Ley 124 de 1887 consagró formalmente el «dogma de los doce millones», por el cual se limitaban a esa suma las emisiones del Banco Nacional. Al comprobar una comisión investigadora que se había emitido moneda en forma ilegal, por más de nueve millones de pesos, fue dictada la Ley 70 de 1894, la cual ordenó la liquidación del Banco Nacional.

En 1883 se fundó el Banco de Crédito Territorial Hipotecario, mas a pesar del éxito que tuvo, hubo de liquidarse a causa de que el gobierno cerró el establecimiento porque el banco no quiso hacerle un préstamo. En 1885 fue creado en Bogotá el Banco Internacional. En 1888, en Rionegro (Antioquia), comenzó a funcionar el Banco de Oriente, y en Popayán el 20 de enero de 1884 abrió operaciones el Banco del Estado. En 1887 se fundó en Bogotá el Banco de Exportadores y en Salamina, Caldas, en 1897 se fundó el Banco de Salamina. El Banco del Comercio fue creado en Bogotá en 1901, el Banco Republicano en Medellín en 1903, y en el mismo año, el Banco de Bogotá en Tunja. En 1904 lo fue el Banco de Barranquilla. Por Decreto 47 de 1905, dictado por Rafael Reyes,

---

5. Jorge Franco Holguín, *Evolución de las instituciones financieras en Colombia* (México, Centro de Estudios Monetarios Latinoamericanos, 1966), p. 28. En esta obra, pp. 18 a 41, se encuentra una síntesis detallada de los establecimientos bancarios hasta el año de 1923.

se autorizó la fundación de un banco con facultades de conversión y amortización del papel moneda. El gobierno celebró un contrato con un grupo de ciudadanos para la fundación del Banco Central de Colombia, el cual tendría el privilegio exclusivo por 30 años, para emitir billetes bancarios. La Ley 68 de 1908 declaró resueltos los contratos que el gobierno había celebrado con el banco y derogó los privilegios a la entidad. A partir de entonces funcionó como institución típicamente privada.

La Ley 24 de 1905 fomentaba el establecimiento de entidades bancarias dedicadas al crédito hipotecario. Al amparo de ella se crearon el Banco Hipotecario de Bogotá, el Banco Hipotecario del Pacífico, el Banco Comercial Hipotecario de la Mutualidad de Bucaramanga y el Banco Hipotecario de Colombia. El Banco Alemán Antioqueño, fundado en 1912 en Medellín, se convirtió en 1942 en el Banco Comercial Antioqueño. En 1919 se creó el Banco López. «En 1925 se inició un movimiento de concentración de las empresas bancarias, del cual emergieron unas cuantas principales con ramificaciones en todo el país y al lado de unos pocos bancos locales. Los activos de los bancos del país pasaron de 82.904.000 pesos en 30 de junio de 1924 a 252.654.000, en igual fecha de 1929.»

«Es cierto que entonces se presentaban fenómenos de inflación.»[6]

BANCO DE LA REPÚBLICA

La «indemnización» de veinticinco millones de dólares por el robo de Panamá no vino sola. A más de las concesiones petroleras que Colombia tuvo que hacer,[7] con el objeto de garantizar el destino de esta suma y el de los empréstitos que se estaban haciendo, Estados Unidos presionó al gobierno colombiano para que solicitara una misión norteamericana que lo asesorara en cuestiones de organización

---

6. Luis Ospina Vásquez, *op. cit.*, pp. 347-348.

7. Véase: Harvey O'Connor, *La crisis mundial del petróleo* (Buenos Aires, Ed. Platina, 1963), Cap. 18, y el excelente libro de Jorge Villegas, *Petróleo, oligarquía e imperio* (Bogotá, El Áncora Editores, 1983).

económica. La Ley 60 de 1922 autorizó al ejecutivo para contratar una misión de expertos extranjeros en materia fiscal, administrativa y bancaria, la cual contribuyó a «sanear el clima de inversiones.» El profesor Edwin Walter Kemmerer fue el director de ella.

Por iniciativa de Kemmerer y sus asesores, fueron dictadas las siguientes leyes:

1. La Ley 20 de 4 de julio de 1923, «orgánica del papel sellado y timbre nacional.»

2. La Ley 25 de 11 de julio de 1923, «orgánica del Banco de la República.»

3. Ley 31 de 17 de julio de 1923, «por la cual se fija el número de nomenclatura de los ministerios.»

4. La Ley 34 de 18 de julio de 1923, «sobre formación y fuerza restrictiva del presupuesto nacional.»

5. Ley 36 de 19 de julio de 1923, «sobre administración y recaudación de rentas nacionales.»

6. Ley 42 de 19 de julio de 1923, «sobre organización de la contabilidad nacional y creación del departamento de contraloría.»

7. Ley 45 de 19 de julio de 1932, «sobre establecimientos bancarios.»

8. Ley 46 de 19 de julio de 1923, «sobre instrumentos negociables.»

9. Ley 109 de 12 de diciembre de 1923, «por la cual se crea el departamento de provisiones y se dictan otras disposiciones.»[8]

Cuando ya se había expedido la Ley 25, de 11 de julio de 1923, orgánica del Banco de la República, se presentó la quiebra del Banco López, la firma más importante de la época, por falta de liquidez para atender las obligaciones inmediatas. El 16 de julio los depositantes exigieron la devolución de los depósitos de cuenta corriente y el pánico amenazaba extenderse a los demás bancos de la ciudad. Ante tal emergencia el gobierno aceleró la fundación del Banco de la República y expidió el Decreto 1031 del 16 de julio, *por el cual se designaba su comité organizador*. El mismo día el gobierno puso a disposición de este comité la suma de cinco millones de pesos

_____

8. Leyes tomadas de: Abel Cruz Santos, *op. cit.*, Vol. XV, T. II, p. 178.

en certificados, como aporte de la nación para suscribir las acciones de la clase A. El Banco de la República adquirió en 750.000 pesos el edificio del Banco López y con el producto de la venta, el último pudo atender sus obligaciones. Se dispuso por ley que la junta directiva estaría integrada por tres representantes del gobierno, cuatro por los bancos nacionales, dos por los bancos extranjeros y uno por los accionistas particulares. La institución tenía entre otras funciones las del privilegio de emisión, la de convertibilidad de los billetes, de centralización de las reservas de oro, de depositario de los fondos públicos, de agente fiscal del gobierno.

Como ya se anotó, la Superintendencia Bancaria fue creada por la Ley 45 de 1923, y tuvo como misión la de reglamentar los establecimientos bancarios y supervigilarlos.

Guillermo Torres García comenta: «Función muy importante del Banco de la República, es la de que, en su condición de banco central de emisión, a él corresponde en buena parte la provisión de numerario, así como la regulación y control de la circulación monetaria. En efecto, el medio circulante en Colombia antes de la fundación del banco, puede decirse que era heterogéneo y rígido, pues hallábase compuesto en su mayor parte de papel moneda y de varios signos fiduciarios emitidos por el Estado y por los bancos particulares. La misión de técnicos norteamericanos dispuso las cosas de manera que el antiguo papel moneda y las demás ediciones fiduciarias diversas, públicas y privadas, fueran amortizadas y sustituidas por billetes del Banco de la República. Quiso con esto la misión Kemmerer eliminar la vieja masa de numerario sin elasticidad, reemplazándola por otra elástica, como son los billetes de banco. Mas al propio tiempo que por medio de este sistema se trataba de unificar y sanear la moneda, se colocó también al banco de emisión en la posición de verdadero y casi único proveedor de la circulación monetaria, desde luego que el país, en lo sucesivo, no contaría con más provisión regular del medio circulante que la que hiciera este banco en virtud de la emisión de billetes y la que efectuara el Estado con especies fraccionarias de plata y níquel.[9]

9. Guillermo Torres García, *op. cit.*, pp. 347-348.

Y sobre los efectos de la creación de la Superintendencia Bancaria comenta Abel Cruz Santos: «Hasta 1923, cuando se expidió la Ley 45, las operaciones bancarias se ejercían en Colombia en forma deficiente, con criterio utilitarista, que tomaba sólo en cuenta la conveniencia particular del banco. La misión Kemmerer —en la exposición de motivos de esa ley— precisó las fallas:

«a) Las facultades concedidas a los bancos eran amplísimas: podían comprar y vender acciones de toda clase de empresas, organizar industrias, contratar la administración de servicios públicos, actuar como intermediarios en la emisión de bonos, acciones, cédulas, etc.

«b) El control del Estado en la industria bancaria era, prácticamente, nulo; deficientes las estadísticas bancarias; defectuosa y tardía la presentación de los balances; los activos carecían de liquidez; no existía restricción para los préstamos; anarquía en el tipo de interés, en las garantías y en los plazos; disposiciones inadecuadas sobre el capital y reservas de los bancos, etc.

«La reforma bancaria de 1923 estableció regulaciones importantes en cuanto a capital, reservas, encajes, liquidez, monto de los préstamos, tasas de interés, etc. Se centralizó la reserva de oro en el Banco de la República, como consecuencia de la unificación del privilegio de emisión, evitándose así su atomización, y también para ejercitar un control más eficaz sobre la moneda. Por el sistema de redescuento, el banco central orienta el crédito hacia finalidades saludables para la economía y por el mecanismo de los encajes fluctuantes controla los medios de pago en circulación.»[10]

La constitución del Banco de la República con las funciones asignadas, la creación de la Superintendencia Bancaria y la expedición de la ley de instrumentos negociables, fueron un paso adelante en la organización económica del país y una condición previa y necesaria para el desarrollo organizado del crédito y de la vida comercial, así como la creación de la Contraloría General de la República contribuyó a la racionalización en el manejo del Estado. En síntesis, para la década 1920-1930, existía ya una suficiente red

---

10. Abel Cruz Santos, *op. cit.*, Vol. XV, T. II, pp. 191, 192.

bancaria y funcionaba el banco central, en condiciones para atender las exigencias de una industria liviana.

LAS SOCIEDADES ANÓNIMAS

El desarrollo de las sociedades comerciales corre parejo con el avance del capitalismo. Sólo la unión de capitales por este medio, hace posible concentrar las sumas suficientes para el funcionamiento de la industria. Además, por medio de las sociedades, pequeños capitales entran en el proceso de inversión industrial y de paso aumentan el poder de los grandes capitalistas que manejan no ya su propio dinero, sino el de un número ingente de pequeños accionistas. En el occidente colombiano y particularmente en Antioquia, existía tradición de asociación de capitales a través de un género especial: la sociedad de minas. Por esta razón no fue difícil que se generalizaran rápidamente las sociedades comerciales y en especial las sociedades anónimas, que como ya se dijo, a través de la concentración de capitales facilitan el establecimiento y desarrollo de la industria.

Gabriel Poveda Ramos, en su concentrado e interesante artículo sobre el desarrollo de la industria en Colombia, señala la vinculación entre las sociedades anónimas y la aparición y desarrollo de la industria, en estos términos: «No se ha estudiado, con la profundidad que merece, el proceso de surgimiento y de ascenso muy rápido de nuestra industria después de 1931, en lo cual jugó un papel esencial la constitución de sociedades anónimas para la industria fabril. Esta forma empresarial era casi desconocida, y a pesar de haber ya entonces normas legales para su funcionamiento, puede decirse que no existía, al menos en escala apreciable, en ninguno de los sectores de nuestra incipiente economía. Gracias a ella se pudo acoplar los cuantiosos recursos financieros requeridos para industrializar el país, en momentos en que aún se hacían sentir los efectos de la gran depresión de 1930, y cuando el número de ahorradores del país era sumamente pequeño. Esta fue la institución que popularizó la inversión industrial y asumió el ahorro atrayendo hacia la industria multitud de pequeñas sumas que consolidaron el crecimiento industrial. De no haber sido por este esfuerzo, el sector fabril no hubiera podido recuperarse de los duros reveses financieros que lo descapitalizaron entre 1930 y 1934.»[11]

11. Gabriel Poveda Ramos, *Antecedentes y desarrollo de la industria en Colombia.* «Revista Trimestral.» Andi, No. 4, julio 1967, p. 8.

18

LA INDUSTRIA EN EL SIGLO XX

Ya en el siglo XX se comenzaron a hacer intentos de significación en el país con el objeto de establecer una base industrial. Durante la Guerra de los Mil Días se emprendieron algunos experimentos fabriles en Antioquia, sobre todo en el ramo textil.

En el gobierno del general Reyes (1904-1909) se dictaron una serie de disposiciones proteccionistas para impulsar la industria nacional. Algunas fábricas fueron subvencionadas con empréstitos a bajos intereses y largos plazos y las disposiciones proteccionistas rebajaron los aranceles para lo que se consideraba materia prima, a la par que lo aumentaron para la introducción de productos elaborados. Es innegable que estas medidas fueron un primer aliento para la incipiente industria nacional.

Para 1910 funcionaban entre otros los siguientes establecimientos fabriles: en Antioquia, una fábrica textil en Bello con más de 500 trabajadores y cerca de 200 telares, la Compañía Colombiana de Tejidos en Medellín, así como otros establecimientos más modestos de producción textil. Una cervecería en Itagüí y en el municipio de Caldas empresas de locería, vidriería y fundición. En Cartagena una empresa textil fundada en 1892 y algunas fábricas de tejidos de punto. En Barranquilla la Fábrica de Hilados y Tejidos Obregón.

En Bogotá algunos establecimentos textiles de menor capacidad y la Cervecería de Bavaria, que prosperaba rápidamente, así como la recién fundada Cervecería Germania, la Fábrica de Cementos Samper y la Compañía Colombiana de Productos Químicos.[1]

Desde el momento en que el café se afianzó como producto de exportación, la balanza comercial colombiana se tornó casi siempre favorable. Puede observarse que casi permanentemente desde 1875 hasta 1930 dicha balanza arroja un superávit. Ello implicó una fuerte acumulación en el sector de los comerciantes exportadores. Con la primera Guerra Mundial se dio una primera coyuntura favorable para un proceso industrial y el comercio exterior se encontró con fuertes escollos para su desarrollo.

Los países beligerantes tuvieron que destinar sus flotas a actividades militares y en consecuencia el aprovisionamiento de productos manufacturados, sobre todo ingleses, se hizo difícil. Esta dificultad para los abastecimientos no sólo contribuyó para que de nuevo se pensara en una marina mercante nacional sino que además creó condiciones para que las pocas fábricas existentes ampliaran la producción y para que algunos capitalistas impulsaran acá la elaboración de manufacturas. Ese momentáneo y parcial abandono del mercado nacional por las mercancías extranjeras dio a las empresas textiles la posibilidad de una expansión e incluso de que se llegara a pensar en la exportación a otros países latinoamericanos.[2]

El estancamiento en el comercio exterior determinó una rebaja en las ganancias del sector comercial y que por lo tanto los capitales dedicados a esta actividad buscaran mayores rendimientos en la industria. «Las potencias beligerantes necesitaban todos los buques disponibles para las travesías de mayor importancia, de manera que Colombia, que no tiene flota mercante propia, apenas recibía del

---

1. Luis Ospina Vásquez, *Industria y protección en Colombia, 1810-1930* (Medellín, Editorial Santa Fe, 1955), pp. 340-344.

Para una cronología detallada y exhaustiva de la industria en Colombia, consúltese la obra de Gabriel Poveda Ramos, *Historia de la industria en Colombia*. «Revista Trimestral», Andi, No. 11, 1970.

2. Luis Ospina Vásquez, *op. cit.*, p. 392.

exterior las mercancías más imprescindibles, y ya no podía exportar su café. Las cosechas fueron almacenándose en el país, hasta que este riesgo fue a convertirse finalmente en una ventaja, pues acabada la guerra, todo el café alcanzó una demanda vertiginosa; el año 1919 señaló ventas gigantescas a precios nunca vistos. La libre exportación dio por resultado una balanza de pagos extraordinariamente favorable, y el dólar USA, cuya cotización era de 102 3/4 por ciento en relación con el peso oro, descendió en enero de 1919 hasta el 84. Pero pronto habría de cambiar la situación. Los viajantes de comercio llegados por entonces del exterior encontraron el país desprovisto de toda clase de mercancías, y, a pesar de los elevados precios de la postguerra, no daban abasto con los pedidos. Se evidenció que la industria colombiana se hallaba todavía en sus comienzos», según anota sagazmente Walter Rothlisberger en apéndice escrito en 1929 al libro de su padre.[3]

La acumulación de divisas aumentada por la guerra permitió un grado superior de importaciones entre 1918 y 1920 y un crecimiento mayor de éstas con respecto a las exportaciones. Es evidente que la base industrial del país no era lo suficientemente potente para responder a la mayor demanda originada en los altos precios del café; pero la situación sirvió de estímulo para una mayor producción en las fábricas existentes y la mayor cantidad de divisas para importar equipos destinados a producir acá las manufacturas hasta ese momento importadas. A su vez, y tal como lo describe Celso Furtado para este tipo de situaciones, «la presión para aumentar las importaciones de productos intermedios y de equipos se hará sentir reduciendo la capacidad para importar bienes de consumo. Habrá modificaciones significativas en los precios relativos e importantes transferencias de ingresos, reflejo de las tensiones estructurales requeridas para modificar la estructura de la oferta, o mejor, para reaproximar los perfiles de la oferta y de la demanda.»[4] Con la

---

3. Ernst Rothlisberger, *El Dorado* (Bogotá, Banco de la República, 1963), p. 414.

4. Celso Furtado, *La economía latinoamericana desde la conquista ibérica hasta la revolución cubana* (Santiago de Chile, Edit. Universitaria, 1969), p. 120.

coyuntura de la guerra no sólo la industria pudo trabajar a plena capacidad para copar el mercado abandonado por las manufacturas extranjeras sino que, además, este mercado se aumentó en la medida en que al ampliarse la base industrial creció el empleo de este sector y en consecuencia el ingreso nacional.[5]

La inversión en empresas textiles nos puede indicar cómo la coyuntura de la guerra impulsó la inversión de capitales en el campo industrial. «El capital invertido en empresas textiles al empezar la primera guerra europea era de tres millones y medio de pesos. Terminada ésta, hubo una fuerte inversión en equipo para las fábricas textiles (en el solo año de 1919 se calculó en más de $4.000.000 esa inversión). En 1920 (pero cuando aún no se había hecho sentir en todos sus efectos la depresión que empezó en ese año) se calculaba ese capital en diez millones, y en 1930 en algo más de trece.»[6]

Tal como se relacionó en el capítulo anterior, entre 1920 y 1930 se dio un cúmulo de elementos que favorecieron el desarrollo industrial: flujo de capitales extranjeros dedicados no tanto a la industria como a obras de infraestructura; proceso acelerado de obras públicas, que aumentó el empleo y produjo altos salarios para muchos que hasta ese momento habían sido campesinos y que con el ingreso monetario se constituyeron en compradores de manufacturas; crecimiento acelerado de la población urbana con mayores ingresos; alto ritmo de exportación favorecido por el incremento en el consumo del café; aumento de éste por la ley seca norteameri-

---

5. En 1916 funcionaban en Antioquia cuatro fábricas de tejidos de relativa capacidad y algunas otras de tamaño más reducido, dos fábricas de fósforos, una empresa elaboradora de cigarrillos y cigarros en grande escala, chocolaterías, fábricas de gaseosas, de jabones, ferretería y fundiciones, una vidriería y una cervecería. En Barranquilla una empresa textil y fábricas menores de zapatos, mosaicos para pisos, jabones, perfumes, velas, etc. En Cartagena algunas fábricas de textiles y de fósforos. En Boyacá la empresa textil de Samacá. En el departamento de Caldas muchas pequeñas empresas industriales. En Bogotá la Cervecería Bavaria, Cementos Samper, Fábrica de Vidrios Fenicia, una fábrica de fósforos. En Santander la empresa de Suaita, que producía hilados, tejidos, chocolate, azúcar y licores. Véase: Luis Ospina Vásquez, *op. cit.*, pp. 386 y ss.

6. Luis Ospina Vásquez, *op. cit.*, p. 416.

cana; estabilidad política durante tres décadas consecutivas; adecuada organización de la cuestión monetaria y funcionamiento del Banco de la República como banco central. Esas circunstancias determinaron una baja en la tasa de interés a partir de 1924, «desde tipos muy altos (el 12% anual se consideraba un tipo muy bajo, generalmente) a tipos que tal vez no se habían visto desde la Colonia, o sólo en momentos cortos (del orden del 6%).»[7] Es muy probable que capitales destinados a la usura, o simplemente al préstamo, ante la baja en la tasa de interés se volcaran hacia otros campos, entre ellos el industrial. Debe recordarse, además, que la burguesía comerciante antioqueña que en el siglo XIX había controlado el comercio de Cali y el sur del país, perdió ese sector con la apertura del ferrocarril que conectaba el puerto de Buenaventura con la ciudad de Cali, y que esta mengua en su comercio contribuyó a forzar la inversión industrial.

En el período 1925-1929 el consumo por habitante aumentó a una tasa de 3.4 por ciento, en tanto que las inversiones por habitante casi se duplicaron.[8] La capacidad productiva de la industria aumentó en más de un 50% durante este período, al mismo tiempo que se hacían fuertes inversiones en obras públicas, en transportes y otros servicios como energía.[9]

La crisis de 1930 fue determinante para la configuración de la industria liviana en el país. De la misma manera que la Primera Guerra Mundial, la crisis obró como coyuntura para la implantación de una base industrial en Colombia y que permitió el paso de una dependencia semicolonial a una tipo neocolonial. Pero la crisis lo hizo en un sentido especial; no porque a partir de 1930 se hubiera instalado en el país una industria inexistente, sino porque permitió especialmente al equipo ya montado trabajar a plena capacidad, en un mercado relativamente libre de manufacturas extranjeras por la dificultad para adquirir divisas.

---

7. *Ibid.*, p. 347.
8. Cepal, *El desarrollo económico de Colombia*, 1957, p. 11.
9. *Ibid.*, p. 249.

La crisis en el capitalismo significa el hambre y la escasez dentro de la mayor abundancia. Se producen grandes cantidades de mercancías pero el pueblo no tiene dinero para adquirirlas y ellas se pierden. Se presenta el desempleo y éste a su vez disminuye la capacidad adquisitiva de las masas. Como consecuencia, los sectores populares toman conciencia y en ocasiones emprenden una acción política de acuerdo con sus intereses. Pero los gobiernos imperialistas, antes que permitir la avalancha popular sobre el poder en sus propios Estados, exportan la crisis y tratan de que el desequilibrio social recaiga sobre los países dependientes. En épocas de crisis las potencias capitalistas cierran sus puertas a la importación de productos primarios, sobre todo de los que no les son vitales, y tratan de exportar el mayor número posible de mercancías. A través del control que ejercen sobre el comercio mundial las potencias imperialistas en crisis aumentan sus ventas, y como ya han cerrado sus fronteras a los productos primarios, se produce en los países dependientes una grave escasez de divisas.

En Colombia existía ya un mercado suficiente y una acumulación de capital lograda por el sector comerciante a través de la exportación del oro, el tabaco y el café, y ante la coyuntura de la crisis, que impidió el movimiento de capitales en el comercio exterior, la inversión se vertió hacia la ampliación de la industria manufacturera, que vino a cubrir el mercado, momentáneamente abandonado por la industria extranjera, pues no teníamos divisas para comprar sus productos. Los grandes capitales acumulados que operaban en el comercio, la creciente demanda insatisfecha de bienes de consumo y la necesidad de reproducción del capital, en ese momento inutilizado por no tener ocupación en el comercio exterior, motivaron a los capitalistas a invertir en el sector de la industria liviana colombiana.

En suma, la crisis obró en la siguiente forma: como no teníamos divisas para seguir importando manufacturas extranjeras, éstas no pudieron traerse, o sea que el mercado nacional se amplió para la producción nacional desde el momento en que era abandonado por la competencia extranjera. Pero como además en el país existía una base industrial, la coyuntura pudo ser aprovechada y entonces el equipo instalado que había sido subutilizado hasta entonces comenzó a producir con plena capacidad. Por esta misma época y como consecuencia del flujo de capitales hacia el sector industrial, se presentó una fuerte concentración en diferentes ramas industriales.[10]

Mientras en el período 1925-1929 la inversión había sido grande y la productividad poca, a partir de 1930 se llegó a una situación contraria, en la que se dio la plena utilización al equipo instalado. En cifras el incremento de la productividad puede verse así: en tanto que la relación producto-capital había pasado de 0.21 en 1925 a 0.24 en 1929,[11] aumentó entre este último año y 1945 a 0.29.[12] Por el contrario, mientras el coeficiente de inversión industrial, que en el período 1925 a 1929 había sido muy elevado (48%),[13] durante los años treintas y la segunda Guerra Mundial bajó en forma sustancial hasta alcanzar la reducida cifra del 13%.[14] Con base principalmente en el equipo ya instalado antes de 1930, la industria creció entre los años 1933 y 1939 a una tasa media del 10.8% anual, probablemente la más alta de todo el período.[15] La industria de la época era poco diversificada y con fuerte predominio de las industrias alimenticias y del tabaco y escasa significación de la industria textil, de bebidas, cueros, manufacturas y cemento. Las industrias químicas y metalúrgicas prácticamente no existían.[16]

Para proteger a la industria nacional, y no ya como una simple fuente de ingresos fiscales, se dictó en 1931 un arancel proteccionista que cumplió sus objetivos en la primera fase pero que con el tiempo fue perdiendo eficacia por la naturaleza específica de la tarifa y la tendencia alcista en los precios de las importaciones, pero sobre todo, porque a medida que avanzaba el proceso de sustitución en los renglones de mayores gravámenes, la composición de las importaciones se iba modificando hacia un predominio

---

10. Luis Ospina Vásquez, *op. cit.*, p. 389.
11. Cepal, *op. cit.*, p. 11.
12. *Ibid.*, p. 12.
13. *Ibid.*, p. 19.
14. *Ibid.*, p. 19.
15. *Ibid.*, p. 250.
16. *Ibid.*, p. 250.

de las materias intermedias y los bienes de capital, sujetos a derechos reducidos. Por ello se expidió un nuevo arancel en 1951. Como medida complementaria al arancel fue establecido el control de cambios en 1931 con el fin de establecer el equilibrio en la balanza de pagos, pero además, la medida se convirtió en un fuerte instrumento de la política del gobierno para promover o estabilizar el desenvolvimiento industrial.

Al crearse la industria liviana en Colombia dimos un viraje. En adelante no seríamos mercado para los bienes de consumo extranjeros, pues los produciríamos acá, y en su lugar importaríamos bienes de capital para el crecimiento o reparación de la industria. Se iniciaba la era del neocolonialismo, de la dependencia más sutil pero más rápida del imperialismo, en este caso de los Estados Unidos y no ya de Inglaterra. «Pero lo que es necesario hacer resaltar es el hecho de que no se trata de un cambio cualquiera; en cierto sentido puede decirse que el paso al neocolonialismo, la dependencia con respecto a la industria monopolista para el suministro, no ya de bienes de consumo manufacturados, sino de bienes de producción, crea lazos más orgánicos de dependencia, conforma en los países sometidos una estructura socioeconómica más profundamente entrelazada con la economía imperialista. En efecto, si antes de los años treintas una baja en los ingresos de divisas que percibían nuestros países por la venta de sus productos al extranjero, incidía directamente en la caída del consumo de textiles, calzados, bebidas, etc., extranjeros, del consumo suntuario y de los gastos en obras públicas (los ingresos del Estado dependían casi exclusivamente de impuestos a la importación y exportación, por lo que la crisis del comercio exterior y las fluctuaciones de este comercio se expresaban inmediatamente en crisis políticas y en una gran inestabilidad de los gobiernos), dentro de la actual estructura neocolonial de Latinoamérica una crisis de divisas tiene resonancias mucho más profundas y globales desde el momento en que se refleja directamente en la tasa de inversión industrial, en creciente desocupación y en un cierre mayor del mercado. En otro sentido, no se puede dejar de ver que el neocolonialismo significa, si así puede decirse, un avance inevitable de los países dominados hacia formas sociales más complejas, más universales, más elevadas.»[17]

Durante el período de la Segunda Guerra Mundial, debido a los inconvenientes para el flujo del comercio exterior, se represó en manos de los capitalistas nacionales una fuerte cantidad de divisas, lo cual, unido a la necesidad de reponer los equipos que habían tenido una intensa utilización, motivó una gran inversión en la industria a partir de 1945, que caracterizó el período 1945-1950 como uno de los de más alta tasa de desarrollo industrial, con un promedio de un 11.5% anual, que nunca después la industria colombiana ha recuperado.[18] Ya durante la guerra se había generado un movimiento para sustituir la importación de materias primas básicas cuya tecnología de producción se podía asimilar fácilmente. Sin embargo, la tasa media de crecimiento de la producción industrial entre 1939 y 1945 fue sólo del 3% anual, cifra muy inferior a la de los períodos anterior y posterior.[19] El primer censo industrial realizado en el año 45 señaló como aporte de la industria al producto nacional el 13.5%. El ensanche industrial entre 1945-1950, motivado entre otras causas por la posibilidad de invertir las divisas acumuladas durante la guerra, se caracterizó más por la acentuación de las líneas establecidas que por la implantación de otras nuevas.[20]

Para mediados de la década de 1950 la industria colombiana había superado la etapa de fabricación exclusiva de bienes de consumo para entrar en la producción de bienes intermedios, dentro de una política de sustitución de importaciones. Se iniciaron la

17. Mario Arrubla, *Estudios sobre el subdesarrollo colombiano* (Medellín, Libros de La Carreta), 1ª ed., 1974, p. 91.

18. Gabriel Poveda Ramos, *Antecedentes y desarrollo de la industria en Colombia*. «Revista Trimestral», Andi, No. 4, 1967, p. 5.

19. Cepal, *op. cit.*, p. 250.

20. «De 1945 a 1950 se cuadruplicó la producción de ácido sulfúrico, de ácido clorhídrico y de cobre. Se triplicó la de grasas vegetales, productos lácteos, conservas vegetales e hilazas de lana. Se duplicó la producción de malta, cerveza, bebidas gaseosas, rayón, drogas, jabón, pinturas, cemento, artículos de asbesto, cemento, vidrio y mezclas fertilizantes. Aun renglones tradicionalmente estáticos, como la fabricación de calzado, paños y fósforos, aumentaron en proporciones de 50% cada año.» Gabriel Poveda Ramos, *Antecedentes...*, p. 7.

industria química y la metalmecánica y se acentuó esta tendencia sustitutiva con la inauguración de la Siderúrgica de Paz del Río y el montaje de nuevas áreas fabriles como las de refrigeración e implementos eléctricos.

La industria había contado con un alivio grande para importar equipo debido a los precios excepcionales que se dieron en el café durante el año de 1954, pero en 1957 su baja determinó que se dieran escasez de divisas, contracción industrial, endeudamiento del país y avalancha de capital extranjero sobre la industria nacional, que a partir de esa fecha ha pasado aceleradamente a manos de inversionistas extranjeros, sobre todo norteamericanos, o crecido tenuemente con capital externo, especialmente bajo la modalidad de la industria mixta.

El siguiente cuadro nos puede ilustrar acerca de la inversión industrial entre 1926 y 1965:

CAPITAL EXISTENTE E INVERSIÓN EN LA INDUSTRIA
(MILLONES DE PESOS CONSTANTES DE 1950)

Período	Capital neto fijo al final del período	Inversión bruta en el período
1926-1930	1.198	575
1931-1935	1.134	168
1936-1940	1.368	446
1941-1945	1.445	355
1946-1950	2.329	1.269
1951-1955	3.178	1.696
1956-1960	4.200	1.415
1961-1965	5.530	1.860

Fuente: Gabriel Poveda Ramos. *Antecedentes...*, p. 9.

19

LA TIERRA EN EL SIGLO XX

Al iniciarse el siglo XX las tierras laborables del centro del país prácticamente estaban acaparadas. La misma galopante inflación que llegó a determinar el cambio del peso con el dólar a un 18.900% hizo aún más segura la inversión en tierra y permitió a las clases dominantes aprovecharse de la inflación como alcancía de capital.

Desde comienzos del siglo la industria comenzó a desarrollarse al amparo de la momentánea protección que le brindó la Primera Guerra Mundial, de la expedición de ciertas leyes proteccionistas, de la ampliación del mercado, motivada por una elevación de ingresos, sobre todo en las zonas cafeteras, y de otros elementos (ver capítulo 18). Ese proceso de industrialización necesariamente tenía que influir sobre las estructuras agrarias y sobre toda la estructura nacional.

En el mes de enero de 1918 se inicia el período de las grandes huelgas en Colombia y el escenario estuvo ubicado en las ciudades de la Costa Atlántica, Cartagena, Barranquilla y Santa Marta. En Medellín eran llevados cien obreros a la cárcel y en el mes de febrero del mismo año los trabajadores bananeros presentaron por primera vez un pliego de peticiones a la United Fruit Co. Vinieron luego serias agitaciones laborales y huelgas, sobre todo contra los monopolios norteamericanos, como las que decretaron los obreros petroleros de Barrancabermeja.[1]

Con motivo de la indemnización recibida por el gobierno de Colombia de parte del gobierno de los Estados Unidos, como arreglo por el robo de Panamá, se inició en 1923-1924 un acelerado proceso de construcción de obras públicas, que tenía como base la inmensa utilización de mano de obra, pues túneles, carreteras y ferrocarriles se construyeron con picas, palas y carretillas. No sólo por la demanda de brazos, sino también porque muchas veces el contrato de trabajo implicaba el traslado del obrero a regiones alejadas e insalubres, los salarios para los trabajadores de obras públicas aumentaron. Los nuevos empleos en obras públicas que Alejandro López calculaba en 36.000,[2] lo mismo que las mayores fuentes de trabajo creadas en otros sectores, motivaron el aumento de salarios y la migración de campesinos a las nuevas fuentes laborales.

El país recibió 198 millones de dólares de fuentes externas y la «prosperidad a debe» produjo empleos y también inflación. Entre 1923 y 1928 los precios de los artículos de consumo se elevaron en forma exorbitante. En Bogotá, por ejemplo, el grupo de arroz, fríjoles, harina de trigo, maíz y café pasó por un índice que partía de 100 en 1923; 104 en 1924; 122 en 1925; 158 en 1926; 138 en 1927, y 121 en 1928. El grupo de carne de res, carne de cerdo, manteca, leche, huevos, conoció índices de precios de 100 en 1923; 109 en 1924; 115 en 1925; 143 en 1926; 185 en 1927 y 169 en 1928. El grupo formado por la panela, el azúcar, los plátanos, la papa, la yuca, tuvo un índice de aumento de precio que iba de 100 en 1923; a 126 en 1924; 140 en 1925; 149 en 1926; 131 en 1927 y 140 en 1928[3], y así, en las principales ciudades del país, el precio de los productos alimenticios, en su mayoría de origen agropecuario, se elevó vertiginosamente.

---

1. Miguel Urrutia, *Historia del sindicalismo en Colombia* (Bogotá, Ediciones Universidad de los Andes, 1969. Ed. La Carreta, 1978), pp. 88-89, 120.

2. Alejandro López, *Problemas colombianos* (París, Editorial París-América, 1927), p. 149.

3. Guillermo Torres García, *Historia de la moneda en Colombia* (Bogotá, Imprenta del Banco de la República, 1945), p. 357.

Las condiciones de inflación eran realmente propicias para los terratenientes que, con el solo paso de los días y sin actividad alguna, veían aumentar el valor de sus propiedades. También les era propicia el alza en el precio de los productos agropecuarios, pero la migración de trabajadores del campo a la ciudad, ante la perspectiva de un trabajo mejor remunerado, no les convenía. Por eso los conflictos de tierras se centraron en esta época, en la forma como los terratenientes querían conservar para la explotación a «sus trabajadores», con un máximo de rendimiento. Tradicionalmente las regiones cafeteras de Cundinamarca y del Tolima habían sido beneficiadas por los latifundistas con contratos de aparcería, o semejantes, que implicaban que el campesino podía disponer para la siembra de una parcela en la que cultivaba maíz, fríjoles, yuca, plátanos, etc., y como contraprestación laboraba gratuitamente durante algunos días en la hacienda. Desde el momento en que la migración de campesinos se inició, los terratenientes trataron de conservar la mano de obra en las condiciones de explotación tradicionales, pero los campesinos exigieron o salarios más altos, o que en las parcelas, además de los cultivos tradicionales, se les dejara plantar café, producto que les permitía un ingreso mayor y monetarizado. Los terratenientes se opusieron, alegando que el café era un cultivo de larga duración y que en el momento de un desalojo se elevaría el monto de las mejoras que tendrían que pagar. Ante el desacuerdo, los campesinos procedieron a organizarse en ligas campesinas, a invadir tierras y a exigir contratos más favorables. El gobierno, como era natural, se puso del lado de los terratenientes no sólo con la fuerza pública, sino también con medidas económicas como las propuestas por el director de la oficina de trabajo, quien como solución sugería que «es inaplazable la introducción de brazos extranjeros para las obras públicas y debe ser en adelante cláusula obligatoria para los contratistas de ferrocarril y carreteras, etc. Asimismo es urgente que se aplique el trabajo de maquinaria en todo aquello que pueda sustituir la mano de obra»,[4] o dilapidando

---

4. Citado por Miguel Urrutia, *op. cit.*, p. 141.

los dólares venidos bajo empréstitos, «pues hasta los huevos hubimos de importar a altísimos precios.»[5]

LA UNITED FRUIT COMPANY

La lucha de clases en las regiones cafeteras descritas se mantuvo y agudizó en los años siguientes hasta que la Ley 200 de 1936 y una política reformista del gobierno de entonces aplacaron los conflictos por un tiempo. Mas en el período que nos ocupa (1920-1930) se presentó un acontecimiento que muestra cómo el gobierno de la clase dominante de Colombia actúa en beneficio de los monopolios extranjeros antes que en favor de las masas colombianas, y en el cual se ligan claramente la producción capitalista en la agricultura de exportación y los intereses de nuestra clase dominante con el imperialismo norteamericano. Ese acontecimiento fue la matanza de trabajadores en la zona bananera de Santa Marta.

En Colombia se estableció a finales del siglo XIX la Colombian Land Company, compañía que inició en 1881 la construcción del ferrocarril de Santa Marta. Esta empresa se fusionó con la United Fruit, que además del ferrocarril y del muelle de Santa Marta, vino a explotar la producción de bananos en la rica y extensa región conocida con el nombre de zona bananera de Santa Marta.[6]

En 1918 los obreros presentaron un pliego de peticiones, que básicamente reprodujeron en 1928. Solicitaban que el monopolio asumiera sus responsabilidades como patrono, pues a través de subcontratos se desligaba de toda obligación laboral, tal como las de seguro colectivo, pago de accidentes de trabajo, descanso dominical, vivienda y hospitalización; que pagara en dinero y no en vales realizables en los comisariatos del monopolio, en donde los artículos

---

5. Mardonio Salazar, *Proceso histórico de la propiedad en Colombia* (Bogotá, Editorial ABC, 1948), p. 350.

6. Diego Montaña Cuéllar, *Colombia: país formal y país real* (Buenos Aires, Editorial Platina, 1963), pp. 126 y ss. Anteo Quimbaya, *El problema de la tierra en Colombia* (Bogotá, Ediciones Suramérica, 1967), cap. VII.

se vendían a precios más altos; que los salarios se elevaran un poco y que las condiciones sanitarias se hicieran más humanas. Eran las peticiones que en forma magistral y novelada describe García Márquez: «La inconformidad de los trabajadores se fundaba esta vez en la insalubridad de las viviendas, en el engaño de los servicios médicos y la iniquidad de las condiciones de trabajo. Afirmaban, además, que no se les pagaba en dinero efectivo, sino con vales que sólo servían para comprar jamón de Virginia en los comisariatos de la compañía. José Arcadio Segundo fue encarcelado porque reveló que el sistema de los vales era un recurso de la compañía para financiar sus barcos fruteros, que de no haber sido por la mercancía de los comisariatos, hubieran tenido que regresar vacíos desde Nueva Orleans hasta los puertos de embarque del banano. Los otros cargos eran del dominio público. Los médicos de la compañía no examinaban a los enfermos, sino que los hacían pararse en fila india frente a los dispensarios, y una enfermera les ponía en la lengua una píldora de color de piedra lipe, así tuvieran paludismo, blenorragia o estreñimiento. Era una terapéutica tan generalizada, que los niños se ponían en la fila varias veces, y en vez de tragarse las píldoras se las llevaban a sus casas para señalar con ellas los números cantados en el juego de lotería. Los obreros de la compañía estaban hacinados en tambos miserables. Los ingenieros, en vez de construir letrinas, llevaban a los campamentos, por navidad, un excusado portátil para cada cincuenta personas, y hacían demostraciones públicas de cómo utilizarlos para que duraran más. Los decrépitos abogados vestidos de negro que en otro tiempo asediaron al coronel Aureliano Buendía, y que entonces eran apoderados de la compañía bananera, desvirtuaban estos cargos con arbitrios que parecían cosa de magia. Cuando los trabajadores redactaron un pliego de peticiones unánime, pasó mucho tiempo sin que pudieran notificar oficialmente a la compañía bananera.»[7]

Como el monopolio norteamericano controlaba el transporte de la zona a través del ferrocarril, monopolizaba también el comercio

---

7. Gabriel García Márquez, *Cien años de soledad*, 3ª ed. (Buenos Aires, Editorial Suramericana, 1967), p. 254.

de la región, y a través del pago que hacía en vales a los trabajadores, no sólo aumentaba sus ganancias con la explotación de los
asalariados, sino que hacía competencia ruinosa a los pequeños
comerciantes de la zona, que no tenían a quién vender, puesto que
a través del pago en vales el monopolio mantenía un mercado cautivo.
Por eso, cuando vino la protesta, no sólo entraron en huelga 30.000
trabajadores sino que toda la población de la zona se levantó.

Cuando en 1928 los trabajadores presentaron sus peticiones, se
les respondió como en 1918, que se iba a consultar a la dirección
de Boston. Los trabajadores tenían elementos para presumir que
diez años eran suficientes para una consulta y su respuesta. Por
eso prosiguieron en la huelga en forma pacífica.

El día 6 de diciembre la multitud se reunió en la plaza pública
para recibir al enviado del gobierno, quien se decía, traía una solución favorable. El general Cortés Vargas ordenó que se leyera el
decreto de estado de sitio y la orden de desocupar la plaza en cinco
minutos, al cabo de los cuales y cuando había mucha gente que ni
siquiera había oído la orden, el ejército comenzó a disparar sobre
la multitud. «Hacia las doce, esperando un tren que no llegaba, más
de tres mil personas, entre trabajadores, mujeres y niños, habían
desbordado el espacio descubierto frente a la estación y se apre-
tujaban en las calles adyacentes que el ejército cerró con filas de
ametralladoras. Aquello parecía entonces, más que una recepción,
una feria jubilosa. Habían trasladado los puestos de fritangas y las
tiendas de bebidas de la Calle de los Turcos, y la gente soportaba
con muy buen ánimo el fastidio de la espera y el sol abrasante. Un
poco antes de las tres corrió el rumor de que el tren oficial no
llegaría hasta el día siguiente. La muchedumbre cansada exhaló un
suspiro de desaliento. Un teniente del ejército se subió entonces en
el techo de la estación, donde había cuatro nidos de ametralladoras
enfiladas hacia la multitud, y se dio un toque de silencio. Al lado
de José Arcadio Segundo estaba una mujer descalza, muy gorda,
con dos niños de unos cuatro y siete años. Cargó la menor, y le
pidió a José Arcadio Segundo, sin conocerlo, que levantara al otro
para que oyera mejor lo que iban a decir. José Arcadio Segundo
se acaballó al niño en la nuca. Muchos años después, ese niño

había de seguir contando, sin que nadie se lo creyera, que había visto al teniente leyendo por una bocina de gramófono el Decreto número 4 del jefe civil y militar de la provincia. Estaba firmado por el general Carlos Cortés Vargas, y por su secretario, mayor Enrique García Isaza, y en tres artículos de ochenta palabras declaraba a los huelguistas cuadrilla de malhechores y facultaba al ejército para matarlos a bala.

«Leído el decreto, en medio de una ensordecedora rechifla de protesta, un capitán sustituyó al teniente en el techo de la estación, y con la bocina del gramófono hizo señas de que quería hablar. La muchedumbre volvió a guardar silencio.

—«Señoras y señores —dijo el capitán con una voz baja, lenta, un poco cansada—, tienen cinco minutos para retirarse.

«La rechifla y los gritos redoblados ahogaron el toque de clarín que anunció el principio del plazo. Nadie se movió.

«Han pasado cinco minutos —dijo el capitán en el mismo tono—. Un minuto más y se hará fuego.

«José Arcadio Segundo, sudando hielo, se bajó al niño de los hombros y se lo entregó a la mujer. 'Estos cabrones son capaces de disparar', murmuró ella. José Arcadio Segundo no tuvo tiempo de hablar, porque al instante reconoció la voz ronca del coronel Gavilán haciéndoles eco con un grito a las palabras de la mujer. Embriagado por la tensión, por la maravillosa profundidad del silencio y, además, convencido de que nada haría mover a aquella muchedumbre pasmada por la fascinación de la muerte, José Arcadio Segundo se empinó por encima de las cabezas que tenía en frente, y por primera vez en su vida levantó la voz.

—«Cabrones —gritó—. Les regalamos el minuto que falta.

«Al final de su grito ocurrió algo que no produjo espanto, sino una especie de alucinación. El capitán dio orden de fuego y catorce nidos de ametralladoras le respondieron en el acto. Pero todo parecía una farsa. Era como si las ametralladoras hubieran estado cargadas con engañifas de pirotecnia, porque se escuchaba su anhelante tableteo, y se veían sus escupitajos incandescentes, pero no se percibía la más leve reacción, ni una voz, ni siquiera un suspiro, entre la muchedumbre compacta que parecía petrificada por la invulnerabilidad instantánea...», según el relato magistral de García Márquez.[8]

Después de esto, la población se sublevó y en el campo de la empresa hubo una batalla que se prolongó por varias horas. El almacén de la compañía y otros edificios fueron arrasados y los empleados norteamericanos se salvaron de ser quemados vivos en el ataque a la residencia donde estaban parapetados, porque el ejército de Colombia llegó a protegerlos del pueblo colombiano. Según el general Cortés Vargas, el autor de la primera matanza, en ella hubo 13 muertos y 19 heridos —todos civiles—. En la «batalla» del campamento murieron 20 civiles. Y el periódico *El Espectador* calculaba en 100 los muertos y en 283 los heridos de la primera masacre. La cifra precisa no ha sido establecida, pero sin riesgo a equivocarnos puede decirse que los muertos se contaron por cientos.[9]

En un libro pagado y apologético, escrito por Galo Plaza y otro autor norteamericano, se dice eufemísticamente que «la experiencia antes de la guerra fue la de numerosas controversias sobre pagos a los productores locales así como sobre la operación del ferrocarril y de los muelles.[10]

La United Fruit Company siguió explotando la extensa y feraz zona bananera de Santa Marta y a partir de 1947, por contrato con el gobierno colombiano, estableció una nueva modalidad en la que aparte de la producción directa en tierras de su propiedad, compraba los racimos a productores colombianos, a quienes había dado crédito. «El nuevo sistema de trabajo en Colombia ofrece diversas ventajas importantes tanto para la compañía como para la economía local. La compañía puede contar con la seguridad de obtener fruta de calidad, con un mínimo de inversión de fondos propios. Está libre de los riesgos y responsabilidades en el manejo de las fincas y en la administración del ferrocarril y del muelle.»[11] «Las

---

8. Gabriel García Márquez, *op. cit.*, p. 259.

9. Miguel Urrutia, *op. cit.*, pp. 131-132.

10. Galo Plaza y Stacy May, *La United Fruit Company en América Latina* (New York, National Planning Association, 1958), p. 190.

11. Galo Plaza y Stacy May, *op. cit.*, p. 191.

ventajas del sistema de contratos empleado en Colombia, son tan notables, que valdría la pena hacer todo el esfuerzo posible a fin de extenderlo a otras regiones productoras, en donde las condiciones lo permitan.»[12]

Las «ventajas» de este tipo de contrato posiblemente no se extendieron a todos los países productores, pero sí a toda la producción colombiana. A fines de la década de 1950 la United Fruit, a través de una filial suya, con nombre nativo, la Frutera de Sevilla, y por medio de la Corporación Financiera, fomentó la siembra de banano en Urabá. Las condiciones eran distintas en la medida en que el monopolio no producía un solo racimo sino que prestaba dinero a los capitalistas o agricultores colombianos para que lo hicieran. El monopolio de compra se lo reservaba en la práctica y como, además por los contratos de préstamos, tenía facultad para indicar las especificaciones de cultivo y la variedad de la fruta, el agricultor quedaba en sus manos en cuanto a precios. La compañía, por su parte, no tenía inversión en tierras —las de Santa Marta las «abandonó por venta» al Incora—, lo cual le permitía dejar el país en cualquier momento, tal como ahora lo está haciendo, al constituirse simplemente en compradora de una sociedad de los productores, Augura.

Con la modalidad implantada, además, desplazaba los conflictos sociales entre empleadores y trabajadores, cubriéndose de cualquier protesta nacionalista. Con razón decía el folleto apologético que «muchos de los problemas actuales y futuros de la United en otras naciones bien podría mitigarse si ese tipo general de contrato que se celebra en Colombia con los productores locales, pudiera adaptarse a otros países.»[13]

LA LEY 200 DEL 36

La crisis de 1930, que golpeó todas las estructuras del país, necesariamente tuvo sus repercusiones sobre la situación del cam-

12. Galo Plaza y Stacy May, *op. cit.*, p. 192.
13. Galo Plaza y Stacy May, *op. cit.*, p. 191.

po colombiano. Al cesar los empréstitos, decayó la prosperidad inflada y muchos de los trabajadores de obras públicas regresaron al campo; las exportaciones rebajaron y el mercado se cerró. En esas condiciones la lucha por la tierra se intensificó, y especialmente en las regiones cafeteras de Cundinamarca y Tolima, el proceso de lucha ya iniciada se agudizó. Las invasiones de tierras se generalizaron y los desalojos vinieron como respuesta. De nada servía al colono que la legislación existente obligara al propietario a pagarle las mejoras, puesto que ante una orden de lanzamiento que ya se iba a ejecutar por la autoridad, el campesino no tenía más que recibir lo que quisiera darle el terrateniente. Una ley de 1905 decía que «cuando una finca ha sido ocupada sin que medie contrato de arrendamiento ni consentimiento del arrendador, el jefe de policía ante quien se presente la queja se trasladará al lugar en que está situada la finca, dentro de las cuarenta y ocho horas después de la presentación del escrito de queja; y si los ocupantes no exhiben el contrato de arrendamiento o se ocultan, procederá a verificar el lanzamiento sin dar lugar a recurso alguno, ni a diligencia que pueda demorar la desocupación de la finca.»[14] Posteriormente la legislación se modificó y se dijo que el proceso de lanzamiento sólo podía iniciarse dentro de los treinta días siguientes a la ocupación o a la fecha en que el dueño tuviera noticia de ésta, lo que en la práctica significó que el terrateniente dejaba que los campesinos trabajaran y le valorizaran el predio, y que cuando esto ya estaba hecho, el propietario manifestaba tener conocimiento, para proceder en los treinta días siguientes, con el peso del Estado a su favor, a desalojar al campesino.

Los campesinos se organizaron en ligas y en muchas ocasiones, con dirección del partido comunista, procedieron a invadir tierras, organizar huelgas y a oponerse a los desalojos.[15] Por su parte «los

---

14. Citado por Albert O. Hirschman, *Estudios sobre política económica en América Latina* (Madrid, Aguilar, 1964), p. 119.

15. Indicativa sobre la situación de lucha en esta época, es una entrevista sostenida con un campesino de Chaparral que en parte transcribimos: «En la hacienda Providencia de los Rocha... El trabajo allí era obligatorio en los tres meses de cosecha porque si el trabajador se iba en esa época lo traían las comisiones de la autoridad. Esto digo para los permanentes. Porque en cosecha completaban

propietarios formaban bandas particulares de 'fieles' con campesinos que aspiraban a reemplazar a los arrendatarios y a los ocupantes. Se ha llegado a afirmar que en algunos casos propietarios de tierras incultas indujeron a colonos a ocuparlas (suponemos que ocultando su intención por cierto tiempo) y aparecían tiempo más tarde, provistos de órdenes judiciales de lanzamiento y de apoyo de la policía, pero no antes de que los colonos les hubieran desmontado el terreno de vegetación silvestre y hubieran comprobado que las tierras eran fértiles.»[16] Como consecuencia de los hechos, muchos campesinos perecieron por la violencia oficial al servicio de los propietarios, o por la violencia organizada directamente por éstos,

---

hasta 2.500 peones trayendo personal de Boyacá, Cundinamarca y Santander... A los trabajadores les tocaba por turnos madrugar a la cocinada de maíz para el desayuno... Y si se las daban de berracos los metían al botalón o los clavaban en el cepo. El hijo del hacendado era el alcalde... Y en uno de esos enganches de cosecha fue un tipo seguro de ideas revolucionarias y fue diciendo que toda la tierra de la hacienda dizque no tenía títulos, que era tierra del Estado y dijo que la gente era muy boba por estar allí encadenada y no tomarse la tierra. Y ese cuento se regó asimismo por todas partes... Y un día de esos vino ese mismo que hacía la propaganda de la tierra que no tenía títulos y hizo pesar adelante de una gente un bulto de café que había sido justo de cuatro arrobas y quince libras y entonces dijo el tipo a la gente nos están robando. Porque esa medida de la caja daba cuarenta libras por arroba. Y también se regó por todas partes. No sólo en la hacienda Providencia sino en la hacienda Toribio, en la Angostura, en la Cirbina y en todas las otras. Y de un momento a otro se empezó una huelga de todas las haciendas en cosecha en la cual huelga habían unos 18.000 huelguistas... Y llevaron un batallón del ejército... Y apareció el pliego de los huelguistas que no era sino de tres puntos, acabar con el trabajo obligatorio en las haciendas, cambiar las medidas por la romana legal y aumentar el pago de la arroba de café... Y cuando se acabó la cosecha allí mismo se fueron a averiguar por el protocolo y vieron que deveras no aparecían títulos de la mayor parte de la tierra de la hacienda y que cuando se hizo la gran invasión hacia el río Combeima, unos 18.000 colonos entraron a descuajar montaña... Y de la noche a la mañana cayó el ejército y la policía con varas y rejos y amarraban hasta setenta peones en una sola sarta y se los llevaban a la iglesia diciéndoles comunistas y de allí a la cárcel de Ibagué... Pero hubo en esos más de 30 días de combate, tumbando cementeras de tropa y nueve heridos y un campesino muerto y como 27 policías heridos, hasta que se ganó la tierra... Y venido a ver que todo eso se volvió y se perdió ahora en la violencia pasada.» Entrevista con un viejo campesino de Chaparral. *Revista Estudios Marxistas*, No. 1, marzo-abril, 1969, p. 97.

16. Albert O. Hirschman, *op. cit.*, p. 117.

tal como lo indica un acuerdo entre terratenientes y campesinos, aparecido en una publicación oficial de 1934, en que los primeros se comprometieron a reconocer «las mejores condiciones posibles a las viudas y familiares de los arrendatarios que perdieron la vida en el último suceso doloroso ocurrido en la hacienda.»[17]

Como consecuencia de la acción enérgica de los campesinos, muchos propietarios tuvieron que llegar a un acuerdo con ellos, y el gobierno, para amortiguar las tensiones sociales, en muchas oportunidades procedió a salvar a los terratenientes comprándoles las tierras ya invadidas y procediendo a otorgar títulos a los invasores. Toda esa acción modificó un poco la fisonomía agraria de la región cafetera de Cundinamarca, en donde tradicionalmente la producción de café se había hecho en grandes haciendas, contribuyendo a dividir la propiedad, tal como lo demuestra el siguiente cuadro:

PLANTACIONES DE CAFÉ EN CUNDINAMARCA

Año	Haciendas	Producción-sacos de 60 kgs
1932	13.812	364.379
1940	30.270	270.018[18]

En esas circunstancias sociales se dictó la Ley 200 de 1936, como una de las tantas medidas reformistas con que el partido liberal, recién instalado en el poder, pretendía adecuar la estructura jurídica y administrativa del país a la nueva realidad de un capitalismo dependiente, con un sector de industria liviana en crecimiento. Aparte de los conflictos sociales que era necesario solucionar, la clase dominante colombiana se encontraba ante nuevos problemas. El proceso de industrialización impulsado con la coyuntura de la crisis de 1930, requería además de seguridad, modificaciones en las estructuras agrarias. Era preciso que algunos sectores del campo se modernizaran y dieran paso a las relaciones capitalistas para suministrar así, no sólo alimentos para la población urbana que crecía

---

17. Albert O. Hirschman, *op. cit.*, p. 122.
18. Citado por Miguel Urrutia, *op. cit.*, p. 156.

con la industrialización, sino también materias primas para esa misma industria. Relaciones de trabajo como la aparcería eran inadecuadas para este efecto y su sustitución por trabajo asalariado permitía además un ensanchamiento del mercado de manufacturas.

Desde el primer artículo de la ley que presume como dueño al poseedor, y entiende por tal a quien hace la explotación económica del suelo, se pretendía terminar con los conflictos entre colonos y propietarios, pero a la vez se favorecía la situación de los últimos en la medida en que la Corte Suprema de Justicia, por sentencia de 1926 reiterada en 1934, había establecido que en caso de litigio, quien pretendiera ser propietario de un predio debía exhibir títulos que se remontaran a concesión de la Corona o de la República, y muchísimos terratenientes carecían de esa prueba, que denominaban diabólica. La Ley 200 establecía ciertas trabas para el lanzamiento de colonos ocupantes, cambiándolos por el de la destinación económica que aumentaba la productividad.

Las nuevas realidades del capitalismo requerían productividad en el campo y mayores ingresos para un mayor mercado. Por eso la propiedad debía tener una «función social», es decir, no debía constituirse en freno para la productividad. En este contexto se explica el artículo sexto, el más «revolucionario» de la ley y que por lo demás nunca se aplicó, y el cual prescribía que el dominio sobre los predios mayores de 300 hectáreas se extinguiría en el caso de que éstos permanecieran incultos durante diez años continuos. Para darles una destinación económica, muchas propiedades fueron dedicadas a la ganadería extensiva con una res por una o varias hectáreas.

«Antes de que la ley entrara en vigor, el colono o el ocupante sin título se hallaban en el escalafón más bajo de la escala social, ya que nada era más fácil que lanzarle con una indemnización mínima por el trabajo que había dedicado a la parcela que había ocupado de modo tan efímero. Los arrendatarios o los aparceros se hallaban en mucho mejor situación, ya que, mientras desempeñaran los servicios convenidos con el dueño o le entregaran parte de la cosecha, no se impugnaba su derecho sobre la parcela. Sin embargo, la Ley 200 vino a sacar al colono de su triste condición, por cuanto hacía su lanzamiento tanto más difícil, y de llegar a hacerlo, había que indemnizarle plenamente por toda mejora que hubiera realizado. Tal situación no tardó en despertar en el arrendatario y en el aparcero el deseo lógico de impugnar los derechos de propiedad del patrón y reclamar el estatuto de colono. No se sabe con certeza si esto llegó a ocurrir, pero al decir de algunos, hubo hacendados que creyeron que iba a ocurrir y tomaron medidas para prevenirlo por el expeditivo medio de desembarazarse de cuantos arrendatarios pudieron en el plazo más breve posible.»[19]

En suma, la Ley 200 de 1936 fue una medida reformista que tomó un sector del partido liberal que buscaba amortiguar la lucha de clases en el campo, aumentar la productividad, dar seguridad a los ocupantes de la tierra y crear formas más expeditas de demostración de la propiedad para los que la tenían.

Sus resultados fueron contradictorios y de hecho disminuyó la importancia de formas como la aparcería. Sus consecuencias fueron positivas para la clase dominante en la medida en que el reformismo y el proceso creciente de industrialización que absorbió mano de obra del campo, no dejaron cristalizar un movimiento nacional agrarista, ni una acción revolucionaria de las masas campesinas.[20]

La Ley 100 de 1944 sancionada por el presidente López, que había impulsado la anterior, borró con el codo lo que había escrito con la mano, y con el objeto de dar seguridad a los terratenientes, reglamentó el contrato de aparcería. Asimismo, amplió el término para la extinción del dominio de los predios incultos.

EL PERÍODO DE LA VIOLENCIA

En dos años, entre 1947 y 1949, Coltejer, Fabricato, Colombiana de Tabaco, Cementos Diamante y Azucarera del Valle, cinco de las más grandes empresas del país, con un capital de $54.000.000,

---

19. Albert O. Hirschman, *op. cit.*, p. 128.

20. Milcíades Chávez y otros, *Estructuras y tendencias del sector rural en Colombia* (Medellín, Centro de Investigaciones Económicas de la Universidad de Antioquia, 1970), p. 6.

obtuvieron utilidades líquidas declaradas por $123.000.000, o sea, el 226% en promedio. Al mismo tiempo, el maíz triplicó su precio, el arroz, los fríjoles y la cebada, los huevos y la papa aumentaron dos veces y media el precio que tenían en 1946. En Medellín el costo de la vida para el obrero se elevó en 71.6% y en Bogotá en 58.2%.

El salario real de los trabajadores de Medellín, que en promedio ganaban $74.02 (al mes), quedó representando $43.15, y el de los trabajadores de Bogotá, que en promedio ganaban $44.13 (al mes), quedó representando $40.53.[21]

«Una pasión especulativa se apoderó del país y 'se habían oficializado los canales del mercado negro y la manipulación privilegiada de las oficinas gubernamentales'. Los dólares se habían acumulado durante los años en que no había acceso a los artículos de lujo. Excelentes cosechas de café habían carecido de salida hacia los mercados en tiempo de guerra, y el producido estaba saturando la economía interna. Los ricos colocaron su dinero en propiedad inmueble, los arrendamientos se elevaron y aumentaron las presiones sobre el proletariado urbano. Colombia está atrapada en un círculo vicioso de precios mayores y salarios estáticos. En 1949 Donald Dozer escribió en *Foreing Affairs* que la apurada situación económica de las masas del pueblo colombiano, empeorada por la guerra y por las dislocaciones de la postguerra, ya exacerbaba graves tensiones sociales y una creciente insatisfacción popular con la administración nacional.»

«Solamente durante el mes de marzo de 1948, el índice de costo de la vida para una familia media de trabajadores se elevó en 17.3 puntos, hasta alcanzar un nivel sin precedentes de 283.8. El control era impotente para reprimir la especulación e impedir la inflación de los precios. Pero los esfuerzos de los trabajadores organizados para obtener aumentos de salarios proporcionados a esos aumentos en el costo de la vida parecieron en varios casos frustrados por medidas del gobierno.»[22]

---

21. Rafael Baquero, «La economía nacional y la política de guerra.». En: *Colombia, estructura política y agraria* (Bogotá, Ed. Estrategia, 1971), p. 81.

22. John D. Martz, *Colombia, un estudio de política contemporánea* (Bogotá, Universidad Nacional de Colombia, 1969), p. 71.

La represión laboral la había empezado Alberto Lleras Camargo en las postrimerías del gobierno liberal, y Mariano Ospina Pérez, a nombre del partido conservador, no hizo más que continuarla y acrecentarla. La violencia oficial se extendió por los campos y miles de campesinos de los dos partidos políticos volvieron a pagar el tributo de sangre propio de nuestras contiendas. El 7 de febrero de 1948, ante una multitud de 100.000 personas, Jorge Eliécer Gaitán, en formidable oración, decía: «Pedimos que termine esta persecución por parte de las autoridades... Ponga fin, señor presidente, a la violencia. Todo lo que pedimos es la garantía de la vida humana, que es lo menos que una nación puede pedir.» Dos meses después Gaitán fue asesinado, y al suyo, sucedieron 300.000 asesinatos en los diez años siguientes.

Lo que vino en esta nueva guerra civil tampoco ha sido suficientemente estudiado. Lo cierto es que en ésta como en las anteriores, el sacrosanto derecho de propiedad se sacudió y se contrajo. Muestras de algunos departamentos nos pueden indicar cómo muchas personas perdieron sus propiedades por muerte, o tuvieron que abandonarlas definitivamente, o venderlas a menor precio. Correlativamente, apoyado en la violencia, otro núcleo reducido amplió sus posesiones.

En el Tolima, por ejemplo, se calculaba que para 1957 se habían abandonado por coacción política 34.730 fincas. Y en el municipio de Caicedonia, las propiedades abandonadas por 108 exiliados tenían un valor de $22.827.000 en el mismo año.[23]

Un sondeo verificado en el departamento de Caldas permitió obtener los siguientes datos sobre ventas por coacción, en las que el monto de la transacción es muy inferior al precio del inmueble:

Vendedor	Precio de venta del inmueble	Valor real
Jesús Castro	$ 13.000	$ 200.000
José María Vidal	4.000	15.000
José Saldarriaga	50.000	250.000
Ercilia J. de Calle	21.000	70.000

Continúa

23. Monseñor Germán Guzmán Campos y otros, *La violencia en Colombia*, 2ª ed., T. I (Bogotá, Ediciones Tercer Mundo, 1962), p. 275.

Continuación

Vendedor	Precio de venta del inmueble	Valor real
Petronila Díaz	300	1.500
Benjamín Giraldo	80.000	200.000
Hugo Muñoz	275.000	600.000
Conrado Alvarez	30.000	120.000
José J. Bermúdez	9.000	100.000
Agustín Aguirre	250	1.500
	$ 482.550	$ 1.558.000

Obsérvese que la diferencia entre el precio de venta y el valor real en sólo diez fincas es de $1.075.450.[24,25]

24. Monseñor Germán Guzmán y otros, *op. cit.*, p. 276.

25. Muy ilustrativo de la forma como ciertas personas poderosas y con influencia, en connivencia con la autoridad, usufructuaban la violencia en su provecho económico, es el siguiente documento: «Muy distinguido doctor y amigo:

«En relación a lo convenido allá últimamente le informo que la semana del 17 al 22 de mayo entrante puedo empezar a mandarle café que podrá hacer recibir donde convinimos.

«Los amigos que comanda Serafín Olivera, en toda la región de Casa de Zinc, Polestio, Santiago Pérez y los que comanda Agustín Charry en San Pedro, Palestina, Pandeazúcar, Buenavista, están recolectando el grano con la ayuda y la protección de los retenes, a quienes se les participa.

«Están haciendo un gran trabajo en cuanto a eliminaciones, ya que collarejo que no abandona su finca, pasa al papayo, al igual que ciertos conservadores desteñidos que son un estorbo.

«Como aquí los conservadores que nos sirven son muy adictos a Gómez, porque entronizó la violencia, yo les he estado fingiendo ser laureanista y tengo en mi casa un cuadro con el retrato de dicho señor, ante el cual y por respaldo a mi general obedecen nuestros queridos pajaritos, que han ido aumentando con los de Copete y Totumo y están llevando a feliz término el destierro de todos los collarejos patiamarillos.

«Yo he seguido la doble política que usted me aconsejó, para que perdure el estado de sitio y continúe indefinidamente en el poder el general y único jefe supremo que nos ha traído la redención.

«Le encarezco no olvidar la ayuda ofrecida para la defensa del amigo Escobar, que en Pitalito continúa por lo que le referí y lo de los otros amigos.

«Hágame el favor de mandarme nuevamente la clave, pues la otra se me mojó y deterioró que no pude sacarla en limpio, y avíseme así lo del negocio.» Citada por monseñor Guzmán, *op. cit.*, p. 279.

En el municipio de Líbano, departamento del Tolima, «de los 66 propietarios en el momento de la violencia, hoy sólo conservan su propiedad 38 (58%). Pero el mantenimiento del derecho de propiedad de las fincas, no implica su aprovechamiento económico actual, ya que la mayoría no pueden atenderlo personalmente, como consecuencia todavía, del estado provocado por la violencia.»[26]

Las pérdidas materiales en el departamento del Tolima se calculaban para 1957 así:

Propiedades abandonadas	93.882
Fincas totalmente abandonadas	34.730
Ingreso medio perdido por propietarios	$ 17.188.52

Además de la «liquidación total de la industria ganadera en el sur y oriente del Tolima; parcial en el Huila, norte del Cauca y vastas zonas de Antioquia. Ruina casi total de cafetales y total de plantas y frutales en áreas abandonadas. Incendio de centenares de casas en las áreas urbanas y de millares en las zonas rurales. Extinción de la industria porcina y avícola. Saqueo de negocios. Desaparición de caminos por obligado abandono. Pérdida y desaparición de elementos de labranza. Incendio de vehículos, de montajes para la elaboración de café, caña y arroz, de potreros, de cañaverales y de labranzas...»[27]

Por último lo principal, las vidas humanas, en su mayoría campesinos pobres. «En conclusión, las cifras de mortalidad posible causada por la violencia en Colombia entre 1949 y 1958, con base en las pocas fuentes fidedignas disponibles serían:

En departamentos y regiones	85.144
Ejército	6.200
Policías y funcionarios	3.620
Otros civiles	39.856

«Ampliando aún más esta cifra con los heridos por violentos y tropa que murieron luego por tales causas en otros sitios o en las

---

26. Roberto Pineda Giraldo, *El imperio de la violencia en el Tolima. El caso del Líbano* (Bogotá, Universidad Nacional de Colombia, Departamento de Sociología, 1960), p. 18.

27. Monseñor Guzmán y otros, *op. cit.*, p. 293.

ciudades, después de emigrar, y que podrían llegar a la tercera parte, o 45.000, el gran total de muertos sería aproximadamente de 180.000 personas. (Se pueden calcular en 200.000 los muertos hasta 1962).

La violencia determinó la iniciación de fuertes cambios en las estructuras agrarias, bien por su incidencia directa, o por su efecto mediato. La concentración de la propiedad en ciertas zonas fue una de las consecuencias, pero además la introducción de relaciones capitalistas en el campo, con producción en grande escala para el mercado, también tuvo que ver con los sucesos violentos.

Durante la violencia hubo una fortísima migración a las ciudades y un crecimiento concomitante de ellas, lo que dio base a un mercado mayor, que hubo de ser satisfecho no por los medios tradicionales sino a través del desarrollo capitalista y la introducción de maquinaria, fungicidas, etc., al proceso de producción de ciertos bienes agrícolas como el arroz o la papa. Al terminar la guerra mundial, los dólares acumulados fueron gastados en compra de equipo para la industria, y los altos precios del café a partir de la guerra de Corea, crearon mayores posibilidades de importación de equipo, de suerte que para 1951 la industria nacional ya estaba más o menos conformada dentro de las condiciones de dependencia y requería de nuevas relaciones de producción en ciertos sectores del campo. A su vez la inseguridad rural determinó la inversión en la industria y el capitalismo mecanizado entró a la actividad agraria. Así por ejemplo, el arroz, el algodón, el ajonjolí, empezaron a producirse en gran escala en las tierras cálidas y llanas, y la cebada y el trigo en las praderas altas. A su vez la introducción de bienes agrícolas no para el consumo inmediato del productor, sino para el mercado urbano, como artículos de consumo, o como materias primas, determinó un cambio y la baja en la producción tradicional de ciertos bienes como plátanos, fríjol, arroz de secano, maíz, etc., y la introducción del capitalismo en la producción de algunos de ellos, especialmente de los tres últimos, en la medida en que el proletariado agrícola que produce el algodón, por ejemplo, ya no siembra el plátano o el maíz, sino que lo compra en el mercado a donde ha llegado como fruto de una producción en grande escala, con técnica y exclusivamente dirigida al mercado.

Esta circunstancia determinó que las tierras antiguamente asignadas a la siembra de productos para el consumo inmediato pasaron a producir mercancías agrícolas y no simples valores de uso para el campesino. Así, por ejemplo, se anotaba que en el Valle del Cauca, «de 800 fanegadas registradas en 1954, se salta a 4.000 inscritas para 1959 en el Instituto de Fomento Algodonero, localizado en Buga. Pero de contera se han liquidado cultivos de maíz y fríjol en extensión cercana a las 10.000 fanegadas para dedicarlas a la nueva fibra promisoria.»[28]

La mayor producción que se dio en los sectores de cultivos en donde ha entrado la producción capitalista, se logró con base en la utilización de tierras planas, laboradas por medio de relaciones capitalistas tanto en la forma de explotación, patrón-asalariado, como en la fuerte inversión de capital y en la constitución de numerosas sociedades que incluso, en muchos casos, no son dueñas de tierra sino que la alquilan por fuertes sumas durante el tiempo de una o varias cosechas. Pero sobre todo, la tecnificación, que implica fuerte inversión, empezando por canales de riego o de drenaje y continuando con gran cantidad de maquinaria, ha contribuido más a la productividad que a utilización de nuevas tierras, o el empleo intensivo de mano de obra, que en ciertos productos, incluso, ha rebajado. Así por ejemplo, la producción de algodón en rama se presenta en esta forma:

Años	Producción (Base 1958-100)	Area (hectáreas)
1950	29.3	36.825
1954	110.0	82.280
1958	100.0	77.000
1960	265.3	152.150
1967	362.4	178.784[29]

28. Jaime Lozano, *Análisis de las perspectivas... de la industria dulcera de Colombia* (Cali, Asocaña, 1959), p. 18.

29. Dane, Boletín de Estadística No. 225. Ab. 70, p. 168, y Universidad del Valle-ICA, *Colombia: Estadísticas agropecuarias, 1950-1966* (Cali, febrero, 1968), p. 110.

Entre 1958 y 1967 el número de personas ocupadas en la producción de algodón pasa de 6.078 a 6.443, al tiempo que la producción en kilogramos es superior en 3.6 veces, en la última fecha sobre la primera. Un agricultor de algodón que en 1958 cultivaba 12.62 hectáreas, ya en 1967 se ocupaba de 27.08 hectáreas, y al mismo tiempo, entre las dos fechas, cuadruplicó la producción.[30] Asimismo, el número de explotaciones «disminuyó de 11.169... que había en 1962 a 6.779 en 1966. Parece que los altos costos de producción han desalentado a los agricultores marginales.»[31,32]

El problema de la productividad y la seguridad para el propietario fueron las guías que marcaron la política agraria de la clase dominante durante esta época, en la medida en que sus intereses estaban manejados por un gobierno represivo, que a diferencia de los reformistas del período anterior, que pretendían ganar el apoyo de las masas con medidas ambiguas, los de esta época creían bastarse con la elección divina recaída en ellos, según ellos, para cumplir su misión en esta tierra consistente en defender la propiedad, la democracia occidental y los valores eternos, además de los bursátiles y pecuarios. Por eso las medidas propuestas en relación con las estructuras agrarias tuvieron todas las mismas características: intocabilidad de la propiedad y actuaciones fiscales indirectas, para lograr una mayor productividad.

La misión del Banco Interamericano de Reconstrucción y Fomento que vino al país en 1949, presidida por Lauchlin Currie, en sus recomendaciones nunca habló de repartir la propiedad, ni mucho menos de expropiaciones. Ante el hecho palpable de que las llanuras estaban dedicadas a la ganadería extensiva y las vertientes a la agricultura, la misión propuso gravámenes e incentivos tributarios que forzaran una mayor productividad de la tierra. «Conside-

---

30. Aldemar Blandón H, *Mercado del algodón en Colombia* (Bogotá, Instituto de Fomento Algodonero, 1968). Anexos: Cuadro No. 2.

31. Caja de Crédito Agrario, Industrial y Minero, *Manual de costos*, 1967, p. 48.

32. El ministro de Agricultura de entonces, «leyó en la Sociedad de Agricultores de Colombia... datos interesantes para demostrar que en 1958 y con relación a 1957, el ajonjolí aumentó en 87.5%, la fibra de algodón en 33.0%, la cebada en 25.0% y la soya en 10.0%. Jaime Lozano, *op. cit.*, p. 18.

ramos que el método más efectivo de alcanzar la máxima utilización de la tierra es un sistema de tributación que grave el uso inadecuado de la misma.»[33] El impuesto que se debía fijar recaería especialmente sobre las tierras que no estuvieran debidamente explotadas. A los predios que rindieran un beneficio «normal» (10 ó 14% en tierras fértiles), se les aplicaría un impuesto de cuatro por mil sobre el valor tasado, que era el impuesto predial vigente. Para los predios de rendimiento inferior, el impuesto debía ir aumentando hasta llegar a un 4% para los predios de rendimiento nulo. Las recomendaciones de la misión no se aplicaron y las principales críticas que se hicieron al proyecto se basaron en que sólo sería operable en un país en donde hubiera un estricto catastro, con clasificación de tierras según sus calidades y rendimientos. Al subir Gustavo Rojas Pinilla al poder, fue dictado el Decreto 2317 de septiembre de 1953, en el que se establecía que el valor de las tierras se incrementaría en el catastro, de acuerdo con un coeficiente igual al aumento del costo de la vida, registrado desde el último avalúo de la tierra.

Pero ya en 1954 fue anulada la disposición desde el momento en que se dispuso que el avalúo de los predios rurales sería el que declararan los propietarios ante las juntas municipales de catastro. Esta última disposición pretendía que en caso de expropiación ese sería el precio concedido al propietario, el cual sabía que la expropiación no iba a venir de un ganadero ni de un gobierno de ganaderos y por eso los dueños no reavaluaron sus fincas. Los roces del gobierno se daban con el sector de los industriales que lo habían apoyado, pero que ya no lo necesitaban. «He aquí cómo, pese a lo que se haya llamado reforma agraria y a la amenaza velada de los decretos de Villaveces, los 'oligarcas' de la tierra no sufrieron perjuicio alguno bajo Rojas Pinilla, siendo así que los industriales y los inversionistas en empresas de capital sufrieron un duro golpe al derogarse en 1953 un privilegio tan lucrativo como difícil de renun-

---

33. Lauchlin Currie, *Bases de un programa de fomento para Colombia*, 2ª ed. (Bogotá, Banco de la República, 1951), p. 142.

ciar: la exención de los dividendos de todo impuesto sobre las rentas. Es probable que ese trato tan diferente dado al hacendado, se deba a que la camarilla en torno a Rojas Pinilla abrigaba un resentimiento mayor contra el mundo impenetrable y altanero de la riqueza industrial y bancaria antioqueña que contra el hacendado de la vieja escuela. Además, a muchos de los que formaban esa camarilla —procedentes de la baja clase media— les movía la ambición de hacerse hacendados; huelga decir que la ambición fue colmada con creces, y que en ningún caso como en el del propio Rojas Pinilla.»[34]

A partir de 1954 el café comenzó a bajar de precio y las divisas a disminuir. En 1956 se gastaron 100 millones de dólares, la sexta parte de las importaciones, en productos agrícolas. La clase dominante, sin tocar la propiedad, tenía que resolver el problema y por medio del gobierno de la Junta Militar, se estableció un nuevo decreto, el 290 de 1957, que trataba de obviar el asunto por mecanismos fiscales. El decreto tenía como base un informe especial del Banco Internacional (1956) que proponía para efectos tributarios la clasificación de la tierra en tres tipos, lo que implicaba que a la aplicación del decreto debía preceder la clasificación de las tierras del país. Se iniciaron proyectos experimentales para aplicar la disposición, en cuatro zonas pequeñas (unas 10.000 hectáreas) en la Sabana de Bogotá, Valle del Cauca, Llanos del Tolima y Costa del Caribe, pero la operación no pasó de esa fase.

---

34. Albert O. Hirschman, *op. cit.*, p. 142.

20

LA REFORMA AGRARIA

En 1960, la violencia crónica que ha agitado al país a través de su historia, se había recrudecido especialmente en los últimos 15 años. En 1953, en los albores del gobierno de Rojas Pinilla, quien contó con el apoyo de la clase dominante, la violencia había amainado un poco, sobre todo en ciertas regiones como los Llanos Orientales, pero después vino a recrudecerse en el Tolima y el Huila, con la característica de que en muchos casos los campesinos tenían dirección comunista. En estas circunstancias la guerrilla podía tener otras consecuencias.

En 1959 se inició la revolución cubana, que se desparramó por todo el continente sirviendo de guía y meta para las masas que veían en el experimento cubano la posibilidad de una salida positiva y concreta y que en el campo repartía la tierra y vinculaba al campesino al proceso político.[1]

---

1. Es adecuada la tipología que Gunder Frank hace de las reformas agrarias en América Latina, en las que distingue tres clases: 1) Una primera que excluye cualquier cambio político significativo, sin afectar las propiedades e incluso con donaciones de tierras hechas por la Iglesia o los mismos terratenientes. No constituye ninguna reforma agraria. Ejemplos: la reforma agraria de Colombia y la mayoría de las dictadas en el continente. 2) Las de segundo tipo intentan

Nada gustó al imperialismo norteamericano y a las oligarquías latinoamericanas esta mala jugada de la historia y para tratar de evitar su repetición en otro país, montaron apresuradamente una mascarada demagógica. El presidente Kennedy, al mismo tiempo que fomentaba la invasión a la isla, reunía a los gobernantes latinoamericanos para fabricar un plan. La demagogia cundió, y entre las declaraciones que se tomaron en Punta del Este, el asunto de las reformas agrarias quedó en primera plana.

«Los países signatarios en uso de su soberanía se comprometen durante los próximos años a...

«Impulsar, dentro de las particularidades de cada país, programas de reforma agraria integral orientada a la efectiva transformación, *donde así se requiera*, de las estructuras e injustos sistemas de tenencia y explotación de la tierra, con miras a sustituir el régimen de latifundio y minifundio por un sistema justo de propiedad...»

Además son: «Requisitos básicos para el desarrollo...

«4. Que los países latinoamericanos obtengan suficiente ayuda financiera del exterior, *incluyendo una parte* substancial en con-

---

incorporar al campesinado dentro de la comunidad política nacional, no sólo en el ámbito económico, elevando su nivel de vida sino también en el campo social, limando diferencias, como las de tipo racial. Son programas de los grupos «progresistas» de Latinoamérica como los partidos demócratas cristianos o comunistas tradicionales, y su éxito está amenazado sobre todo, porque como en términos generales dejan intacta la estructura de clases y de poder, se aseguran la oposición continuada a las reformas porque al mismo tiempo y por esta circunstancia, son tantos los ardides y maniobras políticas que los «progresistas» tienen que hacer para lograr la ley y combatir la oposición, que a la postre se llega a compromisos que debilitan la reforma. Ejemplos de este tipo son la reforma agraria de Cárdenas en México, la de Arbenz en Guatemala y la actual del Perú. «El tercer tipo intenta desde un principio efectuar una rápida y fundamental transformación del propio orden existente. Comienza con un cambio de largo alcance de la sociedad total, como el caso de Cuba, y parece ser el único tipo que puede conseguir un mínimo de demandas. Es por lo tanto el único tipo de reforma agraria merecedor del título.» Véase: Andre Gunder Frank, «Tipos de reformas agrarias», en: *Reformas agrarias en la América Latina; procesos y perspectivas*. Edición preparada por Oscar Delgado (México, Fondo de Cultura Económica, 1965), pp. 184-188.

diciones flexibles con respecto al plazo y términos de amortización y modos de utilización, para complementar la formación del capital nacional y *reforzar la capacidad importadora de dichos países.*»[2]

En 1960 el Frente Nacional no estaba muy definido, la alternación todavía no se había votado y como movimiento de oposición se presentaba el MRL, con banderas demagógicas y de izquierda, y que incluso en su verborrea mostraba simpatías por la revolución cubana. La base de ese movimiento que llegó a contar con 600.000 votos estaba en las masas campesinas y especialmente en aquellas que habían sido más duramente golpeadas por la violencia y que en consecuencia tenían una experiencia guerrillera. Para la clase dominante, esta vez con el rótulo liberal conservadora, era preciso bloquear este movimiento.

Por último, y quizá el factor más importante, nuevas realidades económicas tales como la carencia de divisas, sentida duramente por las fuertes bajas en el precio del café, requerían una política económica que en el campo agrario implicara el desarrollo de sectores capitalistas y en consecuencia una mayor productividad de materias primas para la industria, como algodón, palma africana, etc.; y con destino a la exportación de bienes agropecuarios como carne, algodón, azúcar, etc. De contera el bloqueo a la revolución cubana dio posibilidades a otros países productores para aumentar la exportación de azúcar. Una tal política agraria requería seguridad en el campo, sobre todo para la inversión, y un tratamiento legal claro y favorable para las «tierras adecuadamente explotadas.»

Dentro de este contexto económico y social, fue dictada de urgencia la ley de reforma agraria, para responder a las situaciones planteadas. Por eso, las primeras adjudicaciones que se hicieron, estuvieron ubicadas en las zonas más duramente azotadas por la violencia, en donde supervivía ésta, en casos como simple expresión de bandolerismo, y donde la oposición comunista y del MRL podía tener alguna base. El proyecto Tolima Uno afectaba a Cun-

---

2. *Declaración de los pueblos de América reunidos en Punta del Este.* Publicado en «Documentos Polémicos.» Medellín, 1962, No. 3. (Los subrayados son del autor).

day, Villarrica e Icononzo, en donde desde la década de 1930 existían ligas campesinas marxistas y donde (Cunday) se habían presentado en 1961 más de 500 invasiones.[3]

En las recomendaciones de Punta del Este había un espejismo y una orden. Lo primero porque las oligarquías latinoamericanas creyeron que sí era cierto que los Estados Unidos iban a repartir veinte mil millones de dólares en Latinoamérica y que ellos iban a ser los administradores, y por eso, apresuradamente, en todos los países con excepción de Argentina y Uruguay, o México y Bolivia, que ya las tenían, se dictaron en los años siguientes leyes de reforma agraria de escritorio, para poder recibir los dólares que iban a venir por miles de millones. Es lo que Alfonso López Michelsen, irónicamente, señalaba en su discurso a propósito de la ley: «Pero se dice que la Alianza para el Progreso reclama una reforma agraria; que los dólares norteamericanos para llegar a nuestras arcas, tienen una condición, la expedición de una reforma agraria; y he visto por ahí en un periódico, uno de esos agentes de relaciones públicas de las compañías norteamericanas, diciendo: una reforma agraria buena o mala, es decir, cualquier reforma agraria, con tal de que se le pueda dar a los místeres una reforma agraria, o un proyecto cualquiera con el nombre de reforma agraria.»[4]

La orden no solamente se desprendía de las relaciones imperialistas de dominio, sino que explícitamente fue expresada por los gobernantes norteamericanos. El senador Hubert Humphrey, luego vicepresidente y candidato a la presidencia de los Estados Unidos, claramente expuso el pensamiento del gobierno norteamericano en discurso pronunciado en Bogotá en el mes de noviembre de 1961. La posición era clara:

---

3. Víctor Daniel Bonilla, «Tolima 1; primer proyecto de la reforma agraria.» En: *Tierra, Revista de Economía Agraria*, No. 1. Jul.-Sep., 1966, Bogotá, Tercer Mundo.

4. Alfonso López Michelsen, «Hacia una verdadera reforma que complete la Revolución en Marcha.» Discurso pronunciado en la Cámara de Representantes el 14 de noviembre de 1961. En: *Tierra: diez ensayos sobre la reforma agraria en Colombia* (Bogotá, Tercer Mundo, 1961), p. 85.

1. Porque la situación en el campo crea inseguridad, es decir, por razones militares.

2. Porque las reformas amplían el mercado.

3. No era una insinuación, «ésta es ahora nuestra determinación»:

«Los Estados Unidos no desean contribuir en favor de unos pocos adinerados con préstamos para la industrialización si no hay una reforma agraria que permita el aumento de la capacidad doméstica de consumo.

«Debe darse la mayor prioridad al uso de las tierras y su distribución. No sólo la gran mayoría del pueblo latinoamericano vive de la tierra, sino que por siglos ha estado latente el hambre endémica de tierra, lo que constituye el centro de inseguridad política y social en América Latina.

«El problema de la utilización de la tierra en América Central y en el arco norte de Suramérica, clama por una solución.

«Este problema del uso y distribución de la tierra es materia de grandes controversias. Es incorrecto apoderarse de la propiedad sin un procedimiento legal y sin una compensación adecuada. Lo que claramente debe hacerse en Latinoamérica es redistribuir las grandes posesiones de tierras arables que están en producción y abrir las tierras vírgenes que hasta ahora se han considerado inasequibles y redistribuirlas a los desposeídos de la tierra. *Esta es ahora nuestra determinación.*» (El subrayado es nuestro)[5].

Por eso también es cuando menos sintomático, que a Enrique Peñaloza se le hubiera ocurrido que el primer local para el funcionamiento del Incora fuera el edificio de la embajada norteamericana, que el gobierno de aquel país acababa de adquirir y no pensaba ocupar sino seis meses después, y que a petición del funcionario colombiano la embajada no hubiera accedido «después de alguna indecisión, motivada por la combinación de regulaciones internas, supuestas implicaciones políticas, y para no crear el precedente.»[6]

---

5. Citado por Ernest A. Duff, *Agrarian Reform in Colombia* (New York, Frederick A. Praeger, 1968), p. 59.

6. Ernest A. Duff, *op. cit.*, p. 72.

En la discusión del proyecto de ley de reforma agraria, se presentaron tres variantes, que en última instancia confluían en lo mismo: la negación de la reforma agraria. Tanto la posición «avanzada» de Carlos Lleras Restrepo como la del sector conservador, que llamaba comunista todo lo que tuviera relación con el tema, o la desarrollista imposible propuesta de Alfonso López Michelsen y su grupo, no era realmente reforma agraria. Era como un verso del maestro de Greiff, «variaciones alrededor de nada.»

La posición ultramoderna quedó consignada en una folclórica constancia que dejó el senador Alfonso Uribe Misas, el día 7 de junio de 1961, en el Senado de la República:

«El suscrito senador por el departamento de Antioquia hace constar en el acta de hoy:

«Que ejercitando sus fueros constitucionales de senador de la República y sin consideraciones políticas del momento, pues su único fin fue el de defender al país de un grave peligro, combatió el proyecto de reforma agraria presentado a la consideración del Senado, por las siguientes razones:

«Segunda: por conducir a la abolición de la propiedad privada, mediante la implantación de la nacionalización o socialización de dicha propiedad, es decir, el colectivismo soviético.

«Tercera: por no dejar palmo alguno de tierra colombiana que no quede expuesto a una despiadada expropiación, salvo la piltrafa de cien hectáreas que le dejan al propietario despojado como una hiriente y despótica manuficiencia estatal, y, ello sin distinción de climas ni de zonas.

...

«Duodécima: por provocar sangrientos conflictos que pondrán en peligro el orden público, pues los propietarios ejercitarán el sagrado derecho de defenderse de los usurpadores, como sucedió en las reformas agrarias de Guatemala, Bolivia, México, las cuales llevaron a la ruina a esos países enantes florecientes.

...

«Décimacuarta: por ser esta reforma una derivación o desarrollo de la Constitución de 1936 que, con criterio comunista, decapitó el derecho natural de propiedad al considerarlo únicamente como una 'función social' y al autorizar la expropiación sin indemnización.

«Décimaquinta: por no ser esta reforma un remedio contra el comunismo que amenaza al país y sí, muy al contrario, el camino que se le abre a esta secta devastadora para perturbar nuestro orden jurídico tradicional y dar al traste con el derecho natural de propiedad.

...

«Décimanona: por provocar el proyecto de fundación de cooperativas y sociedades de campesinos intervenidas por el Estado, a semejanza de la que antecedieron a la colectivización de la tierra en la Rusia soviética y en la China roja...»[7]

Por su parte el MRL, especialmente por boca de su líder máximo, Alfonso López Michelsen, tomó una actitud desarrollista y en cierto modo contradictoria, en la medida en que su base electoral estaba en el campo y sus propuestas no conducían a darle la tierra. Por razones políticas de oposición, y porque el sector oficial le quitó la bandera de la reforma agraria, el grupo lopista se adhirió a las tesis propuestas por Currie en su programa denominado «Operación Colombia», el cual contemplaba no una redistribución de la propiedad sino un aceleramiento en el traslado de campesinos a la ciudad, y un crecimiento de la producción en el campo por tecnificación y desarrollo del capitalismo.[8]

En boca del líder del MRL, quedaron consignados los planteamientos del grupo en el Senado de la República:

«¿Cuál tiene que ser entonces una política agraria o una política de reforma agraria que tenga incidencia sobre este fenómeno económico? Aquella que haga descender las gentes de las cordilleras a los valles y las ponga a producir en tierras fértiles y mejores, sin erosión y sin amenaza para la economía general, que les facilite

---

7. Alfonso Uribe Misas, «Un grave peligro.» Constancia en el Senado de la República el 7 de junio de 1961. En: *Tierra: diez ensayos sobre la reforma agraria en Colombia* (Bogotá, Tercer Mundo, 1961), p. 247.

8. Ya Mario Arrubla demostró en su libro cómo era éste un programa utópico y cómo el desarrollo capitalista en las condiciones de dependencia es imposible. Ver: Mario Arrubla, *Estudios sobre el subdesarrollo colombiano* (Medellín, Libros de La Carreta, 7ª ed., 1974).

tierras a aquellos que hasta ahora han estado colocados en condiciones tan adversas, en las cimas o en las vertientes de los Andes.

«Con razón el profesor Currie considera que el problema de Colombia reside en aumentar la productividad y en ir consagrando a menesteres distintos de la agricultura, brazos que en el presente se ocupan en exceso de estos trabajos...

«Este es en síntesis el problema para el cual el gerente del Banco Interamericano de Desarrollo, doctor Felipe Herrera, tuvo una frase feliz en alguna ocasión cuando, acerca del problema agrario latinoamericano, dijo: 'el problema no es tanto distribuir la tierra como distribuir la gente'. Aplicada a Colombia esta frase adquiere un verdadero contenido: el problema no consiste tanto en repartir las tierras como en repartir las gentes, es decir, cómo hacerlas descender de la cordillera y repartirlas sobre los valles feraces e irrigados de Colombia.»[9]

La posición del MRL era desarrollista y por eso su jefe, «el compañero López», pudo llegar a un acuerdo con Carlos Lleras Restrepo, su enemigo de entonces y quien pretendió hacer desarrollismo en el gobierno. Los acercó un hecho concreto y que debieron reconocer en su fuero interno; la práctica y su fracaso les demostraron que el desarrollismo es imposible.

La posición «revolucionaria» estuvo encabezada por el doctor Carlos Lleras Restrepo. Es claro que al lado de la posición de Uribe Misas, la de Lleras era subversiva, «decapitaba el derecho natural de propiedad» y hasta le daba méritos para que le dijeran bolchevique. Frente a Uribe Misas, Carlos Lleras Restrepo era un hombre de izquierda, pero ante la situación del país, la desposesión de cientos de miles de campesinos, la baja productividad, los escasos ingresos, la desocupación acelerada y todos los elementos que el mismo autor reconoció en su ponencia, su posición no sólo fue tímida, sino también retrógrada.

Carlos Lleras Restrepo —y hay que personificar porque al hablar de la «reforma agraria» es forzosa la referencia a quien ha

---

9. Alfonso López Michelsen, *op. cit.*, p. 87.

sido su artífice y guía—, en la ponencia que presentó ante el Senado de la República, consignó claramente cuál era el pensamiento que guiaba a la clase dominante de Colombia para proponer este tipo de «reforma agraria.»

Ante todo reconoció que en Colombia la tierra estaba acaparada por unos pocos, que había cientos de miles de campesinos sin tierra y que el minifundio con sus problemas estaba arrinconado por el latifundio en las peores tierras. (Esto es interesante porque como vamos a ver más adelante, después se trató de desconocer esta situación). Textualmente reconocía Lleras lo siguiente:

«Según este cuadro, la pequeña propiedad hasta de 20 hectáreas abarcaría el 84.6% de los propietarios y dispondría sólo del 15.01% de la superficie total. La mediana, de 20 a 100 hectáreas, el 12.35% de los propietarios con el 20.92% de la superficie. La grande, de más de 100 a 500, el 3.05% de los propietarios con el 33.5% de la superficie. La muy grande, de más de 500 hectáreas, el 0.54% de los propietarios con el 21.02% de la superficie. Entre la grande y la muy grande, o sea todo lo superior a 100 hectáreas, un 3.59% de propietarios dispondría del 64.17% de la superficie total. Mientras 689.930 propietarios dispondrían sólo de 3 millones 385 mil 300 hectáreas, con promedio aritmético de menos de 5 hectáreas, 29.528 abarcarían 14.557.100 hectáreas, con un promedio aritmético de cerca de 500, es decir, 100 veces mayor que el de la escala pequeña.

«Pero en realidad la concentración de la propiedad territorial es mucho mayor, porque varios predios pertenecen a una sola persona.

«Cualesquiera que sean las imperfecciones de estas estadísticas, la mala distribución de la propiedad de las tierras, con sus dos graves extremos de minifundio y latifundio, salta a la vista. Por lo demás, es un fenómeno que cualquier observador del país puede apreciar directamente.»[10]

En el campo la relación latifundio-minifundio no creaba empleo, la población estaba creciendo a un alto índice, la violencia intensi-

---

10. Carlos Lleras Restrepo, Ponencia a nombre de la Comisión Tercera del Senado, el día 13 de abril de 1961. En: *Tierra: diez ensayos sobre la reforma agraria en Colombia* (Bogotá, Tercer Mundo, 1961), p. 36.

ficó la migración del campo a la ciudad, en donde la industria no creaba los puestos suficientes, lo que generaba desempleo urbano con sus tremendos problemas de vivienda, aumento de la criminalidad y otra serie de fricciones. Ante éste su planteamiento, la respuesta concreta que marcaba la pauta de la función que iba a tener la reforma agraria, era la siguiente:

«En nuestro concepto lo que verosímilmente presenciará el país en los próximos años no va a ser una demanda urbana de brazos para industrias y servicios útiles superior a la oferta, sino por el contrario, un exceso de esta última sobremanera difícil de absorber. *En tales condiciones lo que tienda a vincular a la tierra la población campesina puede considerarse como social y económicamente útil, aun en el caso de que en algunos sectores rurales tuviera que prolongarse una economía de simple subsistencia.*»[11] (El subrayado es nuestro).

Estos planteamientos tenían sus implicaciones muy claras: reconocimiento de la existencia del latifundio; que había que mantener al campesino en el campo, para lograr lo cual era necesario cierto proceso de redistribución de la propiedad; y que el crecimiento económico quedaba postergado en aras de la paz social, ligando al agricultor al campo y calmándolo, así fuera prolongando una economía de simple subsistencia. Es decir, que desde todo punto de vista y del de la doctrina desarrollista que profesa el autor del proyecto, la posición era retrógrada.

Con base en el reconocimiento de una inadecuada distribución de la propiedad y con los exiguos instrumentos que dio la ley una vez fue aprobada, se inició lo que podríamos denominar la primera fase de la reforma agraria, que abarca más o menos hasta 1964-1965. Lo primero que se hizo fue repartir un poco de tierra entre los campesinos de las zonas en las que subsistía la violencia. Por ejemplo, el proyecto Tolima 1 fue de los primeros que se realizaron (ver supra). Es decir, la «reforma agraria» comenzaba a cumplir la función de bombero de los conflictos sociales, no solucionándolos sino dejándolos en rescoldo.

---

11. Carlos Lleras Restrepo, *op. cit.*, p. 39.

La existencia reconocida del latifundio y del minifundio y la carencia de propiedad sobre la tierra que vivían cientos de miles de campesinos, aun para cumplir los tímidos propósitos de la ley y su autor, implicaban redistribución territorial.[12] El pensamiento que guiaba la acción del Incora en esta primera fase, lo consiguió Enrique Peñalosa, funcionario a quien también es forzoso referirse en estos momentos, porque si la estatura de Carlos Lleras da la dimensión de la reforma agraria, la acuciosidad de Peñalosa, primero director del Incora y luego ministro de Agricultura, marca la efectividad de la institución en la medida en que fue un funcionario tan diligente que llegó a tomar el negocio como propio.

«Con frecuencia se cree en las ciudades que en el campo también se han operado altos progresos en los niveles de vida. Esto no es así, existen hoy en día 5 ó 6 millones de campesinos colombianos a quienes no han llegado aún ni los signos externos del desarrollo económico.

«La productividad es un subproducto de la reforma agraria pero no es su meta fundamental. Si el país quisiera aumentar su producción de arroz, de algodón y demás productos, habría otros métodos más sencillos y más económicos para obtener esas metas...

---

12. Hernán Toro Agudelo, como ministro de Agricultura, en el informe al Congreso de 1962, decía: «Es que debe insistirse, hasta la fatiga, en el hecho clarísimo y elemental que somos propensos a olvidar en la discusión del problema agrario. Por ejemplo, que los propietarios rurales, incluyendo en este rubro los conceptos censales de empleadores y empresarios independientes cuando entre los últimos parece que están involucrados gentes sin tierras (como los arrendatarios y aparceros), apenas alcanzan al 35% de la población activa del campo, que en total es hoy de unos 2.500.000, esto es, en cifras absolutas la clase propietaria estaría integrada por menos de 900.000 personas. Y dentro de ella un 85% posee sólo el 15% de las tierras, al paso que en otro extremo, el 4% de los terratenientes encuentra el 65% de toda la superficie explotada del país.

«Latifundio y minifundio constituyen, pues, un aspecto básico del problema agrario. Y como expresión de aquél, la explotación de más de medio millón de arrendatarios y aparceros por terratenientes absentistas, que no corren riesgo alguno en la actividad agrícola pero se apropian a veces hasta del 50% del trabajo ajeno. Y más de un millón de jornaleros y peones, la mayoría de los cuales jamás han oído hablar de salario mínimo ni de prestaciones, y a quienes se les desconoce y burla.»

Hernán Toro Agudelo, «La parálisis de la reforma agraria.» *Memoria del ministro de Agricultura al Congreso Nacional*. En: Oscar Delgado, *op. cit.*, p. 644.

«Desde luego que la reforma agraria tiene que comenzar por entregarle tierra a ese campesino, porque en este momento en que vivimos no podemos llegar a donde el campesino con la historia de que no le podemos entregar la tierra mientras no la sepa cultivar. Con ese cuento lo han estado engañando muchos años y ya no lo cree..

«Para lograr que esos campesinos se incorporen al proceso de desarrollo económico hay que buscar una mejor distribución de los ingresos de la población campesina, y esa mejor distribución de los ingresos se hace fundamentalmente por una mejor distribución de la riqueza...

«No hay pues sino dos posiciones: la evolución rápida y definida para lograr los cambios estructurales, penosos y dolorosos desde luego, o la revolución sangrienta...»[13]

Sobre este tipo de «reforma agraria» de simple parcelación sin cambios políticos fundamentales, ya había escrito Paul Baran el texto que reproducimos, aunque un poco extenso, porque consigna las consecuencias de tales medidas en caso de que se tomen, lo que evidentemente tampoco ha ocurrido en Colombia: «Sin embargo, sería una falacia creer que la eliminación del despilfarro y de la mala asignación del excedente económico, bastarían para generar una marcada tendencia al alza en la inversión y en la producción agrícolas. Esta falacia sustenta el punto de vista de que una reforma agraria —fraccionando las grandes fincas, dando en propiedad pequeñas parcelas a algunos campesinos sin tierra y liberando a sus arrendatarios de sus asfixiantes obligaciones— pondría fin a un estancamiento de la agricultura en los países atrasados. Sin duda alguna el efecto inmediato de tales medidas sería un incremento más o menos importante del ingreso disponible de los campesinos. Pero, con un nivel de ingresos tan bajo como el que tienen y que permanecería casi inalterable —aun después de que los latifundios hubiesen sido divididos en una multitud de pequeñas

13. Enrique Peñalosa, *El problema económico de la reforma agraria*. Revista *Arco*, No. 22, junio 1962. (Reproducido por Universidad de los Andes, Fac. de Economía. *Lectura sobre problemas colombianos*, Vol. I; La agricultura, 1963).

parcelas y de que el pago de rentas hubiese sido completamente abolido— poco o nada de estos incrementos del ingreso quedaría disponible para el ahorro. Más aún, todo aumento logrado de esta forma en el nivel de vida de los campesinos estaría condenado a ser efímero. Rápidamente sería eliminado por incrementos de población que exigirían mayores repartos en las propiedades y retraerían nuevamente el ingreso per cápita, a su nivel anterior o a uno todavía más bajo. Y, lo que es peor, el parcelamiento de las tierras reduciría las posibilidades de lograr lo que obviamente es la necesidad fundamental de la agricultura de los países atrasados, a saber, un rápido y sustancial incremento en la producción total. Una economía agrícola basada en pequeñas unidades rurales, ofrecería pocas oportunidades de elevar la productividad. Claro está que algo puede lograrse mediante una mejora en las semillas, un uso más intenso de fertilizantes, etc. Sin embargo, tal como antes se señaló, un incremento importante de la productividad y de la producción dependerá de la posibilidad de introducir la especialización, la maquinaria moderna y el poder de tracción; esta posibilidad sólo se presenta en condiciones de cultivo en gran escala.

«Lo anterior constituye probablemente la paradoja más irritante a que se enfrenta la gran mayoría de los países subdesarrollados. Una reforma agraria, cuando se realiza en medio de un atraso general, retardará más de lo que adelantará el desarrollo económico.»[14] Pero el asunto no pasó de declaraciones y de propósitos, tal vez sinceros. A partir de 1963-1964, en las publicaciones del Incora y por boca de sus dirigentes, se comenzó a dar otra versión. Que en Colombia la tierra estaba distribuida y que prácticamente no existía latifundio. El nuevo enfoque determinó una nueva política, que podemos llamar la segunda fase de la «reforma agraria», dirigida hacia la productividad, respetando la situación de los latifundistas y sin redistribución de la tierra.

---

14. Paul A. Baran, *La economía política del crecimiento* (México, Fondo de Cultura Económica, 1961), p. 193.

Antes de entrar en el análisis de la segunda fase, es preciso indagar y responder a la pregunta que surge ante el cambio de marcha. ¿Por qué no se distribuyó la propiedad agraria y por qué se conservó la estructura? La respuesta es histórica y de clase. Colombia vive una situación de dependencia de tipo especial, el neocolonialismo, lo cual implica la existencia de una industria liviana y un comercio externo en el que se exportan productos primarios y se importan bienes de producción. El sector dinámico de este capitalismo dependiente lo debiera constituir la industria liviana, pero ésta a su vez se encuentra frenada, en la medida en que carece del sector uno —la industria pesada, su «cabeza»— que le suministre la maquinaria suficiente para reponerse y crecer. El crecimiento de la industria en nuestras condiciones de dependencia lo frena, además de la estrechez del mercado, sobre todo la escasez de divisas para la importación de equipos. A su vez, los productos de la industria se venden en su inmensa mayoría dentro del mercado nacional, lo que implica la realización de la ganancia del capitalista industrial en pesos y no en moneda extranjera que le permita la introducción de equipos. Las ganancias en pesos que obtienen entonces los industriales, son convertidas en parte en dólares, obtenidos a través de la exportación de productos primarios e invertidos en la compra de equipos para la reposición de maquinaria. La otra parte de la ganancia es invertida en dólares en el mercado negro, para sacar capital del país, o invertida en tierras urbanas o rurales, en espera de una valorización. Esta situación de dependencia ha hecho que en Colombia la burguesía industrial, buscando ganancias, «engorde lotes» que se valorizan por la inflación crónica, y que por lo tanto se haya formado una clase dominante, industrial-terrateniente.

Por esta razón histórica concreta, la burguesía colombiana, industrial-terrateniente, no puede hacer una reforma agraria que implique expropiación y repartimiento de tierras. Hacerlo equivaldría a un hara-kiri económico que no se va a hacer. Y no porque las reformas agrarias impliquen necesariamente socialismo. En Europa, la burguesía en ascenso procedió a expropiar a la nobleza y a repartir la tierra. Así lo hicieron los jacobinos en Francia, aboliendo «sin indemnización todos los derechos feudales aún existentes, aumentando la posibilidad de los pequeños propietarios de cultivar las tierras confiscadas a los emigrados»[15], y creando ese núcleo tan fuerte de campesinos medios que desempeñó un papel tan importante en la historia de Francia, en cuanto a la preservación de la democracia liberal y el *statu quo*. A su vez, los representantes más lúcidos de la burguesía industrial liberal en Inglaterra, especialmente Ricardo y John Stuart Mill, propusieron la supresión de la propiedad privada sobre la tierra, en momentos en que en los albores del modo de producción capitalista la tierra representaba un doble monopolio: es natural, puesto que la tierra no se reproduce, a diferencia de lo que sucede en la industria con los factores materiales de producción como máquinas, materias primas y mano de obra; y el monopolio de la propiedad, en la medida en que un núcleo de terratenientes —sus enemigos de clase— la tenían toda acaparada. La renta de la tierra y sobre todo la renta diferencial debía ser suprimida y la forma, en su concepto, era aboliendo la propiedad privada sobre el suelo.[16] Por su parte Marx lo planteó en la sección sexta del tomo tercero de *El capital* y Lenin expresamente señaló que «desde el punto de vista teórico son perfectamente compatibles la producción capitalista y la ausencia de propiedad privada de la tierra, y la nacionalización de la tierra.»[17] En el mundo moderno Israel es un caso práctico de nacionalización del suelo en un país capitalista.

En Colombia y a diferencia de otros países, la burguesía industrial-terrateniente no tiene interés en expropiar la tierra y repartirla a los campesinos con el propósito, por ejemplo, de ampliar el mercado industrial por elevación de ingresos, pues el beneficio para el industrial lo neutralizaría la pérdida para el terrateniente, que como

---

15. Eric J. Hobsbawm, *Las revoluciones burguesas. Europa 1789-1848* (Madrid, Ediciones Guadarrama, 1964), p. 96.

16. Ernest Mandel, *Tratado de economía marxista* (México, Ediciones Era, 1969), T. I, Cap. IX.

17. V. Lenin, *El capitalismo en la agricultura*. En: «Obras Completas» (Buenos Aires, Ed. Cartago, 1957), T. IV, p. 146.

clase y como individuos son los mismos. Por eso a su vez, una reforma agraria que no rompa esta situación es imposible y crea problemas técnicos insolubles para quienes pretendan abordarla sin romperla. Es, como dice alguien, un problema técnico insoluble, hacer en Colombia una reforma urbana o agraria, sin golpear los intereses de los Ospinas.

El cambio de rumbo en cuanto a la concepción que se le quería dar a la reforma agraria, dirigiéndola no hacia la distribución de la propiedad —que por lo demás no se hizo cuando era el programa—, implicaba sobre todo el propósito de conservar la estructura de la propiedad agraria tal como estaba, y disipar las imprudentes palabras de un período de euforia, en que los mismos autores habían reconocido la existencia de latifundio y balbucido tímidamente los remedios al mal.

Ya en 1963 un informe oficial sobre las actividades de la reforma agraria en Colombia comenzó a señalar la existencia de una equitativa distribución de la propiedad en el país.[18] Para 1966, Enrique Peñalosa, en tránsito de la gerencia del Incora al ministerio de Agricultura, olvidando cínicamente sus reiteradas afirmaciones anteriores, expresó para la revista *Visión*:

«El problema que busca solucionar la reforma agraria en Colombia, país al que específicamente quiero referirme, no es de una situación crítica de tenencia de tierras, sino el más complejo del desarrollo económico, es decir, de la elevación del nivel de vida del campesino. La división de la tierra es apenas una de las herramientas a utilizar en la lucha por elevar el nivel de vida nacional...

«Los estudios del Instituto Nacional de Reforma Agraria (Incora) pueden haber sorprendido a más de un técnico de escritorio, al encontrar que la situación de México en 1917 no es ni siquiera similar a la de Colombia medio siglo después. En Colombia, aunque no hemos tenido una revolución con un millón de muertos, tampoco tuvimos gigantescos latifundios, ni estos latifundios en manos ex-

---

18. Incora, *Segundo año de reforma agraria: informe de actividades en 1963* (Bogotá, Imprenta Nacional de Colombia, 1964).

tranjeras, por lo cual, con procesos evolutivos las más de las veces, y excepcionalmente violentos otras, la situación agraria colombiana es muy diferente a aquella que se presenta con frecuencia en los comentarios de los teóricos o de los demagogos.

«Lo que estos estudios han indicado (hasta ahora nadie los conoce, observación nuestra) como característico del sector rural colombiano es el minifundio, la pequeña y mediana propiedad.

«Como dije anteriormente la reforma agraria es sólo una herramienta del desarrollo económico. El parcelero al que esa reforma agraria le entrega un título de propiedad por primera vez en su vida es tan sujeto a ella como el pequeño propietario, si no se piensa en función del individuo sino de la comunidad. Otra herramienta indispensable puede ser el riego, aunque no se mencione en esquemas tradicionales...

«Pero el que estemos entregando 60 títulos diarios es una tarea seria y complicada...»[19]

A partir de entonces, pero sobre todo durante el gobierno desarrollista de Carlos Lleras Restrepo, la «reforma agraria» de Colombia quedó circunscrita simplemente a funciones de asistencia que Ernest Feder sintetizó así:

«a) un menor programa de inversiones públicas en proyectos de regadío, los cuales —no obstante el requisito de llevar aparejados sendos esquemas de distribución de tierras— amenazan con beneficiar a los latifundistas cuyas propiedades están ubicadas dentro de las zonas cubiertas por dichos proyectos;

«b) un sistema para proporcionar títulos de propiedad a ocupantes de tierras públicas;

«c) proyectos de colonización a escala reducida, en el *hinterland* de Colombia; y

«d) un programa de crédito supervisado para algunos centenares de campesinos.»[20]

---

19. Enrique Peñalosa C, *Función de la reforma agraria*. Revista *Desarrollo Económico* (editada por *Visión*), Vol. III, No. 2, segundo trimestre, 1966, p. 41.
20. Ernest Feder, «Post Scriptum». En: Oscar Delgado, *op. cit.*, p. 631.

La nueva concepción desarrollista de la «reforma agraria» dentro del más absoluto respeto a las tierras de los latifundistas, enmarcaba perfectamente dentro de la política de persistencia en el atraso a través de la simple diversificación de exportaciones de productos primarios y sustitución de importaciones de materias primas de origen agropecuario. Para lograrlo, se impulsaron los distritos de riego y el crédito supervisado, que por lo demás no afectan a los terratenientes sino que por el contrario, sólo a los propietarios benefician. En palabras de Peñalosa, el énfasis hacia esa nueva política quedaba consignado: «La reforma agraria tiene que incluir el concepto más amplio de la redistribución de la propiedad territorial y de otros factores que influyen en la productividad y por tanto en el bienestar y en el nivel de ingresos de los campesinos, especialmente dos: crédito y la tecnología.»[21]

En los últimos años se ha presentado un incremento en la producción de caña de azúcar, cebada, mijo, ajonjolí, palma africana, algodón, arroz, sorgo, etc., por medio de producción de tipo capitalista con fuerte inversión, hasta el punto de que de importador de algunos de estos productos, el país ha pasado a exportar un poco de algunos de ellos. La fuerte demanda de la industria, el incremento del consumo y la carencia de divisas que obliga a la diversificación de exportaciones y la sustitución de importaciones determinaron la utilización del capital en el campo, a lo cual respondió el Incora con la construcción de distritos de riego.

En distritos de riego y obras de adecuación ha hecho el Incora fuertes inversiones. Entre 1962 y 1968 el 18.95% de las totales.[22] En el Tolima recibió los que la Caja Agraria había construido en la década del cincuenta, y en Córdoba, Bolívar, Cesar, Valle, etc., con fuerte inversión se están construyendo otros. ¿Cuál es la razón para el énfasis tan marcado que se hace en este aspecto? Una, ya la

---

21. Enrique Peñalosa Camargo, *Política y programas de la reforma agraria en Colombia*. En: Seminario nacional sobre reforma agraria para el Episcopado colombiano. Bogotá, 10-12 julio, 1967, ICA-Cira, p. 71.

22. *Incora o el fracaso de la reforma agraria burguesa*. Revista *Publifés*, No. 5, diciembre-enero 1969-1970, p. 34.

hemos dado y es clara: por razones históricas y de clase, en Colombia la clase dominante no puede hacer una reforma agraria que beneficie al campesino, y por ello se ha dedicado a hacer una «reforma agraria» que la beneficie a ella. Los distritos de riego y las obras de adecuación obviamente benefician a los propietarios, y además, dan la posibilidad de producir en grande escala, con técnicas capitalistas, e incluso para la exportación, con lo que se trata de paliar un poco la penuria de divisas. Pero es que, además, a los distritos de riego se vinculan los intereses imperialistas y en esas circunstancias las cosas tienen que marchar.

Una parte apreciable de la financiación del Incora proviene de créditos de las agencias imperialistas de préstamo (AID, Birf), los cuales se destinan a distritos de riego, proyectos de colonización y parte a crédito supervisado. Como las obras de ingeniería ya no se hacen con pala y pico, su construcción demanda un fuerte pedido de maquinaria a Norteamérica (tractores, palas mecánicas, vehículos, etc.), país que sale de sus mercancías por los mismos mecanismos típicos de «créditos atados», a precios más altos que los del mercado. Además, hecha la inversión y precisamente a causa de ella, ya en las tierras beneficiadas no se justifica sino una agricultura intensiva, fuertemente tecnificada, la cual crea un mercado permanente a los productos norteamericanos, como tractores, segadoras, cosechadoras, maquinaria agrícola en general, productos químicos, insumos técnicos, fungicidas, etc. Por eso no es raro ver en Colombia, sobre todo en las regiones del Valle y del Tolima, avisos que en las carreteras anuncian programas conjuntos entre empresas imperialistas productoras de maquinaria agrícola e institutos oficiales para la agricultura, como el ICA, en los cuales la empresa, a través del instituto técnico, hace la promoción de algún producto, o señala las ventajas de algún plan.

Los créditos para el Incora, además de los inconvenientes propios del tipo de financiación, producen para el país una grave desventaja económica, en la medida en que generan focos de inflación, no sólo por la emisión subsecuente a los llamados créditos de contrapartida, sino también porque la inversión de créditos para distritos de riego y obras de adecuación se hace a tiempo seguido del recibo del crédito, cuando la producción y los frutos en este tipo de obra, no se perciben sino a largo tiempo y después, por lo regular unos 10 ó 15 años entre la iniciación de los trabajos y las primeras cosechas.

Pero algunos dirán: la finalidad externa para la construcción de distritos de riego y obras de adecuación trae sus problemas, pero permite la producción capitalista destinada a la exportación, y la consecución de divisas que tanta falta hacen al país para el desarrollo industrial. Pero allí viene lo cómico y lo trágico para la clase dominante, que pretende el desarrollo dentro de la actual estructura social y de dependencia. La fuerte inversión que implican las obras no permite otra producción que la intensiva en capital. A su vez, la competencia en el mercado internacional se hace con base en precios y calidad y no con buenas intenciones. El mercado mundial está relativamente saturado de productos agropecuarios y no porque las necesidades de la humanidad estén satisfechas sino porque en el sistema capitalista no se produce con el objeto de satisfacer estas necesidades sino para la obtención de la ganancia, importando solamente el comprador. En ese sentido la demanda efectiva de productos agropecuarios está relativamente copada y la única manera de entrar a competir en ese mercado es con más bajos precios y mejores condiciones. Ahora bien, para rebajar los costos y en consecuencia los precios, es necesario introducir la técnica, la mecanización, pero no una técnica cualquiera, sino la más avanzada para que se haga competitiva la producción. Mas aquí se presenta el dilema insoluble para la clase dominante: si introduce la técnica genera desocupación y esto no es posible en un país con 1.500.000 desocupados, y si no tecnifica, no puede competir. Un cosechador de algodón, por ejemplo, rebaja costos pero genera desempleo y esto es socialmente explosivo.

Por esto, si observamos el cuadro de inversión en obras de riego y adecuación, el área a beneficiarse y la que actualmente se utiliza, y si además contemplamos el tremendo despilfarro en algunas de estas obras, no tenemos más que constatar que allí lo que sucede es que se está enterrando por millones el dinero de los préstamos; y no porque los funcionarios sean ineficientes, en muchos casos también lo son, o porque como dicen los terratenientes, el Estado es un mal administrador, sino porque la continuación de la inversión y la plena

utilización de esas zonas implica problemas internos, en la medida
en que la relativa técnica que es preciso utilizar allí, saca del mercado
a los productores marginales generando desocupación (v.gr. la
producción capitalista de arroz liquida a los productores marginales
de arroz de secano), o la técnica más avanzada que permita la
exportación, desplaza mano de obra y genera también desempleo.

El cuadro que transcribimos a continuación es una muestra de
cómo se ahogan los dineros de los préstamos, y en cifras da cuenta
de lo que a ojo se pueda observar en ciertas regiones, en donde las
obras sólo avanzan un poco, al momento de una inauguración o
reinauguración oficial y para efectos fotográficos, que no agrícolas,
y cómo en épocas de invierno los canales de drenaje no se ven
porque están inundados.

Proyecto	Ubicación	Area a beneficiarse (has)	Area bajo riego (has)
Atlántico 3	Sur del departamento	26.000	300
Bolívar 1	Mahates - María La Baja	18.900	-
Boyacá 1	Samacá y Sogamoso	15.459	-
Cesar 1	Cesar - Ariguaní	200.000	-
Córdoba 1	Bajo Sinú	3.000	-
Córdoba 2	Montería - Cereté	64.000	-
Cundinamarca 5	Girardot - Tocaima	4.200	-
Huila 1	El Porvenir	4.500	-
Huila 2	El Juncal	2.700	700
Magdalena 1	Zona Bananera	28.000	5.000
N. de Santander 1	Zulia - Pamplonita	19.000	300
N. de Santander 1	Abrego	1.800	
Putumayo 1	Valle del Sibundoy	7.600	
Santander 1	Valle del río Lebrija	10.800	
Tolima 1	Prado	7.000	
Tolima 5	Coello - Saldaña	25.000	25.000
Tolima 6	Ambalema - Lérida	6.500	6.500
Valle 1	Roldanillo - La Unión - Toro	12.000	3.000
		456.450	40.800*

* Sólo 9% del total a beneficiarse[23]

23. *Incora o el fracaso...* Revista *Publifés*, No. 5, p. 34.

A crédito supervisado, otra modalidad de la «reforma agraria» en beneficio de los propietarios, se destinaron entre 1962 y 1968 el 31.3% de las inversiones realizadas, provenientes en gran parte de créditos de AID, para programas aprobados por este organismo. Hasta 1963, este tipo de ayuda, en el que se invirtió la tercera parte del presupuesto del Incora, sólo había beneficiado a 28.143 familias de medianos productores rurales, nunca al campesino sin tierra,[24] y los pocos créditos otorgados a campesinos pobres en la práctica no han sido más que fuente de conflicto, en la medida en que la competencia barre a estos agricultores que al final se encuentran con una cosecha sin comprador, o en beneficio del Incora para que en su caso sí se opere la expropiación.[25]

A proyectos de colonización, con financiación externa, también se dedica parte del presupuesto del Incora. El imperialismo financia este tipo de «reforma agraria» porque las obras de infraestructura, especialmente carreteras, demandan equipo importado, que por los créditos necesariamente tiene que comprarse en Norteamérica; y la clase dominante, gustosa, promueve este tipo de acción que implica el traslado del campesino al ostracismo económico y social y sobre todo, le deja intocadas sus grandes extensiones. Por eso, en las simpáticas fórmulas que se han dado como solución al desempleo, además del control demográfico, o de la disminución de desocupados notorios a través de desocupación disfrazada con el crecimiento del ejército, no ha podido faltar una propuesta de colo-

---

24. *Incora o el fracaso*... Revista *Publifés*, No. 5, p. 35.

25. Con respecto al destino de los créditos del Incora, son ilustrativas las siguientes cifras: «En el proyecto Bolívar, número 1, 36 'campesinos' recibieron en préstamo 6 millones de pesos, a razón de $165.000 por beneficiario. Y en el proyecto Córdoba número 1, los únicos beneficiarios han sido 9 'campesinos' quienes recibieron $2.2 millones, a un promedio de $245.000 cada uno... El promedio de préstamos en la Caja Agraria es de 7.000 por usuario, y de 25.000 pesos en Incora. Mientras la Caja Agraria atiende a 400.000 usuarios, el Incora cubre a 30.000, número que podría triplicarse si el nivel de préstamos fuera semejante al de la Caja.» Oscar Delgado, «¿Por qué el Incora no ha reformado la escritura agraria?», en *Revista Javeriana* No. 368, T. LXXIV, septiembre 1970, p. 259. Con todo, tampoco pueden tomarse los datos de la Caja Agraria sin análisis, puesto que allí opera el mismo fenómeno de grandes préstamos para los grandes propietarios.

nización como una de las tantas soluciones salvadoras. Por su parte, los directivos del Incora, no obstante sus afirmaciones categóricas de que ésta no es la solución y que además ella es antieconómica, proceden aceleradamente a propiciar con empréstitos, colonizaciones como la de Arauca y Caquetá. En conferencia dictada en el mes de agosto de 1970, en el hotel Nutibara de Medellín, Carlos Villamil Chaux, gerente del Instituto de Reforma Agraria, decía que la instalación de cada familia de colonos cuesta $200.000; en un interesante estudio sobre las áreas de colonización, se calcula el costo en aproximadamente $240.000 por familia,[26] y en Arauca y el Meta los costos reales han sido de $300.000 por familia.[27]

Ni distribución de tierras, ni desarrollo económico ha logrado la clase dominante con la fuerte inversión de más de tres mil millones de pesos en el Instituto de Reforma Agraria. Por eso, subrepticiamente primero y claramente después, comienza a descubrir la principal función que siempre ha asignado a esta mascarada demagógica: la función paramilitar, que la perpetúe en la explotación y que proteja el *statu quo*.

Ante el público internacional —varios ministros de países latinoamericanos— otra vez Carlos Lleras Restrepo destacó el verdadero sentido de este tipo de «reforma agraria»:

«Nuestros campesinos, en inmenso número, son hombres que no tienen nada que perder y sobre ese que no tienen nada que perder, sobre esa masa inorgánica, ignorante, es donde la infiltración revolucionaria puede cosechar sus mayores frutos. Y así estamos viendo que se procede y esa es la experiencia que tenemos en Colombia. Eso es lo que estamos viendo que se intenta hacer y yo estoy seguro que se seguirá intentando cada vez con mayor decisión y en mayor escala. Entonces, aun por un simple sentido de egoísmo, quienes son propietarios de tierras, ¿no deben detenerse a meditar en los

---

26. Ana Dolores Medina C., *Estudio sociológico sobre áreas de colonización y recomendaciones para un plan de colonización*, septiembre de 1969 (copia a máquina).

27. Héctor Tamayo Betancur, *La reforma agraria en Colombia* (Bogotá, Centro de Investigación para el Desarrollo, 1970), p. 35.

peligros que encierra la proliferación de esa vasta, de esa inmensa masa desamparada que constituye el campesinado pobre colombiano? ¿No debe ser nuestra primera preocupación la de mejorar la suerte de ese campesino, si queremos mantener un orden en el país? ¿O es que acaso se cree en que con simples medidas militares puede controlarse una situación de esa clase?

«La necesidad de cumplir mis deberes como jefe del gobierno me ha hecho ocupar en estos meses de disciplinas que eran muy extrañas a mi mentalidad y a mi preparación universitaria; entre otras el estudio de las tácticas nuevas de las guerrillas y de la manera de combatirlas, y sé ya una cosa que todo el que ha analizado estos problemas conoce muy bien, y es la de que la moderna guerra, el moderno tipo de subversión, está completamente alejada del antiguo concepto de la guerra de posiciones, en que se tenía que confiar a las fuerzas armadas, al ejército, la obligación de tomarse un determinado lugar ocupado por el enemigo...

«El objetivo de la guerra moderna, en el cual estamos mezclados, querámoslo o no, todos los países en esta gran contienda universal de sistemas, es el de quién se queda con la población.»[28]

Ya la historia les demostrará que tampoco esta otra función puede cumplirse, y tal vez otro economista-militar distinto de Carlos Lleras, llegue a descubrir que para la clase dominante hay medios tácticos más económicos de hacer la guerra.

En el informe que el actual director del Incora rindió sobre las labores del instituto, presentó cifras sobre la tenencia de tierras en Colombia que muestran cómo después de ocho años de intensa reforma agraria, la situación tenía las mismas características que se denunciaban en 1960: «El hecho de que el 74% de los predios catastrales y el 76.5% de las explotaciones agropecuarias menores de 10 hectáreas ocupen en su orden el 10.8 y el 8.8% de la superficie, mientras que las propiedades grandes representan el 2.4% del total catastral y el 3.6% del agropecuario y dispongan de un área

---

28. Carlos Lleras Restrepo, Exposición ante la SAC, mayo 9 de 1967, copia en mimeógrafo.

del 55.7 y del 66.0%, respectivamente, indica una desigual distribución de la propiedad, que afecta consecuencialmente las relaciones propietario-tierra.»[29]

Se calcula que cada año hay en Colombia 20.000 nuevas familias campesinas que buscan la tierra. En 10 años de labores, el Incora dice que ha otorgado 96.000 nuevos títulos de propiedad, cifra que aun tomada sin análisis va detrás del crecimiento de la población. Pero observamos que de esa cifra solamente 6.700 títulos han sido otorgados a nuevos propietarios, pues el resto no es más que legalización de títulos a colonos que habían tumbado montaña sin contar para nada con el Incora, y si además tenemos en cuenta que actualmente hay 1.000.000 de familias minifundistas, 300.000 familias de campesinos sin tierra y 200.000 familias de aparceros, no tenemos más que concluir que las actividades del Incora se han quedado un poco cortas y que si el propósito era crear propietarios «aun en condiciones de simple subsistencia», llegado el caso de que en el país no volviera a nacer nadie —deseos de otros Lleras—, con el ritmo actual de adjudicaciones los campesinos tendrían que vivir algunos miles de años para ver su deseo satisfecho.

---

29. Carlos Villamil Chaux, *El sector agropecuario y la reforma agraria en Colombia* (Bogotá, Incora, 1968), mimeo, p. 29.

BIBLIOGRAFÍA

Abella, Arturo. *Don Dinero en la Independencia*, Bogotá, Lerner, s. f.

— *El florero de Llorente*. Bogotá, s. f.

Arrubla, Mario. *Estudios sobre el subdesarrollo colombiano*. Medellín, Libros de La Carreta, 7ª edición, 1974.

Balcázar Pardo, Marino. *Disposiciones sobre indígenas, baldíos y estados antisociales (vagos, maleantes y rateros)*. Popayán, Universidad del Cauca, 1954.

Baquero, Rafael. «La economía nacional y la política de guerra». En: *Colombia: estructura política y agraria*. Bogotá, Edit. Estrategia, 1971.

Baran, Paul A. *La economía política del crecimiento*. México, F.C.E., 1961.

Blandon, H. Aldemar. *Mercadeo del algodón en Colombia*. Bogotá, Instituto de Fomento Algodonero, 1968.

Bonilla, Víctor Daniel. «Tolima 1: primer proyecto de la reforma agraria». En: *Tierra, revista de economía agraria*, No. 1, Jul.-Sep., 1966, Bogotá, Tercer Mundo.

Botero Saldarriaga, Roberto. *General José María Córdoba. 1799-1928*. Medellín, Bedout, 1970.

Braudel, Fernand. *El Mediterráneo y el mundo mediterráneo en la época de Felipe II*. México, F.C.E., 1953, 2 tomos.

Buenaventura, Nicolás. *Dos enfoques de la época colonial*. Rev. *Documentos Políticos*, No. 48, abril, 1965.
— *La revolución de los comuneros según Indalecio Liévano Aguirre*. Rev. *Documentos Políticos*, No. 27, Jul.-Ag., 1962.

Bushnell, David. *El régimen de Santander en la Gran Colombia*. 1ª edición en español. Bogotá, Tercer Mundo y Universidad Nacional, 1966.

Caja de Crédito Agrario, Industrial y Minero. *Manual de costos*, 1967.

Camacho Roldán, Salvador. *Escritos varios*. Bogotá, Librería Colombiana, 1892.
— *Memorias*. Bogotá, Biblioteca Popular de Cultura Colombiana, 1946, 2 tomos.

Castro, Josué de. *El oro y la América Latina*. Rev. *Desarrollo Indoamericano*, Colombia, No. 5, febrero, 1967.

Cepal. *El desarrollo económico de Colombia*, 1957.
— *El financiamiento externo de América Latina*. New York, Naciones Unidas, 1964.

Cisneros, Francisco Javier. *Memorias sobre la construcción de un ferrocarril de Puerto Berrío a Barbosa (Estado de Antioquia)*. New York, Imprenta y Librería de N. Ponce de León, 1880.

Clairmonte, Frederich. *Liberalismo económico y subdesarrollo, historia de la desintegración de una ideología*. Bogotá, Tercer Mundo, 1963.

Colmenares, Germán. *Antecedentes sociales de la historia de la tierra en Colombia; los resguardos en la provincia de Tunja y su extinción*. Revista Universidad Nacional de Colombia, No. 4, Sep.-Dic., 1969.
— *Las haciendas de los jesuitas en el Nuevo Reino de Granada*. Bogotá, Universidad Nacional de Colombia, 1969.
— *Partidos políticos y clases sociales*. Bogotá, Universidad de los Andes, 1968.

Corsi Otálora, Luis. *Autarquía y desarrollo; el rechazo de la expropiación a las naciones proletarias*. Bogotá, Tercer Mundo, 1966.

Cruz Santos, Abel. *Economía y hacienda pública*. En: Historia Extensa de Colombia de la Academia Colombiana de Historia. Bogotá, Lerner, Vol. XV, Ts. I-II, 1965.

Cuervo, Angel. *Cómo se evapora un ejército*. Bogotá, Librería Nueva York, 1901.

Currie, Lauchlin. *Bases de un programa de fomento para Colombia*. 2ª edición. Bogotá, Banco de la República, 1951.

Dane. *Boletín mensual de Estadísticas* (diversas entregas).

D'Espagnat, Pierre. *Recuerdos de la Nueva Granada*. Bogotá, Biblioteca Popular de Cultura Colombiana, 1942.
— *Declaración de los pueblos de América reunidos en Punta del Este*. «Documentos Polémicos», No. 3, 1962.

Delgado, Oscar. *¿Por qué el Incora no ha reformado la estructura agraria?* Revista Javeriana, No. 386, septiembre 1970.

Delgado, Oscar, editor. *Reformas agrarias en la América Latina*. México, F.C.E., 1965.

Díaz, Eugenio. *Manuela*. Medellín, Bedout, 1968.

Duff, Ernest A. *Agrarian reform in Colombia*. New York, Frederick A. Prager, 1968.

«Entrevista con un viejo campesino de Chaparral.» Rev. *Estudios Marxistas*, No. 1, marzo-abril, 1969.

Escalante, Aquiles. *El negro en Colombia*. Bogotá, Universidad Nacional, 1964.

Espinosa, Gustavo. *Los bienes comunales: su origen, variedad y trayectoria en la legislación española antigua y colombiana*. «Rev. Estudios de Derecho», Universidad de Antioquia, año 20, segunda época, septiembre 1959.

Fals Borda, Orlando. *El hombre y la tierra en Boyacá*. Bogotá, Ediciones Documentos Colombianos, 1957.
— *El vínculo con la tierra y su evolución en el departamento de Nariño*. Rev. Academia Colombiana de Ciencias, Vol. X, No. 41.
— *La subversión en Colombia*. Bogotá, Tercer Mundo, s. f.

Feder, Ernest. «Post Scriptum». En: Oscar Delgado, editor, *Reformas agrarias de la América Latina*, México, F.C.E., 1965.

Forero Benavides, Abelardo. «Don Dinero en la Independencia; diezmos y derechos». *El Espectador*, Magazín Dominical, junio 26 y julio 3 de 1968.

Franco Holguín, Jorge. *Evolución de las instituciones financieras en Colombia*. México, Centro de Estudios Monetarios, 1966.

Hurtado, Celso. *La economía latinoamericana desde la conquista ibérica hasta la revolución cubana*. Santiago de Chile, Editorial Universitaria, 1969.
— *La formación económica del Brasil*. México, F.C.E., 1962.

García, Antonio. *Bases de una economía contemporánea*. Bogotá, 1948.
— *Geografía económica de Colombia. Caldas*. Bogotá, Imprenta Nacional, 1937.

García Márquez, Gabriel. *Cien años de soledad.* 3ª edición, Buenos Aires, Editorial Suramericana, 1967.

Gunder Frank, André. *La inversión extranjera en el subdesarrollo latinoamericano desde la conquista colonial hasta la integración neoimperalista.* Rev. «Desarrollo Indoamericano», Vol. II, No. 5, febrero, 1967.
— «Tipos de reformas agrarias». En: *Reformas agrarias en América Latina: procesos y perspectivas.* Edición preparada por Oscar Delgado, México, F.C.E., 1965.

Guzmán Campos, Germán y otros. *La violencia en Colombia.* 2ª edición, Bogotá, Tercer Mundo, 1962, 2 tomos.

Hamilton, Earl. *El florecimiento del capitalismo y otros ensayos de historia económica.* Madrid, Editorial Revista de Occidente, 1948.

Haring, Clarence H. *El imperio hispánico en América.* Buenos Aires, Solar-Hachette, 1966.

Hauser, Arnold. *El manierismo.* Madrid, Guadarrama, 1965.

Hernández Rodríguez, Guillermo. *De los chibchas a la Colonia y a la República (del clan a la encomienda y al latifundio en Colombia).* Bogotá, Universidad Nacional de Colombia, 1949.

— *La alternación ante el pueblo como constituyente primario.* Bogotá, América Libre, 1962.

Hirschman, Albert O. *Estudios sobre política económica de América Latina.* Madrid, Aguilar, 1964.

Hobsbawm, Eric J. *Las revoluciones burguesas; Europa 1789-1848.* Madrid, Guadarrama, 1964.

Huberman, Leo. *Los bienes terrenales del hombre.* Buenos Aires, Iguazú, 1963.

Ibáñez, Pedro M. *Las crónicas de Bogotá y de sus inmediaciones.* Bogotá, Imprenta de La Luz, 1891.

Incora. *Segundo año de reforma agraria: informe de actividades en 1963.* Bogotá, Imprenta Nacional de Colombia, 1964. «Incora o el fracaso de la reforma agraria burguesa.» Rev. *Publifés,* No. 5, diciembre-enero, 1969-1970.

Jaramillo Uribe, Jaime. *El pensamiento colombiano en el siglo XIX.* Bogotá, Temis, 1964.
— *Ensayos sobre historia social colombiana.* Bogotá, Universidad Nacional de Colombia, 1968.
— (y otros). *Historia de Pereira.* Pereira, Club Rotario, 1963.

Kossok, Manfred. *El Virreinato del Río de La Plata*. Buenos Aires, Editorial Futuro, s. f.

Latorre Mendoza, Luis. *Historia e historias de Medellín, siglos XVII, XVIII y XIX*. Medellín, Imprenta Oficial, 1934.

Lemoine, Augusto. *Viaje y estancia en la Nueva Granada*. Bogotá, Guadalupe, 1969.

Lenin, V. I. *El capitalismo en la agricultura*. En: «Obras completas», Buenos Aires, Cartago, T. IV, 1957.

Liévano Aguirre, Indalecio. *Los grandes conflictos sociales y económicos de nuestra historia*. Bogotá, Nueva Prensa, s. f.
— *El proceso de Mosquera ante el Senado*. Bogotá, Editorial Revista Colombiana, 1966.
— *Rafael Núñez*. Bogotá, Segundo Festival del Libro Colombiano.

López, Alejandro. *Problemas colombianos*. París, París-América, 1927. 2ª edición, Medellín, Editorial La Carreta, 1976.

López Michelsen, Alfonso. «Hacia una verdadera reforma que complete la Revolución en Marcha». Discurso en la Cámara de Representantes el 14 de noviembre de 1961. En: *Tierra: diez ensayos sobre la reforma agraria en Colombia*. Bogotá, Tercer Mundo, 1961.

López Toro, Alvaro. *Migración y cambio social en Antioquia durante el siglo XIX*. Bogotá, Centro de Estudios sobre el Desarrollo Económico, 1968.

Lozano, Jaime. *Análisis de las perspectivas... de la industria dulcera de Colombia*. Cali, Asocaña, 1959.

Luxemburgo, Rosa. *La acumulación del capital*. México, Editorial Grijalbo, 1967.

Lleras Restrepo, Carlos. Exposición ante la SAC, mayo 9 de 1967, mimeo.
— «Ponencia a nombre de la Comisión Tercera del Senado el día 13 de abril de 1961». En: *Tierra: diez ensayos sobre la reforma agraria en Colombia*. Bogotá, Tercer Mundo, 1961.

Madarriaga, Salvador. *Hernán Cortés*. Buenos Aires, Suramericana, 1948.

Mandel, Ernest. *Tratado de economía marxista*. México, Ediciones Era, 2 tomos, 1969.

Martin, Alfred von. *Sociología del renacimiento*. México, F.C.E., 1962.

Martz, John D. *Colombia: un estudio de política contemporánea*. Bogotá, Universidad Nacional de Colombia, 1969.

Marx, Carlos. *La revolución española*. Moscú, Ediciones en lenguas extranjeras, s. f.
— *Trabajo asalariado y capital*. En: «Obras escogidas», Moscú, Editorial Progreso, 1955.
— y Federico Engels. *Manifiesto del Partido Comunista*. En: «Obras escogidas», Moscú, Editorial Progreso, 1955.

Medina C., Ana Dolores. *Estudio sociológico sobre áreas de colonización y recomendaciones para un plan de colonización*. Septiembre de 1969, copia a máquina.

Melo, Jorge Orlando. *Segundo gobierno de Santander*. Tesis de grado (copia a máquina).

Mellafe, Rolando. *La esclavitud en Hispanoamérica*. Buenos Aires, Eudeba, 1964.

Mendoza, Diego. *Ensayo sobre la evolución de la propiedad en Colombia*. «Revista de la Academia Colombiana de Jurisprudencia», año XVI, Nos. 145-146, diciembre, 1942.

— «Mr. Harter, único dueño de minas colombianas», *El Espectador*, diciembre 6, 1969.

Molina, Gerardo. *Las ideas liberales en Colombia, 1849-1914*. Bogotá, Universidad Nacional de Colombia, 1970.

Monsalve, Diego. *Colombia cafetera: información histórica, política, civil... de la República de Colombia*. Barcelona, 1927.

Montaña Cuéllar, Diego. *Colombia, país formal y país real*. Buenos Aires, Editorial Platina, 1963.

Morner, Magnus. *El comercio de Antioquia alrededor de 1830 según un observador sueco*. «Anuario Colombiano de historia social y de la cultura. Universidad Nacional de Colombia», Vol. 1, No. 2, 1964.

Nieto Arteta, Luis Eduardo. *Economía y cultura en la historia de Colombia*. Bogotá, Tercer Mundo, 1966.
— «El café en la sociedad colombiana». En: *Ensayos sobre economía colombiana*. Medellín, Oveja Negra, 1969.

O'Connor, Harvey. *La crisis mundial del petróleo*. Buenos Aires, Ed. Platina, 1963.

Ocampo, José Fernando. *Historia y dominio de clases en Manizales*. Medellín, Centro de Investigaciones Económicas, Universidad de Antioquia, 1970.
— Tesis de grado. Capítulo sobre el «Campesino cafetero», copi a máquina.

Ospina Vásquez, Luis. *Industria y protección en Colombia, 1819-1930.* Medellín, Editorial Santa Fe, 1955.

Ospina Rodríguez, Mariano. *Escritos sobre economía y política.* Bogotá, Universidad Nacional de Colombia, 1969.

Ots Capdequí, J. M. *El Estado español en las Indias.* Buenos Aires, F.C.E., 1957.
— *El régimen de la tierra en la América española durante el período colonial.* Ciudad Trujillo, Editorial Montalvo, 1946.

Parsons, James J. *La colonización antioqueña en el occidente de Colombia.* 2ª edición, Bogotá, Banco de la República, 1961.

Peñalosa, Enrique. *El problema colombiano de la reforma agraria.* «Rev. Arco», No. 22, junio, 1962.
— *Función de la reforma agraria.* Rev. «Desarrollo Económico» (editada por *Visión*), Vol. 3, No. 2, 2º trimestre, 1966.
— «Política y programas de reforma agraria colombiana». En: *Seminario sobre reforma agraria para el Episcopado colombiano.* Bogotá, 10-12 de julio de 1967. ICA-Cira.

Pérez, Felipe. Geografía general, física y política de los Estados Unidos de Colombia. Bogotá, Imprenta de Echeverría Hermanos, 1883.

Pineda Giraldo, Roberto. *El impacto de la violencia en el Tolima. El caso del Líbano.* Bogotá, Universidad Nacional de Colombia, Departamento de Sociología, 1960.

Pirenne, Henri. *Historia de Europa.* México, F.C.E., 1956.
— *Historia económica y social de la Edad Media.* México, F.C.E., 1960.

Plaza Galo y Stacy May. *La United Fruit Company en América Latina.* New York, National Planning Association, 1958.

Popescu, Oreste. *Sistema económico en las misiones jesuitas. Experimento de desarrollo indoamericano.* Barcelona, Ediciones Ariel, 1967.

Posada Díaz, Francisco. *Colombia: violencia y subdesarrollo.* Bogotá, Universidad Nacional de Colombia, 1969.

Poveda Ramos, Gabriel. *Antecedentes y desarrollo de la industria en Colombia.* «Revista trimestral», Andi, No. 4, 1967.
— *Historia de la industria en Colombia.* «Revista trimestral», Andi, No. 11, 1970.

Puigross, Rodolfo. *De la Colonia a la revolución.* Buenos Aires, Leviatán, 1957.

Quimbaya, Anteo. *El problema de la tierra en Colombia*. Bogotá, Ediciones Suramérica, 1967.
— *Primeras grandes jornadas de nuestra revolución comunera*. Revista «Documentos Políticos», No. 48, abril, 1965.
Recopilación de las leyes de los reynos de Indias

Restrepo, José Manuel. *Historia de la Nueva Granada*. Bogotá, Editorial El Catolicismo, 2 tomos, 1963.

Restrepo, Vicente. *Estudio sobre las minas de oro y plata en Colombia*. Bogotá, Banco de la República, 1952.

Rippy, Fred J. *El capital norteamericano y la penetración imperialista en Colombia*. Medellín, Oveja Negra, 1970.

Rivas, Medardo. *Los trabajadores de tierra caliente*. Bogotá, Biblioteca Popular de Cultura Colombiana, 1946.

Robledo, Emilio. *Bosquejo biográfico del señor oidor Juan Antonio Mon y Velarde, visitador de Antioquia, 1785-1788*. Bogotá, Banco de la República, 2 tomos, 1954.
— *La vida del general Pedro Nel Ospina*. Medellín, Imprenta Departamental, 1959.

Rothlisberger, Ernst. *El Dorado: estampas de viajes y cultura de la Colombia suramericana*. Bogotá, Banco de la República, 1963.

Safford, Frank. *Significado de los antioqueños en el desarrollo económico colombiano: un examen crítico de las tesis de Everett Haggen*. «Anuario colombiano de historia social y de la cultura». Universidad Nacional, Vol. II, No. 3, 1965.
— *Empresarios nacionales y extranjeros en Colombia durante el siglo XIX*. «Anuario colombiano de la historia social y de la cultura», Universidad Nacional, No. 4, 1969.

Salazar, Mardonio. *Proceso histórico de la propiedad en Colombia*. Bogotá, A.B.C., 1948.

Samper, José María. *Ensayo sobre las revoluciones políticas*. Bogotá, Universidad Nacional de Colombia, 1969.

Samper, Miguel. *La miseria en Bogotá y otros escritos*. Bogotá, Universidad Nacional de Colombia, 1969.

Santa, Eduardo. *Rafael Uribe Uribe: un hombre y una época*. Medellín, Bedout, 1968.

See, Henry. *Orígenes del capitalismo moderno*. México, F.C.E., 1961.

Seminario de la Reforma Agraria. 1er. 1964. *Estructura y tendencias del sector rural en Colombia*. Reproducido por Centro de Investigaciones Económicas. Universidad de Antioquia, 1970.

Silvestre, Francisco. *Descripción del Reyno de Santa Fe de Bogotá*. Bogotá, Universidad Nacional de Colombia, 1968.

Tamayo Betancur, Héctor. *La reforma agraria en Colombia: una base para su evaluación*. Bogotá, Centro de Investigaciones para el Desarrollo, 1970.

Tamayo, Joaquín. *La revolución de 1899*. Bogotá, Editorial Cromos, 1938.

Teitelboim, Volodia. *El amanecer del capitalismo y la conquista de América*. Buenos Aires, Editorial Futuro, 1963.

Tobón, Ernesto. *Crónicas de Rionegro*. Imprenta Departamental, 1964.

Toro Agudelo, Hernán. «La parálisis de la reforma agraria». (Memoria del ministro de Agricultura al Congreso Nacional, 1962). En: Oscar Delgado, editor. *Reformas agrarias en América Latina; procesos y perspectivas*. México, F.C.E., 1065.
— *Planteamientos y soluciones del problema agrario*. «Rev. Universidad de Medellín», año IV, No. 7, agosto, 1960.

Torres García, Guillermo. *Historia de la moneda en Colombia*. Bogotá, Banco de la República, 1945.

Triana y Antorveza, Humberto. *El aprendizaje en los gremios neogranadinos*. «Boletín cultural y bibliográfico, Banco de la República», 8 (5), 1965.
— *Los artesanos en las ciudades neogranadinas*. «Boletín cultural y bibliográfico, Banco de la República», 10 (2), 1967.
— *El aspecto religioso en los gremios neogranadinos*. «Boletín cultural y bibliográfico, Banco de la República», 9 (2), 1966.
— *Exámenes, licencias, fianzas y elecciones artesanales*. «Boletín cultural y bibliográfico, Banco de la República», 9 (1), 1966.
— *La protección social en los gremios de artesanos neogranadinos*. «Boletín cultural y bibliográfico, Banco de la República», 9 (3), 1966.

Universidad del Valle - ICA. *Colombia: estadística agropecuaria 1950-1966*. Cali, febrero, 1968.

Uribe Misas, Alfonso. «Un grave peligro». Constancia en el Senado de la República el 7 de junio de 1961. En: *Tierra: diez ensayos sobre la reforma agraria en Colombia*. Bogotá, Tercer Mundo, 1961.

Uribe Angel, Manuel. *Geografía general y compendio histórico del Estado de Antioquia en Colombia*. París, Imprenta de Víctor Goupy y Jourdan, 1885.

Urrutia, Miguel. *Historia del sindicalismo en Colombia*. Bogotá, Universidad de los Andes, 1969. (2ª edición, Medellín, Universidad de los Andes y Editorial La Carreta, 1976).

Villamil Chaux, Carlos. *El sector agropecuario y la reforma agraria en Colombia*. Bogotá, Incora, 1968 (mimeo).

Villegas, Jorge. *Petróleo, oligarquía e imperio*. Bogotá, Ediciones E.S.E., 1969.

Zuleta, Estanislao. *Conferencia de historia económica colombiana, 1964*. Reproducido por el Centro de Investigaciones Económicas, Universidad de Antioquia, 1969; Edit. La Carreta, 1977.
— *España y sus colonias en América*. «Gaceta Tercer Mundo», suplemento El ámbito de las ideas, Nos. 42-43, octubre-noviembre, 1967.
— *La tierra en la economía colombiana*. Reproducido por el Centro de Investigaciones Económicas, Universidad de Antioquia, 1969.

Este libro se terminó de imprimir
en el mes de abril de 2003
Impreso por Panamericana Formas e Impresos S.A.
Bogotá, D.C. - Colombia